El sacrificio del Verdugo

El sacrificio del Verdugo

Noelia Amarillo

TERCIOPELO

© Noelia Amarillo, 2013

Primera edición en este formato: octubre de 2014

© de esta edición: Roca Editorial de Libros, S. L.
Av. Marquès de l'Argentera, 17, pral.
08003 Barcelona
info@terciopelo.net
www.terciopelo.net

Impreso por LIBERDÚPLEX, S.L.U.
Crta. BV-2249, km 7,4, Pol. Ind. Torrentfondo
Sant Llorenç d'Hortons (Barcelona)

ISBN: 978-84-15952-12-1
Depósito legal: B. 16.066-2014
Código IBIC: FRD

RB52121

Para mis dos dríades, Livia y Raquel.

Nota de la autora

Quien me conoce sabe que soy verdaderamente obsesiva con los nombres que doy a mis personajes. Necesito que tengan un significado. En esta historia, esa obsesión es todavía más pronunciada. No solo exigía que tuvieran un significado acorde a lo que quería que los personajes trasmitieran, sino que era preciso que pudieran relacionarse fonéticamente con los *actores* de esta novela y el lugar del que procedían. Además, los de las dríades requerían cierta musicalidad y, en el caso de los meses del año, cierto significado.

Aisling: sueño, visión (gaélico o irlandés)
Fiàin: salvaje (irlandés)
Gard: guardia (galés)
Iníon da faroise: hija del bosque (irlandés)
Iobairt: sacrificar (irlandés)
Iolar: águila (irlandés)
Kier: pequeño oscuro (gaélico)
Máthair Mór: gran madre (irlandés)
Milis y Grá: dulce y amor (irlandés)

Con respecto a los meses, tras mucho pensar opté por el calendario celta, en el que cada mes está representado por un árbol. Aunque este calendario consta de trece meses, a mí solo me hacían falta cuatro, por tanto desarrollé mi historia basándome en la simbología de esos cuatro meses. Debo reconocer que me tomé la licencia de extrapolar esos nombres a los meses exactos que a mí me cuadraban (los meses celtas no se corresponden en días con los nuestros).

Uath (mayo): espino. Simboliza la purificación y la castidad forzosa.

Duir (junio): roble. Simboliza la solidez, la fuerza y la longevidad.

Tinne (julio): acebo. Simboliza la superación en la lucha.

Coll (agosto): avellano. Simboliza el conocimiento.

Y por último y no menos importante, a lo largo de las páginas de este libro, podréis comprobar que las dríades que he imaginado no se parecen en su origen ni en su personalidad a las que describe la mitología griega. Esto tiene un motivo muy simple: mi desquiciada imaginación es incapaz de seguir ninguna norma, ni siquiera aquellas que dictaron los griegos hace tantos, tantos años.

Érase una vez una leyenda…
Una mujer inmortal de vida efímera.
Un rey perdido en certezas equívocas.
Un hombre inmerso en un presente sin futuro.
Una joven prohibida anhelando caricias.
Un bosque encantado, una ciudad de sacrificio, un reino.
El reino del Verdugo.

Prólogo

«*D*espierta, él está en la linde del bosque.»

Aisling parpadeó al escuchar el susurro de los robles. Se estiró perezosa sobre la rama en la que se había quedado dormida y sonrió a sus amigos, agradecida por el aviso. Las hojas, brillantes por el rocío del amanecer, tintinearon en respuesta. Varios metros por debajo de ella, *Blaidd* y *Dorcha* alzaron sus cabezas y gruñeron, disconformes con los paseos de la joven por las fronteras de su verde reino. Aisling los ignoró y, sin pensárselo un instante, tensó su esbelto y flexible cuerpo y saltó a un enorme roble cercano, el cual extendió sus ramas y la acogió en ellas. Un segundo después, la muchacha saltó a otro, y así, de árbol en árbol, llegó hasta la línea de serbales que marcaban la frontera entre el bosque mágico y el real. Bajó de entre las ramas y recorrió el resto de la fronda a pie, hasta llegar a los eucaliptos que demarcaban el final del bosque prohibido. Se detuvo, trepó sobre la copa de un frondoso aliso y observó silente.

Él estaba sentado sobre un enorme tocón cubierto de musgo, cerca de la Cañada Real. Sujetaba un saco de arpillera mientras mordisqueaba una brizna de hierba. Aisling se fijó en las rudas y morenas manos, en los estilizados dedos que asían lánguidos el tosco cordel que ataba el fardo. Observó con deleite sus anchas espaldas, apenas ocultas por el chaleco de cuero que usaba, y se mordió los labios anhelando acariciar su despeinado cabello negro, largo hasta los hombros. Oteó impaciente el horizonte, deseando que quien tuviera que llegar lo hiciera pronto, para que él se levantara de su improvisado asiento y se adentrara furtivamente en el bosque.

Pocos minutos después, una nube de polvo le indicó que la espera había terminado.

Una mujer vestida con elegante lujo se detuvo a escasos centímetros del hombre, le saludó con un gesto altivo de su aristocrática cabeza y obligó a su montura a adentrarse entre los árboles. Él se levantó indiferente, sacudió de sus calzas el polvo que caballo y jinete habían levantado, se echó el saco al hombro y siguió a la dama con indolencia.

Aisling se apresuró a cambiar de rama hasta volver a quedar sobre ellos. Observó a la mujer bajar del corcel y esperar al hombre en aparente calma, mientras sus manos nerviosas no dejaban de frotarse contra la exquisita falda de su traje de terciopelo azul.

Él llegó hasta el pequeño claro del bosque, dejó caer el fardo al suelo y, sin mediar palabra, lo abrió y sacó un paquete envuelto en tela basta. Se lo tendió a la mujer. Esta arqueó las cejas y juntó las manos, negándose a tocar el áspero tejido. El hombre se encogió de hombros y, acostumbrado como estaba a los caprichos de las damas, abrió él mismo el envoltorio y le tendió el contenido a la vez que le indicaba su precio. La mujer se mordió los labios y estiró sus delicados dedos de uñas pulidas y piel sin mácula para tocar el objeto. Lo acarició durante un segundo y luego dejó caer la mano y habló.

Aisling aguzó el oído.

—¿Cómo sé que esto me dará la satisfacción prometida? —preguntó la dama, altiva.

—La duquesa de Neidr os dio referencias de mi trabajo —contestó él, fingiendo respeto.

—También me aseguró que podría probarlo antes de decidirme a comprarlo.

—Si así lo deseáis, pero os costará tres monedas más.

—También me dio noticia de cierto bálsamo para hacer la labor más… placentera.

El hombre puso los ojos en blanco, comenzaba a cansarse de los rodeos y las frases con doble sentido de las nobles. Prefería con diferencia la sinceridad cortante de los mercaderes.

—Si no es correcto… —La mujer dejó la frase en el aire. Él se apresuró a dibujar una mueca servil en su rostro.

—Es correcto, milady. Podéis probar todo aquello que deseéis —aceptó realizando una reverencia.

—Enseñadme el bálsamo, y también las… fundas.

El hombre sonrió, esa mañana haría un buen negocio. Sacó del fardo un bote de barro cocido y una taleguilla de tela, abrió ambos y le mostró a la dama su contenido.

La mujer se lamió los labios e introdujo un dedo en el tarro, lo sacó impregnado de un preparado denso con fuerte olor a eucalipto. Se lo llevó a los labios y chupó. Luego cogió una de las fundas y la estiró entre los dedos, acariciándola para sentir su suavidad.

—¿Cuánto?

—Dos monedas por cada funda, cuatro por el bálsamo y diez por la verga de madera forrada en cuero. Si deseáis probarla, serán tres monedas más.

—¿Y si solo quiero probarla y me niego a comprarla?

—Milady, en cuanto la probéis, querréis haceros con ella.

—Pareces muy seguro de lo que dices.

—Ninguna dama se ha quejado nunca, milady.

—La probaré primero, luego decidiré.

—En ese caso, dadme mis tres monedas y levantaos la falda.

—No pienso mostrarte mis partes íntimas.

—Entonces doy por finalizado el negocio. No puedo trabajar sin ver lo que hago. —El hombre hizo una reverencia y comenzó a envolver de nuevo los enseres.

—La duquesa me habló de cierta postura…

—Oh, por supuesto, disculpad mi ineptitud. Lo olvidé. —Miró a su alrededor buscando el lugar adecuado y cuando lo encontró se dirigió hacia allí e hizo una nueva reverencia, mostrándoselo a la dama.

La mujer le siguió, miró el alto abedul que había elegido y arqueó las cejas.

El hombre sonrió para sí —«jodidas aristócratas»—, sacó del fardo una suave tela de lino y envolvió con ella parte del rugoso tronco. La mujer asintió satisfecha, sacó de un pliegue de su vestido tres monedas, las tiró al suelo y se colocó frente al árbol.

El hombre apretó los dientes con fuerza para no pronunciar palabras de las que luego se arrepentiría y se arrodilló tras ella. Recogió las monedas, las guardó en su talega y se metió bajo las lujosas faldas de la *virginal damisela*. El aroma pesado del sexo de la mujer le envolvió hasta casi marearle.

«Lujosos vestidos, pomposos peinados, suntuosas joyas y, bajo la ropa, costras de mierda en el coño», pensó asqueado.

—Abrid las piernas, milady. Por favor —se acordó de suplicar.

La mujer obedeció presurosa. La reputación del hombre acompañaba en susurros cada una de las reuniones femeninas de alta alcurnia a las que asistía. Si de verdad sus… enseres, eran tan prodigiosos como decían sus amistades, valía la pena sufrir el roce de sus callosas y repulsivas manos.

Kier escupió sobre sus dedos y acto seguido los hundió en el tarro de aceite. La mujer no notaría la diferencia y él llevaría a cabo su pequeña venganza.

Posó la palma de su mano sobre el sexo pestilente de la dama y comenzó a masajearlo. No le hizo falta mucho esfuerzo, la *gentil damisela* estaba completamente mojada. Introdujo tentativamente dos dedos en su vagina, y pronto les siguió un tercero. Se alegró de haber hecho caso a su instinto y haber fabricado una verga bien gorda y larga. La zorra estaba tan dada de sí que si se lo proponía podría meterle la mano hasta la muñeca, pero ella no había pagado por ese trabajo y, por tanto, él no lo haría. Cuando la escuchó gemir, alejó los dedos de su sucio coño, cogió el enorme falo forrado de cuero y la penetró con fuerza y hasta el fondo.

La mujer gritó extasiada.

Kier puso los ojos en blanco y bufó entre dientes. «Putas ruidosas.» Sin dejar de meter y sacar el enorme objeto, posó el pulgar sobre el endurecido clítoris y comenzó a presionar rítmicamente sobre él; cuanto antes acabaran, antes le pagaría y antes podría salir de debajo de su nauseabunda falda. Empujó con fuerza el dildo en el interior de la vagina y pellizcó el clítoris entre los dedos.

La mujer tembló, pronto llegaría al éxtasis.

—La… duquesa me informó de otro… —jadeó ella incapaz de hablar—. Más fino… adecuado para…

Kier sacó la cabeza de debajo de las faldas y recibió con gusto el aire puro y fresco del bosque. Respiró hondo un par de veces antes de hablar.

—La verga para las posaderas cuesta seis monedas más; si deseáis probarla, el precio subirá de tres a siete.

—¿Más del doble solo por…?

—Ese es el precio, milady. El culo es más delicado, hay que tratarlo con cuidado y por eso es más caro.

La mujer buscó de nuevo en el pliegue de su falda y dejó caer de entre sus dedos temblorosos otras cuatro monedas.

Kier se apresuró a recogerlas.

—Probaré. Si me satisface, ya hablaremos de precios.

—Como deseéis —aceptó el hombre.

Dejó bien anclado el falo en la vagina y buscó en el fardo la verga fina que había tenido la precaución de llevar. Le habían hablado de los gustos de la aristócrata, y él creía firmemente en el dicho de «hombre precavido vale por dos». Cuando encontró el objeto, lo introdujo en el tarro, embadurnándolo bien con el viscoso líquido, y a continuación hundió el índice en el bálsamo. Volvió a meterse bajo las apestosas faldas y buscó a tientas el ilustre trasero. Tanteó con cuidado el tenso ano y penetró con la yema en él. Este cedió al momento. Kier sonrió. La dama, tan puta como las gallinas, tenía el culo tan usado como el coño. Sin dejar de manejar con la otra mano el enorme falo, enterró el índice profundamente en el ano. Casi se alegraba de la oscuridad que le rodeaba, gracias a ella no veía la suciedad que seguro se acumulaba entre las nalgas. Entró un par de veces más en el negro agujero e, intuyendo que no encontraría impedimento, metió un dedo más. No tuvo ningún problema. Trabajó unos minutos ambas entradas de la fémina, más por ganarse el jornal que porque fuera necesario y, cuando la mujer empezó a gritar otra vez, paró y sacó el dildo con que le penetraba la vagina.

A las zorras había que tratarlas duro, dejarles saborear las vergas que fabricaba y, luego, obligarlas a suplicar hasta que desearan tanto las falsas pollas que no pudieran dejar de comprarlas.

Esperó hasta que los temblores de la mujer cesaron.

—No me habéis satisfecho —dijo ella, enfadada.

—Lo siento, milady. Pensé que sí.

Y dicho esto, introdujo con fuerza el falo más delgado en el ano y el más grueso en el sexo y los movió hasta que las piernas de la mujer amenazaron con doblarse sin fuerzas. Continuó metiéndolos y sacándolos hasta que la escuchó chillar y, en ese momento, presionó con los nudillos el clítoris.

La *tímida damisela* se corrió entre gritos y espasmos.

Kier la sujetó por las caderas para que no se le cayera encima, a la vez que apartó la cara para que el denso flujo que emanaba de ella no le rozara.

Cuando la mujer dejó de temblar y pareció recuperar las fuerzas, Kier salió de debajo de sus faldas, se las colocó con reverencia, hizo una leve inclinación y esperó a que ella se diera la vuelta para tenderle ambos consoladores, el anal y el vaginal.

La dama tenía las mejillas sonrosadas por el placer y los labios hinchados de habérselos mordido. Extendió su fina mano, cogió los pringosos objetos y los guardó en un bolsillo oculto en un pliegue de su falda. Apenas diez minutos después abandonaba el bosque, con un tarro de aceite, cuatro fundas y dos vergas de madera de más, y unas cuantas monedas de menos.

Kier se palmeó satisfecho la talega.

Había hecho un buen negocio.

Las estúpidas y altaneras nobles pagaban a precio de oro su «bálsamo de placer», que no era más que aceite de oliva macerado con hojas de eucalipto. Tampoco regateaban el precio de sus tallas, no las había mejores ni más suaves en el mercado. Pero de todas sus ventas, de la que mayor beneficio sacaba, era de las fundas para la polla. Simples tripas de cabra, limpias y dotadas de elasticidad gracias a los aceites con que las trataba, cosidas por completo en un extremo mientras que en el otro se anudaban con una cinta. Nada del otro mundo, pero ellas pagaban gustosas con tal de no quedarse preñadas.

Se acercó a un riachuelo cercano y se lavó con fuerza las manos, hasta que el olor ácido de la mujer abandonó sus dedos. Durante el tiempo que duró su aseo, no dejó de observar a su alrededor. En ocasiones, le daba la impresión de que los árboles le observaban.

Cuando terminó, se marchó presuroso del bosque prohibido. Por nada del mundo querría encontrarse con los guardabosques que recorrían el perímetro… ni con los vigilantes encantados que, según se rumoreaba en la aldea, acechaban ocultos entre los árboles.

Aisling observó al hombre, enfadada y frustrada. No le gustaba cuando él se metía bajo las faldas de las mujeres. Prefería verle cuando jugaba con ellas sobre el suelo, con los vestidos levantados hasta la cintura, mientras él se afanaba con esos cachivaches que tanto las hacían gritar. Sintió un espasmo de placer en su interior. Ella también quería jugar, pero no se atrevía a traspasar los límites del bosque y mostrarse ante él.

Quizás algún día.

La leyenda del Verdugo - El reino antes del reino

𝒜ntes de la llegada del Verdugo, los Ancianos gobernaban el Reino con leyes ancestrales destinadas a dominar a los hombres y mujeres temerosos de Dios.

Leyes para las que el perdón era señal de debilidad y la compasión, una aberración.

Leyes para las que la magia era la más depravada de las perversiones y las mujeres que la practicaban, brujas corrompidas por el demonio.

Antes de la llegada del Verdugo, el silencio era una necesidad, la obediencia una imposición y el terror una realidad.

Morag Dair (An finscéal)

Capítulo 1

Érase una vez un bosque convertido en leyenda por un reino.
El reino del Verdugo

10 de duir (junio)

Olla del Verdugo era una aldea tan insignificante que ni siquiera existiría en los mapas si no fuera por su cercanía a la Cañada Real. Estaba situada en la falda de la montaña más importante de todas las que había en el reino del Verdugo, aquella en la que nacía el imprevisible y visceral río del que el reino tomaba su nombre, y su leyenda.

El río se gestaba silencioso bajo las escarpadas cimas de nieves perpetuas de las montañas del Juicio, horadaba implacable sinuosas grutas subterráneas y emergía impetuoso en forma de cascada a través de una oquedad sita en una pared vertical de la montaña, cercana a la pequeña y casi invisible aldea. Esquivaba serpenteante Olla del Verdugo y continuaba su camino, a través de un valle que poco después se convertía en una inmensa y verde llanura, por la que discurría tranquilo hasta dejar atrás el páramo del Traidor y llegar por fin a la capital del reino, la ciudad de Sacrificio del Verdugo.

El Verdugo era, pues, un gran río, caudaloso a la vez que pacífico durante la mayor parte del año, hasta que con la llegada de las lluvias se transformaba en agresivo y cruel, convirtiéndose en un peligroso y violento caudal que arrasaba con lodo y agua todo lo que había a su paso. Cada primavera inundaba con saña la pequeña aldea; de ahí su nombre, «olla», porque cuando esto ocurría, parecía un gran caldero lleno de sopa.

Olla contaba con apenas una veintena de cabañas con techumbres de madera y paredes de piedra gris rodeadas de pequeños huertos. Polvorientos senderos de tierra abiertos por las pisadas de las bestias de carga, los carros y las personas partían desde cada cabaña hasta confluir en una plaza a la que los lugareños se empeñaban en dotar de importancia, y que no era más que el lugar donde se encontraban los elementos más importantes de la vida común de la aldea: el pozo y la taberna.

Pocos metros más allá de la taberna, Olla terminaba dando paso a los verdes pastos de la llanura del Rebelde, que a su vez era atravesada por la Cañada Real.

Recorriendo la Cañada Real, a poco menos de una jornada a pie desde la aldea, se encontraba Sacrificio del Verdugo, la capital del Reino. Un lugar próspero y de reconocida importancia estratégica que contaba con molinos, almazaras, talleres y un gran mercado al que acudían los habitantes de las poblaciones aledañas todos los sábados para vender sus mercancías y comprar todo aquello que precisaban. Por ello puede decirse que, aunque pequeña, Olla del Verdugo estaba bien relacionada.

Pero lo que hacía que el nombre del diminuto pueblo fuera conocido en todo el Reino, era que lindaba con el bosque del Verdugo, aunque los aldeanos lo conocían como el bosque prohibido. Y no lo llamaban así sin ningún motivo. Realmente existía un edicto real que prohibía taxativamente entrar en él. El porqué de este edicto solo lo conocía el rey, pero, como buenos vecinos, las gentes de Olla y sus alrededores tenían sus creencias y leyendas.

Unos pocos, los más pragmáticos, opinaban que el primero de los reyes había prohibido la entrada en él para preservar la caza que allí había. Pero la gran mayoría de los que allí vivían creían firmemente que el bosque estaba encantado.

Según los lugareños, estaba poblado por una exquisita y salvaje mujer que caminaba desnuda sobre las copas de los árboles. Incluso, cuando la noche caía sobre la tierra y las tabernas se llenaban de hombres cansados tras un duro día de labor, algunos, los más valientes, o quizá los más borrachos, afirmaban que quien allí habitaba era mitad humana mitad dríade.

Una joven de belleza singular que hablaba con los robles y los lobos. Que aullaba al firmamento en las noches de luna llena y se convertía en fantasma en las de luna nueva. Una beldad de afilados rasgos que protegía a los animales del ataque de los cazadores y a los árboles del fuego al que tanto temían.

Los hombres susurraban entre sí, asegurando que sus cabellos eran dorados. No, rojizos. No, verdes. Que sus ojos eran grises. No, lavanda. No, azules. Que tenía afilados colmillos con los que devoraba a todo aquel que se atrevía a romper la ley y penetraba en el bosque. No, que lo seducía y luego lo abandonaba a su suerte, perdido en la fronda hasta que moría de hambre. No, que lo asaba en una enorme hoguera y luego se lo comía.

Cada hombre que una noche u otra paraba en una taberna, cada mujer que día a día se juntaba con otras junto al pozo, cada anciano que calentaba sus huesos bajo el tibio sol en la plaza y, en definitiva, cada uno de los parroquianos que vivían cerca del bosque tenía una opinión distinta. Y todos la vertían a oídos de aquel que quisiera escucharlos. Podía decirse que había tantas versiones como paja en un granero. Y de todas estas habladurías, murmullos y leyendas, había una en la que todos, absolutamente todos, estaban de acuerdo.

Un rumor que corría de boca a oreja, entre susurros, y siempre y cuando los interlocutores se hubieran asegurado antes de que no hubiera cerca ningún guardia ni nadie sospechoso de poder delatarles al rey o a cualquier chismoso de su corte de aduladores.

Y ese rumor que corría rápido y silencioso como la pólvora era un secreto a voces.

Algo de lo que nadie tenía ninguna duda.

La mujer que habitaba el bosque del Verdugo era en realidad el fruto de la unión prohibida entre una dríade salvaje y el rey Impotente, el monarca de aquellas tierras.

—Señor, ¿qué hacemos con el prisionero?

—¿De qué se le acusa?

—Lo encontramos en la taberna, borracho, hablando sobre vuestra real majestad.

—¿Lo de siempre? —preguntó el rey, frotándose las sienes. Comenzaba a dolerle la cabeza tras llevar toda la mañana en la audiencia.

—Sí, señor —respondió el soldado escudriñándose las botas, temeroso de mirar al monarca.

—Esperad a que se le pase la borrachera y luego dadle unos cuantos latigazos —ordenó el rey con gesto cansado—. Que algunos golpes caigan cerca de su entrepierna. Asustadle, pero no le inutilicéis; siempre hacen falta labriegos en el campo. Y si en un exceso de estupidez vuelve a repetir sus palabras, capadle.

—Sois en extremo compasivo, majestad —susurró el duque de Neidr cuando se retiró el último peticionario.

—Lo que no soy es idiota. Todo rey necesita vasallos que trabajen para él, ¿o acaso pensáis ocupar vos su lugar en el campo? —inquirió fijando su gélida mirada en el noble—. Las cabezas se cortan por cosas más importantes que simples habladurías.

—Disculpad mi atrevimiento, majestad —se apresuró a disculparse el noble. Nunca era aconsejable despertar la ira del monarca.

El rey aceptó la disculpa con un leve movimiento de su real testa y se levantó del incómodo trono.

—Majestad —se arriesgó a llamarle Neidr. El rey no se molestó en detener sus pasos—. Corre el rumor de que un hombre ha osado ignorar la ley y ha entrado en el bosque.

El monarca se quedó inmóvil frente a las enormes puertas de la sala de la audiencia para luego darse la vuelta con lentitud. Cuando miró por fin al duque, sus rasgos mostraban un enfado de regia magnitud.

—¿Qué bosque?

—El bosque del Verdugo —aclaró el noble—. Se rumorea que un hombre ha penetrado en varias ocasiones en vuestro bosque.

El duque se cuidó muy mucho de mencionar los negocios de los que allí se ocupaba el sujeto. Su esposa era una de sus compradoras y, aunque ya la había castigado por ello, no quería que su cruel e inmisericorde rey se enterara y vertiera su ira contra él.

—¿La guardia no lo ha aprehendido? —El rey desvió la mirada hacia los soldados que se mantenían firmes en el salón. Todos a una cuadraron los hombros y contuvieron la respiración, temerosos de ser castigados por el fallo de sus compañeros.

—Se dice que conoce las rutas de vigilancia de la guardia, y que logra evitarlos sin impedimentos.

—Son solo habladurías… —comentó el monarca frotando con el pulgar de la mano derecha el anillo que llevaba en el dedo corazón de la misma.

—Sí, alteza, pero he pensado que debíais conocer los hechos, aunque sean solo rumores.

—¿Cómo es que han llegado a vos? —preguntó fijando su acerada mirada en el hombrecillo regordete.

—Chismes de taberna, sire. Corren de reunión en reunión. Los escuché cerca del feudo de Rousinol —aclaró con rapidez cuando el rey dejó de frotar su anillo. Por nada del mundo quería exponerse a su cólera y, si de paso se sentía ofendido por Rousinol, en fin, mejor que mejor.

—Eso no quiere decir que yo o mis vasallos estemos relacionados con ese hombre —se apresuró a defenderse el conde de Rousinol, que había permanecido a un lado, escuchando con discreción la conversación entre el noble más poderoso del reino y el monarca.

—Doblad la guardia en el bosque del Verdugo y averiguad qué verdad hay tras las habladurías —ordenó el rey al capitán de su guardia ignorando la interrupción del conde.

Un hombre de poderoso físico, cabello rubio y ojos azules, vestido con la túnica blanca, la loriga y la sobreveste roja de la guardia, se adelantó cuadrándose de hombros. Asintió con un gesto de cabeza hacia el rey, se giró y caminó en dirección a las puertas del salón del trono para dar las instrucciones pertinentes.

—¿Y si las murmuraciones fueran reales? —preguntó en ese momento el duque. El capitán detuvo sus pasos y esperó la respuesta del soberano.

—Cumplid la ley.

De los labios del duque escapó un suspiro apenas audible. A un hombre sin cabeza le sería imposible hablar. Lo secretos de su esposa continuarían siendo secretos.

—Perdonad mi atrevimiento, pero… quizá sería más apropiado someterle a escarnio público —se apresuró a sugerir Rousinol.

—Ejecutadlo en el mismo lugar en que lo encontréis, traedme su corazón y dejad su cuerpo allí; las bestias del bosque darán buena cuenta de él —ordenó el rey, ignorando la sugerencia del conde.

—Majestad…, a veces una pequeña tortura pública hace comprender las leyes al populacho mucho mejor que el cumplimiento inaplazable del castigo. La plebe teme lo que ve, pero ignora lo que no ve —insistió Rousinol.

—¿No estáis de acuerdo con mis disposiciones? —El monarca arqueó una de sus pobladas cejas.

—Por supuesto que sí, sire. Jamás se me ocurriría poner en duda vuestras acertadas decisiones. Disculpadme —se apresuró a excusarse a la vez que hacía una profunda reverencia.

El rey aceptó la disculpa con un gesto y se dio la vuelta, dispuesto a abandonar el salón de audiencias de una buena vez.

—Majestad… Querría solicitaros una última dispensa. —El soberano observó al duque con mirada impenetrable. Neidr se apresuró a continuar antes de que este perdiera la poca paciencia de la que normalmente hacía gala—. Sería un honor para mí poder acompañar a la guardia en la búsqueda del intruso, junto con algunos de mis mejores caballeros —solicitó, doblándose por la cintura y bajando la mirada al suelo.

—Gard —se dirigió el rey al capitán—. Ejecuta a cualquiera que entre en el bosque del Verdugo, sin excepción.

Kier se quitó el chaleco de piel, tomó el hacha con ambas manos y comenzó a trocear los leños de roble. Cuando hubo acabado eligió uno de los trozos y entró en la cabaña. Se sentó sobre el banco de trabajo y comenzó a tallar con lenta precisión su último encargo. Una de sus *virginales damiselas*, la duquesa de Neidr, le había requerido hacía poco más de una semana un diseño especial. Y pensaba cobrar el doble por él. Un enorme falo de madera forrado en cuero con incrustaciones de plata en forma de tachuelas a lo largo de todo el tallo. Eligió con cuidado sus herramientas; la duquesita era una buena compradora y, además, muy exigente. Requería el cuero más suave, y él pensaba dárselo.

Un segundo antes de comenzar a dar forma a la madera, echó un vistazo al interior de la cabaña; había amontonado en un rincón todo el trabajo realizado ese mes. Tenía suficientes escudillas de barro cocido, ollas y vasijas de bronce como para ir preparando un viaje al mercado de Sacrificio del Verdugo. Dejó el trozo de madera con el que estaba trabajando sobre la mesa y se dirigió al arcón ubicado en el fondo de la estancia. Lo abrió y contó cada uno de los objetos que contenía. Falos de distintos tamaños, fundas y tarros de su bálsamo especial. Sí, en cuanto entregara el último encargo a la duquesita, hablaría con el molinero para ver cuándo podría acompañarle al mercado y cuánto le costaría el viaje. Al fin y al cabo, no solo de las *inmaculadas* damas de la nobleza vivía el hombre.

La leyenda del Verdugo - La montaña del Juicio

Cientos de años antes de que el reino del Verdugo existiera, vivió en una pequeña aldea una joven que parecía tener una extraña conexión con las plantas y los animales que la rodeaban.

Señalada por el dedo de los Ancianos, fue acusada de crímenes contra el Señor.

Y en la montaña del Juicio, la bruja fue hallada culpable.

El Verdugo alzó su hacha dispuesto a ejecutarla.

Ella elevó la cabeza, orgullosa, se arrodilló ante el tajo y retiró con dedos trémulos el cabello que cubría su nuca. En ningún momento desvió la mirada del rostro de aquel que tenía órdenes de matarla.

El Verdugo vio la verdad en los ojos de la joven, soltó sus ligaduras y, tomándola en sus brazos, saltó con ella al río que allí nacía, liberándola de su aciago final.

Morag Dair (An finscéal)

Capítulo 2

Érase una vez un rey poderoso y cruel al que llamaban Impotente. Cuentan aquellos que lo saben, o que al menos lo imaginan, que el rey Impotente no era tal, ya que una hija había concebido.

*I*olar se aproximó hasta la pequeña ventana de doble vano de sus aposentos, retiró el tapiz que la cubría y observó a través de ella. A lo lejos podía ver, o al menos intuir, la mancha oscura que era el bosque del Verdugo. Sus dedos se cerraron en garras sobre la tela.

Alguien se había adentrado en su bosque.

Alguien se había atrevido a burlar su ley.

Alguien había osado molestar a su dríade.

Alguien debía morir.

Su mirada se tornó acerada. Intentó ver más allá del horizonte, ser capaz de encontrar a la muchacha que habitaba en la espesura de la fronda, sin conseguirlo. Sus oscuras pestañas bajaron lentamente ocultando sus iris de obsidiana. Deseó imaginar cómo sería ella en ese momento, cuánto habría crecido, si se parecería a su madre. Recordó, sin pretenderlo ni desearlo, el rostro de Fiàin, sus ojos salvajes de tonalidades imposibles, su corto cabello castaño haciéndole cosquillas en la regia nariz. El cuerpo menudo y flexible, temblando entre sus poderosos dedos masculinos. Apretó las mandíbulas, enfadado consigo mismo por evocar lo que no debía ser recordado. Soltó el tapiz que aún aferraba en su puño, y de un manotazo tiró todo aquello que colmaba su escritorio. ¡Maldita fuera su memoria!

Se sentó, hastiado, en el borde de su enorme cama con dosel y dejó que su mirada se perdiera en las grietas que había entre las piedras de los muros que le rodeaban.

Fiàin, bella y salvaje. Indomable y sensual. Cerró los ojos y rememoró irritado la primera vez que la vio.

27

Había ido de cacería al bosque, acompañado por unos pocos nobles. Hombres importantes, ricos y poderosos con los que debía conversar sobre lealtades y negocios. Un movimiento tras unos matorrales llamó su atención. Oculta entre la vegetación había una joven cierva, más dorada que parda. Se separó del grupo, sigiloso, y siguió a su presa. Desenganchó el arco de la silla de montar, tomó una flecha de la aljaba que colgaba en su hombro izquierdo y apuntó, presto a hacer el disparo mortal. Una piedra le golpeó en la mano que sostenía el arma y la cierva escapó al escuchar el insulto que escapó de sus labios. Giró la cabeza, irritado por la molesta intrusión, decidido a castigar al imbécil que había osado entrometerse entre él y su presa.

La flecha que sujetaba entre sus dedos, cayó al suelo, olvidada.

A pocos metros de él se encontraba la mujer más hermosa que había visto nunca. Desnuda y muy enfadada, sostenía una piedra en una de sus manos y parecía dispuesta a lanzársela. La vio tensarse y mirar a su alrededor. Un segundo después escuchó las pisadas de sus soldados tras él. Alzó una de sus manos, indicándoles que la rodearan para impedirle escapar, y cuando comprobó que su orden se cumplía, volvió la vista hacia la joven. La acechó como el cazador acecha a su presa. Con el deseo impreso en la mirada y la adrenalina golpeándole en las venas.

—Di tu nombre —ordenó.

Ella permaneció en silencio, mirándole intrigada sin dejar de observar a los hombres que poco a poco la iban cercando. Dio un paso atrás, sus ojos se movían inquietos, buscando la manera de escapar.

—¿No me has oído, muchacha? —Iolar desmontó del caballo y se dirigió a ella con paso firme.

Por toda respuesta la joven le lanzó una piedra, que con certera puntería le golpeó en la sien. Luego se dio la vuelta y corrió hacia el centro del bosque.

—¡Prendedla! —gritó el joven rey tapándose la herida con la mano—. ¡Atadla y ponedla sobre mi caballo!

Veinte años después de aquella escena, el rey Iolar, ya curtido en batallas y treguas, asqueado de cacerías e intrigas, se tocó la cicatriz que rompía las líneas severas de su sien. Acarició con dedos trémulos y reverentes el único recuerdo que poseía de la única mujer que había despertado algún tipo de sentimiento en él.

Se levantó de la cama y caminó de nuevo hasta la ventana, aferró el tapiz y lo retiró para volver a torturar sus ojos con la visión lejana de aquel bosque de su juventud.

Un segundo después un aullido insolente interrumpió sus pensamientos.

Desplazó su mirada hacia el patio exterior del castillo y observó como un hombre, andrajoso y tambaleante, se acercaba al recinto gritando y profiriendo insultos. Aguzó el oído para escuchar lo que decía el borracho.

—Puñetero rey Impotente. Quisiste caparme, pero tus jodidos guardias son tan inútiles que no me encontraron la polla —gritó sujetándose los genitales, alardeando de ellos—. ¡Jódete! Yo seguiré follando mientras a ti te la meten por el culo. —Casi cayó al suelo con la última exclamación.

Iolar observó impertérrito como el borracho recuperaba el equilibrio y giraba inestable sobre sus pasos para a continuación alejarse con premura del castillo. No llegó muy lejos. Gard y sus soldados le apresaron instantes después.

El capitán de la guardia elevó la mirada hasta la ventana del rey.

Iolar le hizo un gesto con la cabeza y después desapareció.

El borracho intentó escapar de las manos que lo mantenían preso. Escupió e insultó. Dio patadas al suelo y, por último, vomitó sobre las impecables botas del guardia que estaba frente a él, mirándole asqueado.

Gard puso los ojos en blanco y sacudió los pies. El imbécil que tenía ante él había recibido un castigo hacía menos de una semana, y además por una infracción similar, aunque más leve. ¿Es que no iba a aprender nunca?

El borracho se percató de que algo había cambiado cuando todos los soldados se cuadraron de hombros, haciendo tintinear las cotas de malla que llevaban bajo las sobrevestes de lana roja. Alzó la mirada lentamente y parpadeó un par de veces para intentar enfocar a aquel que se mantenía inmóvil ante él, con los brazos cruzados sobre el pecho y el altivo semblante de un noble. Era un hombre alto y fornido, pero no tanto como el capitán de la guardia. Tenía el pelo negro, más corto de lo que dictaban los estándares de la época, y su rostro, de nariz larga y afilada, pómulos altos y marcados y labios gruesos apenas visibles tras la poblada barba que lucía, mostraba las arrugas propias de un hombre que llevaba a sus espaldas cuatro décadas de vida. Vestía varias túnicas superpuestas de distintas tonalidades, ribeteadas con piel de zorro blanco en mangas y cuello. Del grueso cinturón que ceñía su cintura, colgaba la vaina de una enorme espada con empuñadura de zafiros.

—*Majestá...*, no iba por vos... —farfulló, repentinamente sobrio, al percatarse al fin de dónde estaba, y ante quién.

—¿No iba por mí? —preguntó el rey amablemente, posando con cariño una de sus enjoyadas manos sobre la sucia camisola del hombre.

—No, *señó*, iba por... el tabernero, ese puñetero ignorante que trata mal a sus clientes. Se ha atrevido a echarme de su tugurio. ¡A mí! —exclamó balanceándose un poco. Exponiendo al monarca sus penas y pesares, ahora que había comprobado que este era un buen hombre—. Dice que estoy borracho. ¿Lo podéis creer? —preguntó acercándose al hombre vestido de púrpura que le miraba afable.

—Entonces, ¿no estáis borracho, amigo? —preguntó Iolar apartándose de la vaharada a alcohol que emanó de la boca de dientes podridos del preso.

—Claro que no. Soy un buen hombre.

—¿Gard? —preguntó Iolar al capitán.

—Tiene mujer y tres hijos. Viven en los arrabales, tras las murallas. Conozco a los niños, están famélicos y portan las caricias del padre en el rostro y el cuerpo. De la mujer no sé nada.

—Vaya, tres hijos —comentó Iolar, palmeando amistoso los hombros del borracho—. Estaréis orgulloso.

—Son buenos chicos, aunque algo duros de mollera; a veces tengo que enseñarles a obedecer, ya sabéis —se jactó el hombre apoyándose sobre uno de los guardias. Pasado el peligro, la borrachera volvía a tomar fuerza.

—Os entiendo, los niños son complicados; a veces es mejor no tener demasiados.

—Completamente de acuerdo, amigo; si por mí fuera me libraba de ellos ya mismo, pero mi mujer no me deja. Dice que los quiere.

—Estas mujeres, no traen más que complicaciones —señaló el soberano—. Creo que puedo ayudarte.

El borracho sonrió contento. No había imaginado que el rey Impotente fuera tan comprensivo.

—Quitadle los pantalones, tumbadle con las piernas abiertas

en el suelo y sujetadle pies y manos —ordenó a los soldados, repentinamente serio.

—¿Qué? Pero… no… —comenzó a farfullar el hombre, otra vez sobrio mientras los guardias obedecían.

—Tranquilo, amigo. Voy a solucionar tu problema —afirmó el rey sonriendo.

La sonrisa no se reflejó en sus duros ojos.

Desenvainó la espada y clavó la punta en el suelo, junto a la entrepierna del borracho.

—No te muevas —le susurró.

El hombre aulló aterrorizado y comenzó a tirar de las manos que le sujetaban al suelo. Iolar puso los ojos en blanco y luego miró a Gard. Este se encogió de hombros. Un silencio denso, pesado, cayó sobre el patio. Todos los presentes contuvieron la respiración, esperando el castigo del inflexible y cruel monarca.

—No me estás escuchando —dijo en voz suave—. No te muevas o erraré el corte.

El hombre volvió a gritar horrorizado sin dejar de revolverse.

El rey sonrió. Una sonrisa tan segura y satisfecha que a ninguno de los presentes le cupo la menor duda de lo que iba a pasar a continuación.

Iolar aferró con fuerza la empuñadura de la espada y, con un eficaz giro de su muñeca, la arrancó del suelo, cercenando a su paso los genitales del tipo que gritaba asustado a sus pies. La bolsa escrotal, con los testículos aún mojados por la orina derramada instantes antes, cayó a los pies de Gard. Este se apresuró a aplastarla bajo su bota.

—Llevadle a Meddyg y que le cosa la herida para que no se desangre —ordenó el soberano, inconmovible. Luego miró al hombre. Su mirada acerada le hizo temblar—. Te he dejado la polla; con un poco de suerte quizá puedas hacer uso de ella, al menos para mear. Pero, si vuelves a incomodarme, ni siquiera eso te dejaré —advirtió, y se dio la vuelta para dirigirse de nuevo a sus aposentos.

—Al rey se le incomoda con muy poco. Tenlo muy presente —avisó Gard al eunuco antes de girar sobre sí mismo y seguir al monarca.

—Ocúpate de su familia —le ordenó Iolar cuando entraron en el castillo.

No esperó respuesta de su capitán, sabía que Gard cumpliría sus órdenes. Atravesó el interior de la fortaleza hasta llegar al patio de armas y, una vez allí, sin mirar atrás ni emitir sonido alguno, estiró su brazo derecho.

Todavía aferraba la espada en su mano.

Inspiró profundamente, giró sobre sí mismo y atacó.

Gard detuvo el golpe con su propia arma y embistió a su vez. Hacía ya muchos años que servía a su rey para saber de antemano cuándo este necesitaba librarse de su furia.

Capítulo 3

Érase una vez un hombre valiente que un mal día
aprendió lo que era el miedo.

15 de duir (junio)

𝒦ier partió de Olla del Verdugo poco después del amanecer.
El viaje que le esperaba duraría al menos un par de horas a
buen paso, y no quería llegar tarde. Recorrió la Cañada Real
con zancadas largas y seguras, satisfecho de haber elegido esa
hora temprana.

Cuando el sol se encumbró en el cielo, llegó al enorme tocón
cubierto de musgo en el que habitualmente citaba a sus damas. Se
sentó en él con un gesto de complacencia. Algunos hombres pre-
ferirían sentarse en duros sitiales, acompañando como perros fal-
deros a los prohombres bajo el techo de los grandes señores.
Otros darían su vida por posar sus insignes traseros en diminutos
escabeles en el interior de salones con paredes forradas de tapices,
junto a los pies de los poderosos y, cuanto más cerca del suelo,
mejor; así no tendrían que agacharse para lamerles las botas.

Él no.

Él era feliz allí, sentado sobre el mullido musgo, en la linde del
bosque, con el viento susurrando entre las ramas de los árboles, el
zumbido de las abejas afanándose en conseguir polen y el agradable piar de los pájaros que las acechaban. Con el sol luciendo sobre su cabeza y el horizonte mostrándose ante él vasto y acoge-
dor. Tenía el mundo al alcance de sus manos, solo tenía que
levantarse del tocón y dejar que sus pies le guiaran libres por la
Cañada Real para llegar a cualquier lugar que pudiera desear. Y
eso sería lo que haría en cuanto su compradora llegara y la alige-
rara de las monedas que guardaba en su bolsa de brocado.

Dispuesto a esperar el tiempo que hiciera falta, observó perezoso los árboles que conformaban los límites del bosque prohibido y luego desvió la mirada hacia la extensa llanura, apenas salpicada de unos pocos matorrales, que lindaba con el otro margen de la cañada. Se rascó la barbilla rasposa, pensativo; el contraste entre ambos lados del polvoriento camino era excesivo. En apenas pocos metros, la frondosidad salvaje del bosque se convertía en verdes prados. Quizá sí había algo de cierto en los rumores que corrían por la aldea y que aseguraban que el bosque era un lugar mágico. O tal vez solo fuera que la cercanía de las montañas que rodeaban la fronda y, por ende, de los riachuelos que bajaban por ellas, dotaba a la tierra de la humedad necesaria para dar vida a los enormes árboles que colmaban la floresta. Fuera como fuese, no podía negar que, en ocasiones, se sentía observado… aunque nunca había visto a nadie allí.

Levantó la cabeza y observó con ojos entrecerrados la posición del sol en el cielo. Se acercaba el momento. Desató lentamente los cordones del chaleco de cuero desgastado que llevaba puesto y colocó la prenda de tal manera que dejara a la vista su torso velludo. A la duquesita le gustaba mirarle, y eso siempre repercutía en alguna moneda extra. Sonrió recordando su última proposición: «Fóllame y te daré lo que me pidas». Casi se había sentido tentado de ponerle precio a su propia polla, lástima que fuera incapaz de empalmarse con las damiselas de la realeza.

Cualquier hombre estaría más que dispuesto a joder con la dama, sobre todo a cambio de unas cuantas monedas. Pero Kier, que había estado en más ocasiones de las que quería recordar bajo su falda, que había olido su fétido aroma hasta casi vomitar y que había sentido en las yemas de los dedos la rugosidad costrosa de su piel, sabía que el dicho «no es oro todo lo que reluce» era excesivamente veraz cuando de la nobleza se trataba.

Se levantó del tocón y se dirigió hasta la primera línea de árboles del bosque. Acababa de divisar en el horizonte la pequeña nube de polvo que anunciaba la llegada de la dama y su jamelgo.

En el momento en que sus pies pisaron las hojas caídas de los eucaliptos que conformaban la frontera prohibida, un golpe cayó sobre su cabeza. Intentó darse la vuelta para ver quién le atacaba, pero no le dio tiempo; una fuerte patada en la espalda lo tumbó de bruces en el suelo. Rodó sobre sí mismo hasta quedar bocarriba e intentó responder al ataque.

Se detuvo en seco al ver que sus agresores vestían la sobreveste roja de la guardia.

Su respiración se aceleró, consciente de lo que le esperaba.

La misericordia nunca había formado parte de las órdenes del rey. Le quedaba un instante de vida, el que tardaran los guardias en desenvainar sus espadas y cercenarle la cabeza.

Esperó impasible el golpe de gracia, no pensaba pedir clemencia cuando sabía que no le iba a ser concedida. Pero nadie desenvainó su arma. Al contrario. Una lluvia de golpes le cubrió el cuerpo. Las pesadas botas de los soldados impactaron contra su estómago, sus costillas, su entrepierna. Se colocó de lado, adoptando una posición fetal, intentando exponer menos partes de su cuerpo, y entonces los golpes volaron sobre su espalda, sus nalgas, sus piernas, su cabeza… hasta que perdió el conocimiento.

«Despierta, Aisling. Él está en peligro.»

Aisling se incorporó asustada de su nido entre los robles. Se asomó a la cueva formada por las ramas de los árboles y escuchó atentamente los murmullos del bosque. Unos la instaban a despertarse y acudir presurosa a la linde, otros gemían asustados. De repente un rumor se alzó sobre el resto. Un susurro potente y severo que le ordenaba permanecer donde estaba, alejarse del peligro y de los hombres.

Aisling lo ignoró.

Bajó con premura al suelo y una vez allí emprendió veloz carrera. *Blaidd* y *Dorcha* la siguieron silenciosos. Los tres amigos atravesaron raudos el mágico claro central del bosque, recorrieron impacientes las ondas concéntricas de robles que lo rodeaban y llegaron hasta las filas de serbales que avisaban del final del límite mágico. La joven redujo su vertiginosa carrera al internarse entre estos, consciente de la cercanía de la cañada Real y del peligro que esta suponía.

Un chorro de tibio líquido cayó sobre el rostro de Kier, arrancándolo de la grata inconsciencia en la que estaba sumido. Cada una de las heridas de su magullada cara comenzó a escocerle con ardor inusitado, como si le hubieran echado sal encima de ellas. Intentó abrir los ojos, pero no lo consiguió. Quiso llevarse las manos a la faz para comprobar si no podía abrirlos porque estaban hinchados… o por otro motivo que prefería no pensar. Pero no pudo, estaban atadas a algo que le impedía moverse. Apretó la mandíbula, aterrorizado, y se esforzó por parpadear. Al tercer intentó lo consiguió. El escozor se convirtió en dolor cuando las gotas alojadas sobre los párpados cayeron sobre su retina. Masculló un juramento, y de nuevo el líquido cayó en su rostro, esta vez sobre su boca. Escuchó las roncas carcajadas de los soldados y sacudió la cabeza, asqueado al percatarse de que le estaban bañando en orina. Escupió con fuerza, ignorando el agudo dolor que laceraba todo su cuerpo. Abrió los ojos, furioso, y pudo ver de pie frente a él las formas borrosas de aquellos que se reían socarrones.

—Ya despertó el puto —comentó el que parecía estar al mando mientras se guardaba la verga en las calzas.

Kier observó al soldado; las nubes que oscurecían su visión poco a poco se iban difuminando, permitiéndole ver rostros y colores. No le reconocía. No era Gard, el capitán de la guardia, y se alegraba de ello. A Gard jamás podría sobornarlo, pero al que estaba frente a él quizá sí.

—Quizá podríamos llegar a un acuerdo… —consiguió apenas vocalizar. Tenía la boca hinchada. Escupió, el repugnante sabor de la orina inundaba su paladar—. Si me soltáis…

—No te molestes en gastar saliva. Hemos cogido todo lo que había en tu talega. Además, nos han pagado con generosidad; no precisamos más. Curioso el oficio al que te dedicas, no me extraña que el jefe esté furioso contigo. A ningún hombre le hace gracia ser comparado con los falos que fabricas —dijo divertido el cabecilla a la vez que golpeaba con saña los riñones de su prisionero.

Kier apretó los dientes para no gritar de dolor. Inspiró e intentó calmar su horrorizado corazón. Podía darse por muerto. Los maridos de sus compradoras no le perdonarían que hubiera hecho tratos con ellas, aunque jamás se las hubiera follado. Tendría suerte si solo se limitaban a cortarle la cabeza.

Estaba perdido.

Observó a su alrededor, buscando una cara amiga, una salida milagrosa a su desesperada situación.

Estaba en la llanura, oculto tras unos matorrales. Le habían ligado los tobillos y las muñecas a unas estacas clavadas en el suelo. Tenía las extremidades abiertas en cruz, los músculos de brazos y piernas le ardían por la tensión a la que estaban sometidos. Y estaba completamente desnudo.

—¿No te han dicho nunca que no debes meter tu sucia polla en el coño de las damas? —comentó el cabecilla divertido.

Kier se negó a contestar. Sus ojos recorrían veloces los fuertes nudos que le apresaban, para un instante después mirar alrededor en busca de una ayuda que sabía no llegaría.

—Puedes gritar todo lo que quieras, no hay nadie cerca que pueda socorrerte —comentó el hombre extendiendo la mano derecha. Uno de sus compañeros colocó el mango de un látigo en ella—. El jefe me ha encargado que te arranque la polla y los huevos a latigazos. Después cumpliré las órdenes de nuestro amado rey Impotente y te llevaré al bosque para cortarte la cabeza y arrancarte el corazón. Sabes, creo que voy a disfrutar con este encargo. Hay bastante material con el que trabajar —comentó señalando con la mirada los genitales de Kier.

Aisling tembló ante el primer grito de dolor que reverberó desde el lado opuesto de la cañada Real. Apresuró sus pasos hasta llegar a un delgado eucalipto al que trepó con premura y observó desde allí la llanura que comenzaba al finalizar el camino de tierra.

Unos cuantos soldados, no más de seis, rodeaban a alguien que estaba tumbado en el suelo. Se mordió los labios, asustada. Su madre le había prevenido miles de veces sobre abandonar la seguridad de su círculo mágico de robles en el interior del bosque, y ella nunca le había hecho caso; se sentía protegida entre los árboles comunes. Pero más allá de ellos, tras el polvoriento camino, no había ningún lugar en el que ocultarse salvo escuálidos matorrales. Un nuevo grito, esta vez más penetrante y desesperado, le hizo decidirse. Bajó de un salto de la rama en la que estaba acuclillada y se dispuso a traspasar el límite del bosque prohibido.

Blaidd y *Dorcha* se colocaron ante ella, impidiéndole el paso. Una imagen penetró en su mente: ella misma, sola, en la cañada Real, mientras su padre se acercaba veloz montado en su caballo. Se inclinaba sobre ella. La aferraba por la cintura. La tumbaba sobre el lomo del inmenso corcel, atada de pies y manos, como había hecho con su madre, para llevarla al horrible lugar gris hecho de piedras.

La muchacha sacudió la cabeza para alejar la terrorífica imagen, y gruñó a *Blaidd*, enfadada por lo que este la había obligado a ver. Intentó esquivarle, pero él se mantuvo firme en su empeño de impedir que saliera del bosque. La miró impasible y mandó otra imagen a su cerebro: Fiàin perdida en la cueva humana. Arañando las rocas que conformaban su prisión. Intentando escapar sin conseguirlo. Agonizando lentamente lejos de sus amados robles.

La joven se apresuró a borrar ese pensamiento impuesto y mandó a su vez uno a sus compañeros: un hombre joven, maltrecho y herido. Ella misma sosteniendo su cabeza y curándole. Luego, él y ella, juntos, jugando en el claro del bosque, riendo, saltando, trepando a los árboles. Miró a sus dos amigos, y les hizo ver lo que había en su corazón con una nueva imagen: *Blaidd* y *Dorcha*, retozando sobre el suelo, peleando amigables, mientras ella les observaba apartada, tan distinta a ellos como la tierra del agua.

El intercambio de pensamientos entre los tres amigos apenas duró un minuto. El tiempo necesario para que *Dorcha*, comprendiendo lo que sentía Aisling, se alejara de *Blaidd* y se colocara al lado de la medio humana. *Blaidd* gruñó enfadado a su pareja, enseñó los dientes, furioso, y al final acabó por bajar la cabeza.

Un nuevo grito resonó en el bosque. Esta vez contenía tal agonía que sintieron el dolor en su propio cuerpo.

—Parece que esta vez he apuntado mejor —comentó el cabecilla observando satisfecho la herida abierta sobre el escroto, y los dos verdugones que cruzaban los genitales y la ingle del prisionero.

—Señor, quizá deberíamos cortarle la cabeza y luego arrancarle la virilidad a golpes. Así no gritaría —aconsejó un joven soldado pelirrojo con la repugnancia y la compasión rezumando en su voz.

—Tampoco sería tan entretenido, ¿no crees? —le respondió enfadado el líder sin mover la cabeza. ¿El estúpido soldadito pretendía acabar tan pronto con la diversión?

—Sí, señor. Pero… estamos muy cerca del bosque, sus gritos pueden atraer a… —lo intentó de nuevo, mencionando la leyenda que corría sobre el mágico paraje. El hombre debía morir, pero no estaba de acuerdo con el sufrimiento que le estaban provocando.

—¡No digas estupideces! En el bosque ya no vive la dríade, él se ocupó de matarla con sus atenciones, y si hubiera conseguido sobrevivir estaría encantada de ver sufrir a un hombre —afirmó el cabecilla.

Kier observó aterrorizado cómo el sádico volvía a levantar el brazo con el látigo en la mano. Tiró desesperado de las cuerdas que le mantenían preso cuando le vio apuntar sonriente a su entrepierna. Jadeó sobrecogido cuando la muñeca del hombre, con desesperante lentitud, comenzó a tomar impulso para lanzar sobre él el temido castigo.

Un movimiento tras el torturador llamó su atención.

Apenas pudo vislumbrar lo que pasó después.

Un borrón saltó sobre la espalda del soldado con vertiginosa rapidez, haciéndole perder el equilibrio y caer de rodillas en el suelo. Y mientras caía, el borrón se convirtió en una delgada joven que pateó con saña la mano que aún sostenía el látigo para a continuación saltar y colocarse sobre Kier. Cada uno de sus pequeños pies a un lado de sus caderas, las rodillas dobladas, el cuerpo inclinado hacia delante, los brazos paralelos a los hombros y las manos formando garras, protegiéndole.

—¡Estás muerta, puta! —aulló el cabecilla poniéndose en pie y cerniéndose sobre la joven dispuesto a golpearla.

No le dio tiempo.

Un enorme lobo gris saltó sobre él, le clavó las garras en los hombros y apresó entre sus afilados colmillos la garganta humana. Tiró de ella, arrancándole la tráquea.

El soldado cayó al suelo, su respiración convertida en un atormentado estertor que anunciaba una muerte rápida y angustiosa. El resto de la soldadesca observó aturdida la escena que acontecía ante sus ojos: el lobo gris gruñía, mostrándoles la sangre que manchaba sus poderosas mandíbulas y, tras él, la joven se afanaba en desatar al prisionero.

El más valiente de los soldados, o quizás el más estúpido, desenvainó su espada y dio un paso hacia el enorme animal. Un desgarrador dolor en la muñeca le obligó a soltar su arma. Otro lobo, algo más pequeño y de pelaje tan oscuro como la noche, le apresaba la muñeca entre sus fauces. Gritó aterrorizado y dio un paso atrás. El lobo negro soltó su presa para a continuación morder la empuñadura de la espada y arrastrarla hasta la mujer. Esta se apresuró a asirla y cortar con ella las ligaduras del prisionero.

Asustados por el giro de los acontecimientos, los soldados desenvainaron sus espadas, dispuestos a luchar por sus vidas.

—¡No! —gritó el joven pelirrojo que había intentado atenuar la tortura del prisionero—. Miradla bien. Es medio humana. Es a ella a quien el rey nos obliga a proteger cuidando las fronteras del bosque. No podemos atacarla. —Sus compañeros le miraron dubitativos—. ¿Queréis enfrentaros a la ira del rey?

Todos negaron con la cabeza sin dejar de mirar a la joven que en esos momentos tiraba de los brazos del prisionero, instándolo a levantarse.

Kier intentó ponerse en pie, pero sus maltratadas costillas y el lacerante dolor en la entrepierna le hicieron caer. Ella tiró de él de nuevo, exhortándole en silencio a levantarse, pero él no fue capaz de moverse. La opresión que sentía en el pecho le hacía casi imposible respirar y el dolor debilitaba cada uno de sus músculos. Estiró un brazo y ancló a la tierra seca sus antaño fuertes dedos, intentando alejarse de allí aunque fuera a rastras, pero al hacer fuerza, sintió que sus costillas cedían y presionaban sus pulmones. Se dejó caer de lado, evitando que el suelo tocara su flagelado sexo y cerró los ojos, a punto de desvanecerse.

Aisling comprendió que no podría esperar ninguna ayuda del torturado. Estaba al límite de sus fuerzas, quizá demasiado al límite. Miró a su alrededor, buscando una salida. *Blaidd* gruñía a los hombres, mostrándoles sus colmillos, su musculoso cuerpo presto para el ataque. *Dorcha* apoyaba a su pareja con idéntica postura y gruñidos.

La muchacha mandó desesperada un pensamiento a la loba, rezando para que lo sintiera a pesar del fragor de la caza que dominaba el cuerpo del animal.

Dorcha irguió las orejas, miró a su joven amiga y obedeció.

Kier jadeó de dolor al sentir las fauces de la loba aferrando su muñeca. A pesar del cuidado que intuía en la bestia, esta no había podido evitar clavar los afilados colmillos en su carne lastimada por las ligaduras. Unos dedos finos y suaves se posaron sobre sus labios, consolándole. Contempló a la dueña de aquella suavidad. Era una mujer muy joven, delgada como un junco y no muy alta. De cabellos castaños, piel tostada por el sol y penetrantes ojos negros. Y estaba totalmente desnuda. La joven le sonrió a la vez que un suave murmullo ininteligible escapaba de sus labios. Parecía una canción de cuna. Cuando le hubo tranquilizado, le aferró con ambas manos la muñeca que tenía libre.

Kier no pudo evitar gritar de dolor, cuando loba y mujer tiraron a la vez de sus brazos y comenzaron a arrastrarle sobre el pedregoso suelo. Sintió como miles de alfileres se le clavaban en la espalda, como las costillas se estiraban y descolocaban, como los genitales ardían a punto de desprenderse de su ingle.

Aisling escuchó aterrada el grito del hombre, seguido un segundo después por el gruñido furibundo del lobo gris. Levantó la mirada hacia los soldados: se habían reagrupado. Tres de ellos alzaban sus espadas hacia *Blaidd* mientras que los restantes descolgaban los arcos de sus hombros.

—No queremos hacerte daño, ni a ti ni a tus lobos —dijo lentamente el más joven de todos, un pelirrojo con cara afable—. Pero él ha infringido la ley y debe ser castigado. Suéltalo. —Aisling negó con la cabeza—. Yo mismo aplicaré el castigo, no le haré padecer más dolor —aseguró levantando las palmas de las manos.

Aisling redobló sus esfuerzos para llevar al prisionero hasta el bosque.

El pelirrojo negó con la cabeza.

El resto de los soldados se dispusieron a atacar.

Blaidd se lanzó sobre ellos en un ataque veloz, en el que arremetía y se retiraba con idéntica rapidez, mordiéndoles las piernas para a continuación colocarse tras ellos y lanzarles dentelladas al trasero. Los hombres se giraron y le atacaron. El lobo los esquivó sin dejar de mandar pensamientos apremiantes a su pareja y su amiga. Estas corrieron tan rápido como el peso muerto del hombre se lo permitió.

Atravesaron la Cañada Real, angustiadas por los aullidos de dolor que emitía el joven torturado. Se internaron en el bosque, siguiendo un sendero enmarañado de troncos caídos y matorrales salvajes que les ocultara en su huida y, mientras tanto, *Blaidd*, acorralado por los soldados, se vio obligado a huir.

Un pensamiento atravesó el cerebro de Aisling: una rama cayendo sobre la testa del hombre, silenciándole. Miró a *Dorcha*, ella también lo había visto. *Blaidd* les comunicaba que los gritos del herido habían puesto sobre su camino a los soldados. Sin pensárselo dos veces, Aisling posó la palma de su mano sobre la hinchada boca del joven y presionó. Él abrió los ojos con el dolor impreso en ellos. La vio colocarse un dedo sobre los labios, exigiéndole silencio. Apretó la mandíbula y asintió.

Loba y medio humana continuaron arrastrando al hombre entre la maleza mientras el lobo se ocultaba entre los árboles y atacaba por sorpresa a los soldados. Pero a pesar de todos sus esfuerzos, estos les ganaban terreno.

Aisling miró desesperada a su alrededor. Habían dejado atrás los eucaliptos, alejándose de la linde del bosque, pero aún tenían que atravesar el anillo de serbales en que estaban inmersos. Sabía que estaba cerca de la salvación, pero si no se apresuraban, no llegarían. Redobló los tirones, intentando escapar del peligro. El hombre jadeó dolorido, pero se mantuvo en silencio. Unos minutos después vislumbró la hilera de robles.

Estaban cerca, tan cerca.

Fijó su mirada en los ojos del hombre y le mandó imágenes de hermosos robles y, tras ellos, un claro verde esmeralda bañado por los rayos del sol.

«Un poco más, aguanta solo un poco más.»

Kier se mordió los labios para no gritar por el sufrimiento que le anegaba. Luchaba por mantenerse consciente, por no sucumbir al horrible tormento de sus costillas y genitales, porque si lo hacía, estaba seguro de que despertaría al cabo de un instante aullando de dolor, lo que indicaría a los soldados el punto en que se encontraban.

Un hoyo en el suelo hizo que Aisling tropezara y cayera de rodillas, golpeándole sin querer el costado.

Un desesperado alarido reverberó en el bosque.

Dorcha y Aisling tiraron con fuerza del macho humano, sin prestar atención a la hojarasca del suelo, dejando a un lado el sigilo que antes habían guardado. Ya era demasiado tarde para andarse con cuidado. El grito del joven había alertado sobre su posición.

La muchacha miró a los serbales, pronto entraría en el círculo de robles.

—¡Detente! —le gritó en ese momento el soldado pelirrojo, saliendo de entre los árboles a pocos metros a su izquierda—. No puedes escapar. Déjanos al hombre y vete —ordenó.

Aisling negó con la cabeza y siguió tirando, una última hilera de serbales y estarían a salvo.

Blaidd se colocó a su lado, gruñendo. Tenía el lomo ensangrentado por un corte recibido. Ella le miró asustada, pero el lobo se limitó a mandarle la imagen de un rasguño sobre su piel.

—¡No podemos presentarnos ante el rey sin el corazón del hideputa! —exclamó asustado uno de los soldados. Los castigos del rey a aquellos que no cumplían sus órdenes eran temibles.

—No te olvides de su polla o no nos pagarán lo acordado —susurró otro, más pendiente de su bolsa que de su vida.

—Escuchadme, muchacha. No podéis salvarle, nuestra cabeza depende de la suya —se apresuró a argumentar el pelirrojo.

Aisling le ignoró y continuó tirando del herido.

El joven soldado sacó una flecha de la aljaba, tensó su arco con ella en la mano derecha y apuntó. Era el mejor arquero de su aldea, no dudaba de que acertaría en el corazón del hombre sin herirla a ella. Y cuando lo hiciera, estaba seguro de que ella abandonaría su empeño. Era medio dríade, de nada le serviría un hombre muerto.

Aisling y *Dorcha*, al borde del agotamiento, arrastraron a Kier un poco más mientras *Blaidd* no paraba de trazar círculos a su alrededor, intentando protegerlas. Observaron aterrorizadas como el soldado apuntaba, dieron un tirón más y se colocaron bajo las ramas de una frondosa hilera de robles.

El soldado soltó la flecha, esta voló hacia el corazón del hombre.

Las ramas de los robles descendieron veloces desde las alturas, creando una impenetrable muralla de hojas y troncos.

La flecha se perdió en la repentina espesura que cayó sobre ella.

Los soldados jadearon, asustados ante la mágica muralla.

Al otro lado del frondoso muro, Kier se desmayó, incapaz de mantenerse consciente.

Aisling se dejó caer de rodillas en el suelo mientras *Dorcha* acudía presurosa a lamer las heridas de *Blaidd*.

La leyenda del Verdugo - El río del Verdugo

Y huyeron a través de las gélidas aguas del río, sortearon los remolinos y rápidos que este creaba en su descenso por las montañas y lucharon contra la fatiga y el miedo.

Los ladridos de los perros y los gritos de los soldados les acompañaron en cada recodo, el terror a ser descubiertos y apresados se convirtió en su compañero constante durante aquella fatídica jornada.

Cuando el manto nocturno cubrió el cielo, buscaron amparo en la bruma que nacía del agua y cobijo bajo los sauces llorones que hundían sus raíces a orillas del río.

Se abrazaron ateridos de frío y sus miradas volvieron a cruzarse.

Y el Verdugo no se arrepintió de las acciones que le habían convertido en proscrito.

Y la joven halló consuelo y seguridad en la mirada del hombre que lo había arriesgado todo al creerla inocente.

Morag Dair (An finscéal)

Capítulo 4

Érase una vez dos hombres. Uno creía estar enamorado,
el otro lo estaba realmente.

Atardecer, 15 de duir (junio)

—¡*M*aldito estúpido! —gritó el noble haciendo una seña a sus
lacayos para que echaran del salón al portador de la mala noticia.

El único motivo por el que perdonaba la vida al necio soldado
era porque Gard se percataría de su desaparición y avisaría al Impotente. Más enfadado de lo que quería mostrar, se sentó en el
enorme sitial con apariencia de trono que coronaba el estrado y
con un gesto de la mano despidió a los escasos ocupantes de la estancia. Necesitaba estar solo para pensar.

¡Malditos cretinos! La misión no era tan complicada: apresar
al hombre, arrancarle la virilidad y, después, cumplir la ley del
rey. ¿Y qué habían hecho? Dejarle escapar. Permitirle esconderse
entre los árboles mágicos junto a una hermosa dríade. Se frotó las
sienes, enfurecido. El jodido puto estaba ahora con ella.

Observando lo que a él no se le permitía ver.

Acariciando lo que a él no se le permitía tocar.

Anhelaba con todo su corazón que Aisling fuera tan salvaje
como lo fue su madre y le arrancara la piel a tiras.

Aisling… ¿Sería tan hermosa como Fiàin? ¿Tan fogosa? ¿Tan
salvaje? ¿Serían sus rasgos tan perfectos y su cuerpo tan sublime? La última vez que pudo observarla era una niña, pero ya
se apreciaba en ella la belleza que había heredado de su madre.

Fiàin… Cuánto la echaba de menos. Cuánto ansiaba sentir sus
manos sobre él, sus rasgados ojos mirándole, sus dientes clavándose en él. La había adorado como a nada en el mundo; había respirado de su aliento, comido de su piel, bebido de su boca. Si el
maldito Impotente se hubiera comportado como un hombre, si

hubiera sabido tratarla, ella estaría todavía entre los muros de la ciudad, a su alcance, amándole. Pero en aquellos años el puñetero rey era un altanero cabeza hueca pendiente únicamente de dar satisfacción a sus apetitos. Un estúpido jovenzuelo que se creía el centro del mundo y que jamás había tenido que luchar por conseguir lo que deseaba, incluyendo a la salvaje dríade. Un necio que se había dejado engañar por la voluptuosa naturaleza, el cuerpo flexible y los ojos de cervatillo asustado de la dríade; un mentecato que había dado crédito a sus argucias y artimañas, consintiendo todos sus caprichos con irresponsable afabilidad.

Pero Fiàin había muerto hacía años. De ella solo quedaba la niña. Una niña medio humana que habría crecido hasta convertirse en la viva imagen de su madre.

El noble se levantó con la decisión grabada en el rostro. Tenía que rescatar a Aisling, alejarla del puto al que había secuestrado en el bosque y enseñarle lo que un hombre enamorado podía hacer por ella.

Los soldados se arrodillaron en mitad del salón de audiencias, estremecidos por la presencia del rey Verdugo. Ninguno se atrevió a devolverle la mirada, ninguno osó siquiera respirar mientras esperaban aterrados el castigo que se les impondría por haber fallado en la misión encomendada.

Iolar permaneció en silencio. Sentado en su trono de líneas tan severas y marcadas como su propio rostro, les observaba temblar. Escuchó todo aquello que no se atrevían a decir e intuyó las mentiras que escapaban de sus labios.

—Gard, llevadlos con Fear; él sabrá qué hacer con esta escoria inútil —sentenció.

Todos los soldados menos uno gimieron plañideros por el castigo impuesto. Fear era el encargado de formar a los hombres que defenderían la frontera norte del reino, la más peligrosa y en la que más ataques se perpetraban. El rey les estaba sentenciando a una muerte segura.

—¡Callad, ineptos! —ordenó Gard enfadado—. Merecéis la muerte solo por las falsedades que han escapado de vuestras sucias bocas. —Miró a los hombres uno por uno, haciéndoles callar con el rictus de su gesto. Solo uno de ellos, el más joven, le devolvió la mirada. Gard asintió satisfecho, llamó a dos guardias de su confianza y les encomendó el cuidado de los condenados—. Majestad, uno de ellos… —comenzó a decir cuando se quedó a solas con el rey.

—Traedlo —le interrumpió este.

Gard cuadró los hombros y entrechocó los talones con un deje de sonrisa en sus finos labios. El sagaz rey se había percatado de la actitud del pelirrojo. Era el único que no había temblado ni se había quejado. También el único que no había buscado excusas a su fracaso.

Iolar cabeceó satisfecho cuando el capitán de la guardia salió de la estancia, estaba seguro de que no tardaría en regresar con el joven soldado. Se levantó del incómodo trono, caminó por estrechos pasadizos hasta la poterna que daba a la balconada, oculta por tupidos tapices, los retiró y salió al exterior. Detuvo sus pasos al llegar a la balaustrada, apoyó ambas manos sobre ella y miró hacia abajo. Los soldados eran conducidos a través del patio de armas hacia el cuartel de la guardia. Allí permanecerían hasta que Fear lo considerara oportuno. No sería mucho tiempo. Gard los acompañaba, seguramente esperaría a que los hombres recibieran la primera lección y luego rescataría al joven pelirrojo de las tiernas manos de Fear, trayéndolo hasta él, manso y agradecido.

Su mirada se desvió hacía su mano derecha, al anillo que portaba en el dedo corazón. Lo acarició con el pulgar, sintiendo en la yema la suavidad del cabello de su dríade. Un hombre se había atrevido a penetrar en el bosque prohibido y, según los bastardos que pronto morirían en la frontera, su hija le había socorrido enfrentándose a ellos. Un hombre herido, según decían, pero que cuando se recuperara sería una amenaza para ella.

—¿Qué has hecho, Aisling?

En el momento en que el nombre abandonó sus labios, Iolar cerró los ojos y volvió a verla, tal y como era la última vez que la tuvo entre sus brazos.

Apenas una niña de cinco años. Asustada. Conteniendo las lágrimas. Llamando a su madre.

Volvió a sentir su pequeño cuerpecillo entre sus brazos, forcejeando por escapar.

«Somos las decisiones que tomamos», pensó, y aquel aciago día él había tomado una decisión que lamentaría toda su vida. Aún recordaba estremecido cómo había perdido a la única mujer que había amado. Cómo su propia hija se había alejado de él.

Un golpe lejano le sacó de los dolorosos recuerdos, haciéndole regresar al presente para volver a recorrer los oscuros pasadizos hasta el salón de audiencias. Gard y el joven soldado entraron allí un instante después. De un empujón, el rubio capitán obligó al joven pelirrojo a arrodillarse, y luego se colocó en el lugar que por derecho le correspondía, a la derecha del rey.

—Contadnos lo que ha pasado —ordenó Gard con voz inmutable.

—Encontramos al proscrito en el bosque, señor. Le apresamos y nos dispusimos a seguir vuestras órdenes. Él se resistió y le llevamos a la llanura. Allí, una joven y dos lobos nos atacaron, liberaron al preso y se lo llevaron. Intentamos seguirlos, y casi lo conseguimos, pero una muralla de ramas cayó entre ellos y nosotros y nos lo impidió.

—¿Por qué le llevasteis a la llanura? Las órdenes eran claras. Debíais cercenarle la cabeza en el mismo lugar que le encontrarais —interrogó Gard.

—Droch lo ordenó.

—¿Droch? ¿El guardia al mando de la patrulla?

—Sí, capitán.

—¿Por qué? —preguntó el rey.

—Le habían pagado por arrancarle la virilidad al proscrito, majestad —contestó con sinceridad el pelirrojo. Sabía que el rey no mostraría compasión aunque dijera la verdad. Había desobedecido sus órdenes. Pero aun así, no pensaba morir en la frontera con una mentira royéndole el corazón.

—¿Quién le pagó? —preguntó Iolar inclinándose feroz hacia el soldado.

—No lo sé, majestad. No nos lo dijo.

Iolar miró a Gard, este asintió con la cabeza. Ambos intuían que alguien se había interpuesto en sus órdenes.

—A partir de este momento, solo los hombres de vuestra absoluta confianza patrullarán el bosque del Verdugo —le ordenó al capitán.

—Como gustéis, sire. ¿Qué hago con este soldado?

—Llevadlo con Fear. —El pelirrojo, todavía de rodillas, levantó orgulloso la cabeza al escuchar la sentencia del rey. Se lo merecía. Acataría su última misión con honor—. Que lo destine a la frontera sur.

—¿La sur, majestad? —preguntó el joven, aturdido. En esa frontera sus posibilidades de sobrevivir se multiplicaban por mil.

—¡Cómo osas interrogar a tu rey! —exclamó Gard propinándole una patada que le dejó tendido en el suelo. Iolar negó con la cabeza, advirtiendo a su amigo que dejara pasar la afrenta. El capitán empujó con la bota al joven—. Lárgate de aquí antes de que me lo piense mejor y te degüelle por insolente.

El muchacho se apresuró a escapar de la estancia, asustado y agradecido a la vez. Había estado a punto de perder la vida por una pregunta.

—Mandad que ensillen mi caballo, Gard.

—¿Qué pensáis hacer?

—Aún quedan varias horas hasta que anochezca —dijo el rey por toda respuesta mientras se dirigía a la salida.

—¿Volverás al bosque tan pronto, Iolar? —preguntó Gard, posando la mano sobre el hombro de su amigo, olvidada ya toda formalidad.

—Mi hija está allí, junto a un hombre herido y peligroso. Tengo que asegurarme de que esté bien. Quizá esta vez logre verla.

—No te dejarán pasar. Lo sabes.

—No pueden impedirme la entrada siempre. En los últimos años me han permitido vislumbrarla, quizás hoy pueda acercarme a ella —declaró Iolar dando por zanjada la conversación.

Gard observó a su amigo abandonar el salón, se asomó a la balconada y esperó. Momentos después, el rey, vestido con ropas sencillas de color oscuro, montaba sobre su semental en el patio de armas. Ojalá le permitiera acompañarle, pero el monarca purgaba su castigo en soledad.

Capítulo 5

Érase una vez una mujer de corazón dulce y alma salvaje.

Amanecer, 16 de duir (junio)

𝒦ier se despertó al sentir algo húmedo tocando su rostro. Intentó abrir los ojos, pero no consiguió que sus hinchados y tumefactos párpados le obedecieran. Asustado, alzó las manos sobre su cabeza, dispuesto a cubrirse ante un nuevo ataque. El pinchazo de dolor que sintió al moverse le dejó sin respiración; no obstante, cuando alguien le sujetó ambas muñecas, forcejeó con escaso ímpetu; apenas tenía fuerzas. Intentó incorporarse, pero no lo logró; sus magulladas costillas se rindieron al sufrimiento que las anegaba. Se dejó caer de nuevo sobre su espalda e intentó zafarse de aquel que le retenía, se revolvió y lanzó una débil patada a aquel a quien no podía ver. La agonía que recorrió sus genitales casi le hizo perder la conciencia. Casi.

—Chis —musitó una dulce voz en su oído.

Kier se quedó inmóvil, atento a las señales que sus sentidos sí podían captar. Se percató de que el aroma de quien le sujetaba era fresco, límpido, como si estuviera bañado en la esencia del bosque. Sintió que unos dedos largos y delgados, muy suaves, sujetaban con cuidado sus muñecas. Notó en su sien algunos mechones de sedoso cabello.

—Chis. —Volvió a escuchar la misma voz, acompañada del sutil roce en su oreja de los labios de quien susurraba.

Era ella. La mujer que le había salvado de la más cruel de las agonías.

Aisling observó como poco a poco el rostro del hombre se iba relajando. Le soltó las muñecas y se separó de él, esperando su próxima reacción para saber cómo actuar. Un airado pensamiento, procedente del rostro tallado en la corteza de un delgado roble situado en el extremo del claro, se coló en su mente. Miró al árbol irritada y le mandó callar. En esta ocasión no pensaba seguir sus consejos. No iba a alejarse del hombre. Quería saber… y solo él podía enseñarle.

—¿Quién eres? —preguntó él con voz pastosa.

Aisling abrió los labios, ningún sonido salió de ellos. Llevaba tanto tiempo sin hablar que no recordaba cómo hacerlo. *Blaidd* se acercó a ella y emitió un alborotado ladrido, instándola a que cantara. La muchacha le miró estupefacta, no era momento de cantar. El lobo le empujó el hombro con el hocico, regañándola. Ella por fin entendió. Hablar era parecido a cantar. Ella en sus tonadas no emitía palabras, solo murmullos… Pero decir su nombre no podía ser muy complicado. ¿Verdad?

Kier se tensó al escuchar el gruñido del lobo. Intentó abrir los ojos de nuevo, y en esta ocasión consiguió que uno de sus párpados se alzara levemente. Lo que presenció le dejó atónito. La hermosa mujer que le había salvado estaba arrodillada junto a su costado, todavía desnuda. Un enorme lobo gris le hocicaba los brazos y ella se limitaba a poner su mano sobre las terribles fauces y lo apartaba a un lado sin dejar de observarle. La vio morderse los labios con timidez para a continuación lamérselos dubitativa y comenzar a hablar, o al menos a intentarlo.

—Assss. —La joven golpeó la tierra con uno de sus pequeños puños, frustrada. Respiró profundamente y volvió a hablar—. Assssniiiii.

—¿Asni? —dijo Kier, intentando entender. El lobo gris gruñó.

—Assssliiii.

—¿Asli?

Ella asintió con un gesto de su cabeza. Después, dando por zanjada la conversación, bajó su mano y cuando la volvió a subir tenía entre los dedos una tela empapada. Se la pasó al hombre por la cara, limpiándole con cuidado la inmundicia que allí había.

Kier suspiró ante el contacto. La tela, tan suave que parecía seda, y el agua limpia y fresca recorriendo su magullado rostro le hicieron relajarse, al menos durante unos instantes. Luego jadeó dolorido cuando las húmedas caricias se hicieron más fuertes, pero apretó los dientes, decidido a no quejarse. La mujer le estaba limpiando las heridas; si quería mantenerse libre de infecciones, debía dejar que lo hiciera a fondo.

Resolló quejumbroso cuando ella comenzó a recorrer su

torso. Cada roce de la tela era un tormento, cada presión sobre las costillas un suplicio. Y con el dolor volvió a él la memoria.

Recordó a los soldados golpeándole hasta dejarle inconsciente, orinando sobre su rostro para despertarle. Abrió el único ojo que se mantenía sano al rememorar con aterrada claridad los latigazos recibidos en la ingle y el propósito de estos. Gritó sobrecogido, haciendo que la muchacha se separara de él de un salto, y se llevó ambas manos hasta la entrepierna, temiendo no encontrar nada. Aulló, atormentado por el dolor, cuando sus dedos se posaron sobre su inflamada virilidad. Apretó con fuerza sus desfigurados labios para no volver a gritar, y recorrió la verga hasta llegar a la base y tocarse los testículos.

Seguían allí.

Hinchados y deformes, al igual que su polla. Pero, a Dios gracias, continuaban unidos a su cuerpo. Se llevó el dorso de una mano a la cara para taparse el rostro y sollozó.

Los ojos de Aisling se llenaron de lágrimas al contemplar el sufrimiento del hombre. No entendía a las personas, jamás lo haría. ¿Cómo podían hacerse daño unos a otros por el simple placer de causar dolor? Entendía que *Blaidd* y *Dorcha* cazaran para alimentarse, o que se pelearan con otros lobos para mantener su territorio, pero los lobos y los demás animales del bosque jamás se atacarían sin motivo como hacían los humanos.

«Son malvados y crueles. Aléjate de ellos. No les entregues tu corazón o lo romperán en mil pedazos», susurró en su mente la voz proveniente del rostro tallado en el roble. Aisling volvió su mirada hasta el árbol y le contestó con el pensamiento: «Hubo un tiempo en que tú fuiste feliz con ellos». El roble agitó sus hojas en respuesta, enfadado. Luego permaneció en silencio.

—¿Dónde estoy? —preguntó en ese momento el herido.

Aisling se inclinó hasta que sus rostros quedaron tan cerca que podían sentir el aliento del uno en la cara de la otra. Pensó en el hermoso claro en el que estaban, lo colocó en el centro de un bosque imaginario y esperó la respuesta del hombre. Este continuó mirándola, sin entender. Ella volvió a imaginar el claro, esta vez con más intensidad, y esperó. Él no dio muestras de haber recibido su pensamiento. Una imagen se coló en ese momento en su mente: el hombre rodeado de un grueso muro de piedra.

Aisling miró enfadada a *Blaidd*; el lobo se había tumbado, y se lamía las patas, indiferente. Había dejado claro lo que pensaba, el humano era un inútil que no entendía nada.

—¿Asli?

La muchacha miró al hombre y se mordió los labios, dubitativa.

—Booossque —respondió con voz ronca y gutural.

—¿Estamos en el bosque prohibido? —preguntó Kier intuyendo que ella tenía alguna tara que le impedía hablar con claridad. Aisling asintió, feliz al comprobar que podía hacerse entender—. ¡Dios! ¡Si nos encuentran aquí nos matarán! —gritó aterrado a la vez que intentaba incorporarse. La muchacha se lo impidió.

—Nnnnnno. Mmmmío. —Sonrió al decirlo. No era tan difícil pronunciar las palabras olvidadas.

—¿Tuyo? ¿Quién te has creído que eres, la puñetera hija del rey? —increpó él. Aisling asintió a la vez que entornaba los ojos. ¿Qué significaba «puñetera»?

Blaidd y *Dorcha* gruñeron feroces al hombre. No entendían sus palabras, pero el tono no les había gustado en absoluto. Aisling les golpeó con los dedos en el morro a la vez que gruñía enseñándoles los dientes. Los lobos volvieron a recostarse en el suelo, con el hocico oculto entre las patas.

Kier parpadeó asombrado.

—¿Aisling? —preguntó recordando el nombre que se había convertido en leyenda en todas las aldeas del reino del Verdugo.

La sonrisa de la muchacha se tornó radiante. Ese era su nombre tal y como lo pronunciaba su padre. Luego volvió a su tarea de asearle, mientras él pensaba asustado en la repercusión que tendría ese encuentro. Jamás podría volver a pisar la aldea ni ningún lugar cercano a Sacrificio del Verdugo. Cuando el rey Impotente se enterase de su existencia, su cabeza tendría los días contados.

Aisling contempló como su nuevo amigo cerraba el único ojo que había conseguido abrir y jadeaba angustiado. Incapaz de entender su reacción, se limitó a observar los daños en su cuerpo y calibrar la mejor manera de curarlos.

Su apuesto rostro estaba desfigurado por los golpes. Tenía un ojo y los labios tan hinchados que apenas si podía moverlos. Los moratones en su torso indicaban que también había recibido castigo allí. Le tocó con cuidado las costillas; los jadeos y gemidos que emanaron de la garganta del hombre, junto al tacto en sus yemas, le indicaron que algunas estaban fracturadas. Después comprobó espantada el estado de los genitales. Frunció el ceño, pensativa, y al final optó por ir poco a poco.

Se dirigió a pasos rápidos hasta su hogar entre los robles. Las ramas vivas de Milis y Grá se habían juntado y entrelazado formando una cueva construida por gruesos tallos y grandes hojas. Penetró en ella con agilidad y buscó entre los regalos que mes a mes encontraba en la linde de robles que la protegían. Seleccionó aquello que iba a utilizar y descendió con premura. No quería dejar solo a su nuevo amigo, pero tampoco se veía capaz de subirlo hasta su cueva; pesaba demasiado. Había sido una tortura llevarlo hasta el claro, y menos mal que, cuando la muralla de robles les protegió, tuvo una brillante idea que les permitió transportarlo con más facilidad.

Kier observó alucinado a la muchacha que trepaba al árbol como si fuera una ardilla para introducirse en… ¿una cueva de ramas? Cuando la vio salir de allí, parpadeó, incapaz de creer lo que llevaba con ella. Abrió las manos sobre la tierra y buscó el familiar contacto de la hierba para anclarse a la realidad. Pero no fue verde pasto lo que sus dedos tocaron, sino caro brocado. Giró la cabeza y miró a la joven, que en ese instante se arrodillaba ante él.

Ella sonrió al ver que acariciaba los tupidos trapos en que le habían transportado hasta el claro.

Kier movió la cabeza, ignorando el dolor que ese movimiento le causaba, y observó estupefacto su improvisado lecho. Estaba tumbado sobre lo que parecían ser varios vestidos de seda brocada, despedazados y atados entre sí. Volvió a mirar a la muchacha y observó estupefacto como ella desgarraba un delicado camisón del lino más fino y lo convertía en vendas. Después clavó una enjoyada daga en un precioso corsé y lo cortó por los extremos, eliminando las copas y la forma de las caderas.

¡Estaba loca!

Cuando Aisling acabó de prepararlo todo, se inclinó sobre el hombre, pasó un brazo bajo su espalda y tiró de él, instándole a incorporarse. Tras varios quejidos y gruñidos, lo consiguieron.

Kier jadeaba sin apenas respiración, mientras ella se dedicaba a limpiarle las heridas que tenía en la espalda, provocadas por la accidentada huida por el bosque. Cuando la piel estuvo limpia de nuevo, colocó lo que quedaba del corsé en el suelo y le obligó a tumbarse. Gruñó asombrado cuando la muchacha unió ambos extremos de la prenda en su torso y comenzó a atarlos con fuerza.

—¡Estás loca! ¡No pienso usar corsé! ¡No soy una mujer! —exclamó dándole un manotazo.

Un segundo después las fauces del lobo gris chascaron a un suspiro de su garganta. La muchacha apartó al animal de un golpe en el hocico. Luego miró enfurruñada al hombre y le clavó con saña uno de sus delgados dedos en las costillas.

Kier aulló de dolor.

Aisling cogió del suelo una ramita caída y se la enseñó al hombre. Cuando comprobó, tras un nuevo apretón sobre sus costillas, que este le prestaba toda su atención, la sujetó entre sus manos y la dobló por la mitad. Luego volvió a posar, esta vez con cuidado, las yemas en el torso masculino y recorrió con cuidado las marcas de golpes en él. Tras esto, levantó la mano con dos dedos extendidos y esperó a ver si él la había entendido.

—¿Tengo dos costillas rotas?

Aisling no contestó, simplemente retomó su tarea con las ataduras del corsé. Ninguna venda sujetaría mejor las lastimadas costillas.

Cuando acabó dejó que él descansara del dolor que le había causado y caminó hasta el centro del claro, el lugar más alejado de los árboles. Allí había un reducido círculo de piedras manchadas por el hollín; un par de ellas eran distintas al resto, casi negras y con los bordes mellados. Golpeó los dos cantos de pedernal hasta lograr una chispa y prendió un pequeño fuego; después colocó una abollada olla sobre este, se levantó y salió del claro. Cuando volvió lo hizo acompañada de un extraño cuenco de madera. Parecía formado por raíces que estaban pegadas entre sí, unidas de tal forma que era totalmente impermeable. Estaba lleno de agua que se apresuró a derramar sobre la abollada olla. Abandonó la reducida fogata y comenzó a deambular por entre los árboles, buscando algo. Cuando lo encontró, susurró una canción sin palabras, cavó con los dedos en la tierra y arrancó una planta de consuelda.[1] Cortó la más pequeña de sus raíces, y volvió enterrar la planta en su lugar, agradeciéndole la ayuda con otra preciosa tonada. Repitió la misma acción varias veces, con distintas plantas, cortezas y musgos y, cuando estuvo satisfecha con la recolecta, retornó al claro, junto al fuego. Ralló y desmenuzó lo que había recogido y después depositó la mezcla en la olla de agua calentada al fuego. De vez en cuando la removía con la punta de un palo y,

1. Planta herbácea de la familia de las borragináceas que se emplea en medicina. (*Todas las notas son de la autora.*)

cuando la mezcla se redujo hasta convertirse en una pasta, la volcó sobre un par de prístinos trozos de lino. Cerró los improvisados pañuelos, convirtiéndolos en compresas, y regresó junto al hombre.

Se mordió los labios al arrodillarse a su lado. Esa parte iba a resultar dura.

Kier la observó; parecía dudosa, casi compungida. De repente la muchacha comenzó a cantar de nuevo, enlazando murmullos y chasquidos de su lengua a la vez que acariciaba el suelo con las yemas de los dedos. Jadeó sobresaltado al notar que algo rodeaba sus piernas y sus brazos y contempló atónito las gruesas y flexibles raíces que surgían de la tierra y se enredaban en sus muñecas, sus codos, su cintura, sus muslos y sus tobillos.

—¿Qué estás haciendo? ¡Diles que paren! —gritó aterrado al comprobar que las raíces tiraban de sus piernas, abriéndolas, colocándole en la misma posición vulnerable en que le habían situado sus torturadores.

—Chis —susurró ella, acariciándole la cara con sus suaves dedos una y otra vez, hasta que él se tranquilizó.

Luego se inclinó, y mojó una tira del vestido que había desgarrado en el agua limpia del cuenco. Se lo enseñó y a continuación comenzó a lavarle con cuidado los genitales. No podía aplicar la compresa de consuelda sobre la piel sucia, provocaría más daño que alivio.

Él gimió, revolviéndose contra las ataduras ante el atroz dolor.

Aisling ignoró sus quejas y continuó limpiándole con firmeza. Su virilidad era el doble de su tamaño normal y estaba surcada por un tremendo verdugón. Los testículos, hinchados y amoratados, estaban atravesados por una gruesa herida abierta, medio oculta por una costra de sangre y polvo. Limpió una y otra vez la desgarradura hasta que un hilillo de sangre limpia brotó de ella.

Kier no dejó de gritar ni uno solo de los segundos que duró el angustioso aseo. Su respiración agitada y las convulsiones que atravesaban sus extremidades le dijeron a Aisling que había hecho bien en pedir a sus arbóreos amigos que lo sujetaran.

Tras asegurarse de que no quedaban restos de polvo o tierra en la ingle y los genitales del hombre, la muchacha procedió a colocar varios paños bajo el escroto, hasta levantarlo en paralelo con sus muslos. Luego colocó las compresas con el emplasto, ya templadas, sobre los testículos y el pene.

Un nuevo grito de dolor reverberó en el bosque.

Aisling le acarició la cara, consolándole. El suplicio había acabado; las propiedades antiinflamatorias, cicatrizantes y analgésicas de las plantas pronto comenzarían a hacer efecto.

Tras la impenetrable muralla de ramas y robles que rodeaba el claro, un hombre escuchaba con los ojos cerrados y los labios fruncidos.

Iolar apoyó las manos sobre la maraña que le impedía el paso y empujó desesperado.

Trece años.

Trece malditos años sin poder apenas vislumbrar el rostro de su hija.

Trece años hablándole entre ramas, susurrándole palabras cariñosas, intentando establecer un diálogo que ella se obcecaba en ignorar.

Trece años desesperado por atravesar la mágica barrera y llevarla consigo de nuevo, y ahora ella había conseguido capturar a un hombre. Y a juzgar por los gritos de dolor que escuchaba tras la arbórea pared, Fiàin había logrado imbuir su odio en el corazón de su antaño inocente niña.

La leyenda del Verdugo - El bosque del Verdugo

Y con apenas un hálito de vida, el Verdugo y la joven se internaron en el bosque que envolvía el río. Llegaron hasta un frondoso anillo de serbales, y allí, protegidos por las frondosas ramas y los robustos troncos, se dejaron vencer por la extenuación.

Cuando el Verdugo despertó, la joven había desaparecido. La buscó, hallándola junto a un roble, el único de su especie que allí había.

Estaba sentada en el suelo, con la cabeza inclinada a un lado y la mirada fija en el delgado tronco. «Está solo», susurró sin apartar la mirada del árbol.

El Verdugo la observó asustado, pensando si no se habría equivocado y ella en verdad sería una bruja. Entonces la joven le miró mostrándole toda la dulzura que albergaba en su interior, y el Verdugo solo pudo contestar: «Le haremos compañía».

Y así ocurrió.

El roble se convirtió en su cobijo y su fuerza. Arropados bajo sus ramas durmieron cada noche, ocultos en su frondosa copa se ocultaron en cada ocasión en que la jauría de soldados y perros recorrió el bosque buscándolos. Sobre la tierra que cubría sus raíces, conocieron sus pasados, planearon su futuro, prendieron los sentimientos que bullían en su interior y se amaron.

Y cuando los cuerpos de los amantes se unieron, las hojas del roble cayeron sobre ellos, cubriéndoles con un manto esmeralda hecho de regocijo y afecto.

Morag Dair (An finscéal)

Capítulo 6

Érase una vez un hombre que perdió su corazón en el bosque.

Amanecer, 16 de duir (junio)

*L*os cascos de un enorme semental de batalla horadaron la Cañada Real. Las fuertes pisadas retumbaban en la inquieta algarabía nocturna del bosque. Los petirrojos y jilgueros cesaron sus cantos, los búhos detuvieron su caza y los pequeños ratoncillos se ocultaron asustados entre la hojarasca del suelo. Las manos del jinete apenas sujetaban las riendas, permitiendo que el poderoso corcel trotara libre por un camino que su equina memoria conocía tras recorrerlo cada noche de luna nueva de los últimos trece años.

Iolar mantenía la mirada fija al frente, decidido a no girar la cabeza y perderse en recuerdos que no quería despertar. Pero como cada vez que regresaba a la ciudad desde el bosque prohibido, las remembranzas dolorosas de su pasado se apoderaron de su mente.

Cerró los ojos y se permitió perderse en los lúgubres pensamientos que sabía lacerarían de nuevo la herida abierta en su corazón. En el interior de sus párpados se dibujó el perfil de la mujer, hermosa y tentadora, que le robó el alma hacía ya tantos años.

Fiàin estaba en el pequeño jardín aledaño a la Torre del Homenaje. Él lo había ordenado construir para ella. Lo había dotado de robles y encinas, y lo había amurallado para que no pudiera escapar. Últimamente ella pasaba allí cada instante del día, abrazada al más frondoso de los robles. Si por la dríade fuera, incluso dormiría sobre sus ramas, pero él se oponía.

Pensaba que era solo un capricho de su salvaje mujer.

Qué necio había sido.

Iolar la recordó como era en ese preciso momento. Su preciosa melena convertida en una maraña de enredos, deslucida y sin brillo. Su cuerpo otrora flexible y dorado, ahora pálido y demacrado. Su hermoso rostro demasiado delgado; sus ojos de cervatillo, apagados y desesperados; sus labios voluptuosos entreabiertos en un rictus agónico. Y su hija, su pequeña y adorada hija, siempre cerca de su madre, abrazándola y besándola. Llevándole coronas de flores que Fiàin apenas tenía fuerzas para coger y colocarlas sobre su cabeza.

Si pudiera dar marcha atrás en el tiempo.

Si no hubiera sido tan arrogante.

Si tan solo hubiera mirado más allá de su regia nariz. Pero no lo hizo. Él era el rey. No podía estar equivocado.

Pero lo estaba.

No prestó atención a las señales. No quiso ver que los bellos ojos de su mujer, antaño vivos y salvajes, se habían ido apagando con el paso de los años. Había creído que su mirada derrotada y triste era una argucia más, un nuevo intento de hacerle sentir mal para que le permitiera escapar de los muros del castillo.

No se dio cuenta de que poco a poco su dríade se iba quedando sin vida.

No hizo caso de la bruja que le advirtió que, sin la fuerza vital de los robles mágicos del bosque, cualquier dríade moriría. «Aisling es una niña sana, no echa de menos el bosque», refutaba él sus palabras. «Es tan dríade como su madre y se muestra lozana y saludable. Fiàin solo finge.» Pero en su interior sabía que Aisling no era dríade por completo, su hija era medio humana, por eso podía vivir sin sus malditos robles. O al menos eso se repetía a sí mismo una y otra vez, porque si por un momento se permitiera dudar de ello, también perdería a su pequeña.

Aquella aciaga mañana, entró furioso en el jardín de Fiàin. Había pasado la noche trazando planes de conquista con los nobles; buscando alianzas que le permitieran armar un ejército; negociando prebendas, impuestos y mesnadas. Y cuando apenas comenzaba a amanecer y regresó a su cámara, la encontró vacía. Ni su hija ni su mujer le esperaban allí. Se enfureció como hacía años que no lo hacía. Abandonó la estancia y fue a buscarlas al lugar donde estaba seguro que se encontrarían.

Fiàin dormitaba apoyada en el tronco del roble, Aisling dormía sobre su regazo.

Levantó a la niña, la alejó de su madre e increpó furioso a su mujer. Ella se limitó a tender los brazos hacia su hija.

—¡Háblame, maldita seas! Has permanecido seis años a mi lado. Entiendes lo que te digo. ¡Habla! —le ordenó furioso, llevando a la niña a su espalda. La pequeña forcejeó, intentando librarse de sus dedos de acero.

—¡Madre no sabe hablar! Déjala regresar al bosque. ¡La estás matando! —le gritó su hija en la frase más larga que había dicho en su corta vida.

—Has puesto a mi hija en mi contra. Has hecho que se rebele contra mí —escupió Iolar a su mujer. Ella volvió a tender los brazos, reclamando a la niña. La pequeña redobló sus esfuerzos por escapar de los brazos del rey—. ¡Gard! —gritó con rabia girando la cabeza hacia la Torre del Homenaje.

El capitán no tardó en aparecer en la balconada que sobresalía en los jardines de la dríade. Había entrado con el rey en las estancias de Fiàin y allí había sido testigo del gesto de Iolar al encontrarlas desiertas. Desde entonces se mantenía al acecho tras los tupidos tapices, rezando por no verse obligado a acudir junto a su amigo para templarle los ánimos.

—Ensilla dos caballos y prepara a seis de tus hombres para acompañarnos. Voy a satisfacer los deseos de mi amante —le ordenó el rey, enfurecido—. Consuélate, mujer; pronto regresarás a tu maldito bosque.

Poco menos de media jornada después, Iolar, a lomos de su semental y con Aisling aferrada con fuerza sobre su regazo, entraba en el bosque del Verdugo escoltado por seis soldados dirigidos por Gard, que llevaba a Fiàin. Recorrieron al galope los anillos de árboles hasta llegar al mismo centro del bosque. Se detuvieron en un verde prado rodeado de enormes robles y circunvalado por cristalinos arroyos que iban a desembocar en el río Verdugo, que atravesaba la fronda no muy lejos.

Ordenó a Gard que desmontara a su mujer y la dejara en un extremo del claro.

El capitán se apresuró a obedecer, pero sus ojos recriminaron al rey la decisión tomada. Conocía demasiado bien a su monarca, e intuía lo que pensaba hacer. Sería una decisión de la que se arrepentiría toda su vida.

Una decisión que les pesaría a ambos hombres para toda la eternidad.

En el momento en que el capitán la soltó, Fiàin cayó desmadejada sobre el suelo del bosque. Sus labios se abrieron angustiados y su respiración se tornó agitada. Aferró con las manos la hierba esmeralda y hundió su rostro en ella.

Iolar contempló impasible a su dríade mientras retozaba como la salvaje que era, hasta que un instante después la vio llevar sus manos hasta los botones de su sencillo vestido y comenzar a desabrochárselos.

—¡Maldita seas, mujer! ¿¡Pretendes desnudarte ante mis hombres, ante tu propia hija!? —exclamó colérico haciendo corcovear a su caballo. Aisling gritó entre sus brazos—. Eres una puta desvergonzada —siseó.

Y continuó renegando y maldiciendo, encolerizado consigo mismo y con la mujer que le había robado el alma, desoyendo los gritos de Gard que le instaban a calmarse.

Había amado a esa mujer durante seis años, todavía seguía amándola. Y ella jamás le había correspondido. Ni siquiera se había molestado en hablarle, excepto una única vez, para decirle su nombre. Sí, habían retozado juntos entre las sábanas, pero de todos era sabido que las dríades eran seres sensuales que solo se regían por sus instintos más bajos, tal y como Fiàin le había demostrado miles de veces.

Habría dado su vida por ella, y ella se mostraba desnuda, como la zorra que era, ante sus hombres.

—Haz lo que te plazca. Eres libre de quedarte aquí —le dijo con desprecio— o de regresar conmigo. Pero, tenlo presente, si decides quedarte, no volverás a ver a Aisling. Ella no es como tú. No permitiré que lo sea. Es mi hija, y la voy a educar como a una dama, no como a una puta salvaje —dijo feroz—. Gard, si Fiàin vuelve al castillo, asegúrate de que esté debidamente vestida o no la dejes entrar —ordenó clavando las espuelas en el lomo de su caballo, y salió a galope del claro.

Un hermoso susurro le hizo detener su montura.

Fiàin estaba desnuda, de pie, erguida en el centro del claro, cantando. De sus labios emanaba un sonido mágico, una sencilla tonada sin palabras, compuesta por murmullos y chasquidos. Le miraba serena mientras tendía las manos hacia su hija, rogándole en silencio que la dejara junto a ella. La pequeña intentó escapar de los brazos de su padre, pero el hombre la retuvo.

La tonada de Fiàin se tornó lastimera, suplicante.

Iolar la ignoró, aun sintiendo que su corazón sangraba por la mujer que lloraba ante él.

El murmullo de la dríade se convirtió en un sonido angustiado y feroz. El clamor de las hojas de los robles agitándose inundó el bosque. La canción dejó de ser cadenciosa para tornarse en una melodía indómita. Los caballos se agitaron y elevaron sobre las patas traseras mientras los soldados intentaban dominarlos sin conseguirlo.

—¡Iolar, deja ir a la niña! —exigió Gard, olvidando que estaban rodeados por otras personas y llamándole por el nombre por el que le había llamado desde que de niños jugaban en el patio de armas.

—¡Nunca! ¡Es mía! —aulló el rey—. Si la dejo ir, su madre jamás regresará; ¿no lo entiendes? —susurró a su fiel amigo.

Hizo girar su caballo con la intención de abandonar el claro.

Una muralla de ramas que apareció donde antes no había nada se lo impidió. Por los gritos de sus guardias, comprendió que ellos también se habían visto cercados.

—Déjame ir, padre. Quiero estar con madre —suplicó Aisling entre sus brazos.

—Nunca, princesa. Te amo demasiado para dejarte escapar. No puedo perderos a las dos a la vez —susurró al oído de la niña.

Tiró de las riendas de su corcel hasta que este dio media vuelta y quedó frente a la dríade.

Fiàin seguía cantando. Había caminado hasta un pequeño roble en el límite del claro y permanecía pegada a él, inmóvil. Sus pies se hundían como raíces en la hierba y sus tobillos lentamente se iban cubriendo de una capa áspera y gris, igual a la corteza que recubría el árbol que parecía querer abrazarla con sus ramas.

Iolar asistió espeluznado a la transformación de la mujer que amaba. Poco a poco sus piernas, sus caderas y su pecho se fueron haciendo uno con el tronco del joven árbol. Sus brazos se unieron a las ramas bajas y de las yemas de sus dedos brotaron finos y flexibles tallos. La furiosa tonada se silenció cuando el precioso rostro de su amada quedó grabado en la corteza.

—¡No! —aulló Iolar desesperado—. Cortad el tronco, sacadla de ahí —ordenó a sus hombres.

Estos se apresuraron a obedecer. Desenvainaron sus espadas y se dirigieron veloces al árbol. Las ramas de los robles que rodeaban el claro cayeron sobre ellos, desarmándolos, y, cuando los soldados se apresuraron a recoger sus armas e intentar cumplir las órdenes, fueron ensartados uno a uno por afiladas estacas que cayeron certeras desde las copas.

—¡Por Dios, Iolar, suelta a Aisling, déjala ir! —suplicó Gard caminando a duras penas hacia el rey mientras presionaba con ambas manos su costado herido.

El resto de los hombres permanecía allí donde las ramas les había atravesado el corazón. El capitán había podido escapar gracias a sus reflejos, pero sabía que cuando atacaran a su rey, no podría hacer nada por protegerle.

—¡No! Es lo único que me queda de ella —se negó Iolar con la voz rota por la angustia.

—¡Te va a matar!

—No. Fiàin jamás me hará daño —afirmó el rey, inseguro.

Una rama le golpeó en la espalda, derribándole del caballo. Rodó en el aire para proteger el frágil cuerpo de su pequeña y cayó de espaldas sobre el suelo.

Aisling escapó de su agarre y corrió a refugiarse entre las ramas del árbol en el que estaba encerrada su madre. Iolar intentó levantarse, pero poderosas raíces surgieron de la tierra y le inmovilizaron las extremidades, impidiéndole cualquier movimiento. Gard gateó hasta él, dispuesto a liberarle, pero no lo consiguió. Las raíces que lo apresaban estaban firmemente ancladas a la tierra y eran duras como el hierro.

Permanecieron allí hasta que cayó la noche. El joven capitán arrodillado junto a su regio amigo, rogando a los robles mágicos que les permitieran irse. El imponente rey atado al suelo sin poder moverse, gritando frustrado al principio, sollozando de aflicción después, al aceptar que había perdido por su testarudez lo que más amaba.

Su pequeña hija le miraba entristecida, acurrucada entre las ramas del delgado roble con el rostro grabado en el tronco.

Cuando los primeros rayos de luna iluminaron la noche, la muralla de ramas se abrió, mostrando el bosque que había más allá del claro y el camino a seguir. Un segundo después las raíces volvieron a hundirse en la tierra, liberando a un hombre desesperado.

Iolar se puso en pie e, ignorando el dolor de sus rígidos músculos, ayudó a levantarse a Gard y, a continuación, montó sobre su caballo y ayudó al capitán a subir tras él.

Abandonó el claro del bosque sin volver la vista atrás.

Capítulo 7

Érase una vez un inocente juego…

29 de duir (junio)

𝒦ier volvió la cabeza, intentando evitar el pertinaz rayo de sol que se colaba entre las copas de los árboles e iba a caer justo sobre sus ojos cerrados. Parpadeó un par de veces hasta que logró despertarse del todo e intentó, como cada mañana, estirar sus entumecidos músculos y rascarse aquello que le picaba.

No pudo. También esa noche le había atado.

Tragó saliva y se removió inquieto, la picazón era insoportable.

Llevaba casi dos semanas en ese aburrido claro. Al principio había sucumbido a una fiebre leve que no se complicó gracias a los asquerosos mejunjes que ella le había obligado a tomar y que lo mantuvieron atontado durante tres jornadas. Pasado ese tiempo y recuperada la cordura, ella le soltó de sus ataduras y le permitió moverse. Poco después, la herida en los genitales se cubrió de una costra que le picaba de forma rabiosa, y que, sin poder evitarlo y a pesar del dolor que le causaba, se rascó hasta volverse a abrir. Aisling se enfadó cuando vio el desastre en el que había convertido su entrepierna.

Se enfadó mucho.

Tanto que, a partir de ese instante, cada vez que no estaba cerca de él, ordenaba a las malditas raíces que le ataran. Y sinceramente, él lo agradecía; ahora que esa horrible comezón le torturaba despiadada, no estaba seguro de poder contenerse y no arrancarse la piel con las uñas mientras dormía. Despierto aún conservaba la entereza suficiente como para intentar refrenar sus ansias con mayor o menor esfuerzo.

Dirigió la mirada hacia las ramas de los robles. La joven solía pasar las noches dormida en su extraña cueva, mientras él lo hacía tumbado en un extremo del claro, refugiado durante el día bajo la sombra de los imponentes árboles. Desnudo, por supuesto. Ella no se había molestado en cubrirle... ni en cubrirse a sí misma. ¡Menos mal que era verano! No obstante, iba a tener que hablar con ella muy seriamente.

No podían permanecer desnudos para siempre jamás.

Al principio había tenido preocupaciones más acuciantes con las que distraerse: el dolor que le recorría el cuerpo, sus ojos casi ciegos, sus genitales agonizantes... Pero el tiempo poco a poco había calmado sus padecimientos. Y ahora que el dolor era solo una ligera molestia y sus ojos veían con precisa claridad el cuerpo flexible y tentador de la muchacha, sus instintos habían despertado feroces ante el aroma a frescura y vitalidad que emanaba de ella. Y cada vez que Aisling aparecía ante él, su pene intentaba alzarse ante sus pechos firmes y sus caderas redondeadas, a pesar del sufrimiento que eso comportaba.

Solo era cuestión de tiempo que su polla consiguiera mantenerse erecta.

No. No podían permanecer desnudos. Al menos, él, no. Necesitaba algo para cubrirse, algo que ocultara sus cada vez más despiertos instintos.

Esa misma mañana hablaría con Aisling, y le exigiría ropa.

Buscó hasta encontrar a su salvadora, estaba acurrucada en las ramas de un pequeño roble cercano al que tenía la cara tallada. Y este parecía abrazarla entre sus hojas.

Aisling cantaba para sí mientras acariciaba el tronco con sus manos. Movió la cabeza como si alguien la hubiera avisado de que él ya estaba despierto, sonrió y bajó con agilidad al suelo. Caminó hacia él con pasos despreocupados, a la vez que se detenía para acariciar la testa a los enormes lobos, que habían aparecido de repente entre los árboles.

Kier aún temía a esas bestias. Sobre todo al gris. El negro parecía más amigable, pero el otro de vez en cuando se abalanzaba veloz hacia él, deteniéndose a escasos centímetros de su cuerpo mientras le gruñía enseñando los dientes.

Observó a la muchacha acariciar el espeso pelaje de los animales. Era una escena hermosa. Ella era una hembra hermosa. Suavidad indómita. Dulce fortaleza. Cuerpo de mujer y alma de bestia. Porque si de algo no le cabía duda a Kier, era de que la joven era más salvaje que humana.

Contempló su cuerpo ágil, el sensual movimiento de sus caderas y el vaivén de sus pequeños pechos al caminar. Recorrió con la mirada las largas y torneadas piernas, el vientre liso y su estilizado cuello. Se deleitó en los labios voluptuosos y se perdió en sus ojos de cierva, grandes y rasgados, enmarcados por oscuras pestañas.

Dejó caer la cabeza de nuevo sobre el jergón formado por vestidos de alta nobleza que le servía de cama, cerró los ojos y respiró hondo para relajarse. A la picazón en los testículos se había unido un conato de deseo totalmente desafortunado en esos momentos, y más con el gran lobo gris vigilándole con atención.

Se hacía totalmente imprescindible conseguir algo de ropa.

Aisling llegó hasta el macho humano y sonrió satisfecha al ver que sus atributos sexuales se habían hinchado ligeramente, y esta vez el motivo no podían ser los golpes. Estaba prácticamente curado.

«Pronto podremos jugar», pensó entusiasmada.

Se arrodilló ante él y observó la herida, ya cerrada, que surcaba su escroto. Estaba totalmente cicatrizada y apenas la recubría ninguna costra. La piel se veía enrojecida, nueva. Y debía picarle mucho.

—Hola, Aisling —saludó él como cada mañana.

—Hola —respondió ella con voz gutural. Luego lo miró pensativa. ¿Los hombres también tenían nombre propio? Sus padres lo tenían, y *Blaidd* y *Dorcha* también, y los robles—. ¿Cómo? —le preguntó tocándole el pecho.

—¿Cómo, qué?

—Aisling —dijo señalándose a sí misma, y luego volvió a tocarle—. ¿Cómo? —Frunció el ceño, frustrada por no recordar todas las palabras del idioma de su padre. Cuando su progenitor le hablaba a través de la fronda, ella le entendía, pero él no usaba todas las palabras que ahora necesitaba, y no conseguía recordarlas.

—¿Cómo me llamo?

—Cómo llamo —repitió.

—Kier.

—Buenas tardes, Kier —susurró ella satisfecha. Acababa de recordar cómo entablaba su padre conversación cuando la visitaba.

—Buenos días, princesa —respondió él, divertido por la confusión.

—¿Días?

—Acaba de amanecer y el sol brilla con fuerza, es «buenos días».

—Días —musitó mirando al cielo—. ¿«Tardes» no?

—No. Tarde es cuando el sol empieza a caer.

—Tardes, días… noche, luna, ¿sí?

—Sí. De noche el sol se va a dormir y sale la luna —asintió divertido, parecía que la princesita iba recordando algunas palabras de cuando estaba en el castillo—. Desátame, por favor —suplicó; necesitaba mover los músculos, estirarse.

—Mmm. No… —La muchacha se mordió los labios y luego pasó las uñas con rapidez sobre su brazo—. No —repitió.

—Te juro solemnemente que no volveré a rascarme, por favor, suéltame —respondió tuteándola; cuando le hablaba de vos, ella le miraba confundida… igual que ahora mismo. Pensó en lo que había dicho, y se percató de que la fórmula usada era, quizá, demasiado rimbombante—. Prometo no rascarme.

—Promesa —dijo señalándole.

Un segundo después comenzó a cantar a la vez que acariciaba las firmes raíces.

Kier sintió un ramalazo de celos. Se había acostumbrado a que ella le tocara continuamente; para curarle, para asearle o de manera casual. Pero jamás le acariciaba como lo hacía con esas cepas feas y rugosas que le mantenían preso.

Al cabo de escasos segundos quedó libre. Sus manos se dirigieron veloces a su entrepierna, pero ante la intensa mirada que la muchacha le dedicó, disimuló estirando los brazos, desperezándose, a la vez que ignoraba con un gruñido el pinchazo en sus costillas. Cuando estaba quieto no le molestaban, pero en cuanto se movía, comenzaban a dolerle, aunque no era nada que no pudiera relegar al fondo de su mente. Se apuntaló sobre los codos y se incorporó con cuidado. Al instante siguiente, Aisling le había pasado un brazo por la espalda y le ayudaba a ponerse en pie. Cuando lo consiguió, lentamente y con muchos gruñidos, se apoyó en el hombro de la muchacha, que se había apresurado a pegarse a él, y juntos, se internaron en la hilera de robles, como hacían todos los días varias veces.

Caminaron hasta que Aisling le vio fruncir los labios y sujetarse con fuerza las costillas. Le dejó afianzado en un grueso tronco y se retiró para que él pudiera dar salida a sus necesidades. No era porque a ella le importara en absoluto verlo evacuar, pero cuando él pudo por fin moverse tras los primeros días, lo primero que había exigido era esa privacidad. Esperó unos minutos, atenta a los sonidos que escuchaba a su espalda, y, cuando confirmó que él había terminado, acudió a recogerle y regresaron al claro.

Kier caminaba afirmando las manos en los árboles que encontraba a su paso, intentando demostrar que era capaz de valerse por sí mismo. Estaba harto de que le tratara como a un inválido.

Aisling sonrió y, acercándose a él, pasó un brazo por su cintura. No iba a dejar que se cayera y lesionara más todavía, dando al traste con todo el trabajo que había hecho para curarle. Él gruñó frustrado, pero cuando la muchacha frotó su cara contra la de él, se olvidó de todo... su piel era tan suave.

Apenas habían caminado unos metros cuando Aisling se detuvo de repente, haciendo trastabillar al hombre. Un repentino pensamiento estaba penetrando en su mente: Kier mucho más joven de lo que era, pequeño y perdido, llorando aterrado en mitad del bosque.

Blaidd salió de entre la maleza acompañado por su inseparable compañera, se quedó impávido junto al hombre y, dándole la espalda, le orinó sobre los pies.

—¿Y a este qué le he hecho ahora? —masculló Kier quedándose inmóvil.

—¡No niño! —gritó Aisling al lobo. El pensamiento que le había mandado era una clara ofensa a su nuevo amigo—. ¡No débil, no llora! —Y luego llevó su delicada mano hasta la entrepierna de Kier y acunó su pene entre los dedos—. ¡No niño! ¡Hombre!

El lobo se abalanzó veloz contra ella, derribándola sobre el suelo y desestabilizando a un asombrado Kier que apenas si alcanzó a sujetarse en un tronco.

El hombre dio un paso al frente, dispuesto a defender a la muchacha del ataque de la bestia, mas el lobo negro se interpuso en su camino con pasmosa tranquilidad, impidiéndole acercarse. Kier observó a Aisling aterrado, pero ella parecía más enfadada que asustada. Había cogido con una de sus manos el hocico del enorme animal y le estaba dando golpecitos en la sonrosada nariz con el índice de la otra.

Blaidd mandó furioso otro pensamiento a Aisling: ella con la boca cerrada y mandándole pensamientos. ¡No palabras! ¡Nunca palabras! Ella jugando con ellos en el claro, peleándose, gruñendo divertida. Ella alejándose del humano.

La muchacha respondió a su vez con otra imagen: el lobo convertido en un cachorro enfurruñado porque prestaba atención a Kier en vez de a él. Ella misma abriendo los labios y hablando.

—Yo quiero, hablo. Tú aguantas —gruñó furiosa, entornando los ojos.

El lobo se irguió amenazante hacia el hombre, echó las orejas hacia atrás y le enseñó los colmillos; luego se dirigió a Aisling, lanzó un lastimero aullido y escapó entre la fronda.

Dorcha miró a Aisling, se acercó a ella y le lamió la cara; luego salió en pos de su compañero.

—¿Qué demonios le ha pasado a esa bestia? —preguntó Kier acercándose a la joven. Ella se levantó de un salto antes de que él pudiera inclinarse a ayudarla.

—*Blaidd* no bestia. Cachorro, celos —escupió enfadada por la actitud de su antiguo amigo, a la vez que instaba al hombre a caminar hacia el claro.

—¿*Blaidd*? ¿Celos? ¿De quién?

—*Blaidd*, él. *Dorcha*, ella —explicó Aisling señalando el lugar por el que habían desaparecido los lobos—. Kier hombre, jugar —afirmó tocándole de nuevo la entrepierna—. *Blaidd* celos.

—¿Jugar? —susurró Kier asombrado ante las palabras y los gestos de la joven. Seguro que no se estaba refiriendo a esa clase de juegos.

—Sí. Pronto. Tú curas, luego jugar. Ahora, sienta —zanjó la cuestión empujándole para que se acostara sobre el lecho improvisado.

—No, espera. ¿Hablas de follar?

—No follar —contestó ella sin entender qué significaba esa palabra—. Sienta.

—Ah, vale. Estupendo. No quiero tener más problemas con el Impotente… Si por vender pollas me he metido en este lío, no quiero ni pensar en lo que me haría si se me ocurre tocarte —musitó él perdido en sus pensamientos.

Aisling lo miró confusa. Había hablado demasiado rápido y usado algunas palabras raras. No había entendido nada de lo que había dicho, pero por el tono parecía preocupado.

—No problemas. Sienta.

Kier la obedeció. Ella, como cada mañana, deshizo los nudos del corsé y se lo quitó para a continuación incorporarse e ir hasta su cueva. Salió de ella portando a la espalda un saco hecho con la tela de lujosos vestidos que luego vació en el centro del claro, contenía un trozo de lino y dos escudillas. Dejó una de ellas bajo el sol, y llevó la otra hasta donde él estaba acomodado.

Mientras ella se afanaba en estos menesteres, Kier aprovechó que no le vigilaba para frotarse cuidadosamente los testículos con el pulgar, intentando aliviar el picor. Giró la cabeza y miró más allá de los árboles que le rodeaban a la vez que aguzaba el oído. Intuía que el río Verdugo pasaba cerca del claro, ya que ella apenas desaparecía unos minutos cuando iba a buscar agua. Deseaba tanto darse un baño en condiciones. Quizá el agua fría pudiera aliviar un poco los picores.

Un capón en la cabeza le hizo volver la mirada. Aisling estaba frente a él, enfadada.

—¡Promesa!

—Lo siento, no me he dado cuenta —se disculpó alejando rápidamente la mano de sus genitales.

—*Blaidd* razón, tú niño —le reprendió, luego le dio una escudilla—. Bebe.

Kier tomó un trago y suspiró; no sabía qué demonios era ese bebedizo, pero estaba riquísimo. Lo apuró hasta el fondo y se relamió los labios.

—Gracias, está delicioso. ¿Qué es?

Aisling le enseñó un par de almendras que guardaba en su puño.

—Almendras —afirmó él. Durante los últimos días se había acostumbrado a que ella le enseñara cosas para que le dijera sus nombres.

—Leche almendras —afirmó ella antes de levantarse y abandonar el lugar.

Regresó pasado un instante, con la olla que usaba para cocinar llena de agua. Se colocó tras él y comenzó a frotarle la espalda, primero con un trozo de lino empapado en agua y después con el aceite que había dejado calentándose bajo el sol en el otro recipiente. Cuando acabó, le instó a tumbarse y comenzó a asearle la cara para luego pasar al torso.

Kier se mordió los labios decidido a mostrarse fuerte. El aseo de cada mañana iba camino de convertirse en una tortura, no porque le dolieran las costillas con cada fricción, que sí le dolían, sino porque esos lánguidos roces se asemejaban cada vez más a caricias. Cerró los ojos cuando la muchacha comenzó a canturrear. Su voz dulce y melódica le transportaba a otros lugares, a paraísos salvajes alejados de todo. Su aroma a roble, serbal y eucalipto le envolvió, invadiendo sus sentidos. Los aterciopelados dedos de la joven trazaron sutiles sendas sobre su abdomen que casi le hicieron olvidar dónde estaba… y con quién estaba.

Abrió los ojos y parpadeó con fuerza para despertar de la ensoñación en que estaba cayendo. Necesitaba distraerse con urgencia. Es más, necesitaba ropa. Mucha ropa con la que taparse.

Sujetó las muñecas de la muchacha.

—¿De dónde sacas los vestidos? —le preguntó. Quizá tuviera algo que le pudiera valer a él.

Ella se encogió de hombros.

—Esto, la ropa, el corsé, las camisolas —indicó señalando cada prenda. Ella volvió a encogerse de hombros—. De algún lugar tienen que salir, no creo que crezcan de los árboles.

—No árboles. Encuentro —comentó negando con la cabeza.

—¿Aparecen de repente?

—Sí.

—¿Dónde? —No podía creer que ella no supiera quién la proveía de vestidos. Las prendas eran propias de la nobleza, carísimas. Y a ella parecía no importarle en absoluto a tenor de cómo las trataba—. ¿No sabes quién te las da? —Ella volvió a negar con la cabeza—. ¿Quizá tu padre? —No podía imaginarse al cruel rey Impotente surtiendo a su salvaje hija de ropa, pero…

—No. Padre no.

—Ya decía yo —musitó para sí.

Aisling se levantó de repente y corrió hacia su cueva, cuando regresó llevaba un enorme saco entre las manos. Lo volcó en el suelo; de él salieron un par de dagas, escudillas de barro cocido, dos mantas recias, camisas de lino, unas cuantas calzas de lana y unos borceguíes[2] de piel. Las prendas parecían hechas a medida para el cuerpo pequeño y delgado de la muchacha.

—Padre —susurró la joven señalando feliz todo lo que allí había reunido.

Kier la miró sorprendido. Parecía orgullosa de aquellas pertenencias que no se podían comparar ni en precio ni en finura a los caros vestidos… pero que para vivir en el bosque eran mucho más útiles.

—Vaya… son… buenos regalos.

2. Calzado que llegaba hasta más arriba del tobillo, abierto por delante y que se ajustaba por medio de correas o cordones.

—Sí. Esto malo —dijo señalando lo que quedaba del maltratado corsé—. Pica —explicó haciendo como que se rascaba con saña—. Malo.

—Pues a mí bien que me lo has puesto y lo odio —se quejó él mirando el corsé.

—Bueno para ti. Ya no.

—¿Ya no?

—No —dijo tirando lejos el corsé, luego se ocuparía de guardarlo en su nido—. Ya bien.

—¿Ya se han curado mis costillas?

—No. Casi —indicó derramando un poco de aceite sobre el torso del hombre para volver a friccionarlo.

—¿Por qué no te vistes? Tienes una ropa preciosa. —Señaló él los vestidos que usaba de cama.

—Faldas enganchan. Pesan. Pican. Odio ropa.

—Ya se nota. —Ella asintió con una sonrisa en los labios—. ¿Siempre vas desnuda? —le preguntó él mirando las cómodas camisas de lino que le había regalado el Impotente. Entendía que no se pusiera los vestidos en el bosque, entorpecerían sus movimientos, pero con las camisas no pasaría lo mismo.

Aisling detuvo el deambular de sus dedos y alzó las manos señalando el bosque.

—Desnuda, como árbol y lobo. Como pájaro y ardilla. No ropa.

—Pero los árboles tienen sus hojas, y los animales su pelaje —refutó él.

La muchacha sonrió y, sacudiendo la cabeza, se echó la larga melena sobre los hombros. El cabello le tapó los pechos, privándole de la hermosa visión.

—¿Y en invierno? —preguntó él pensativo. Ahora era verano, pero después…

—Cuando yo frío entro en mi roble —afirmó ella extrañada. ¿Cómo pensaba él que combatía el frío, con prendas finas?

—Imagino que no tendrás ropa para mí.

—No frío aún.

—Ya —confirmó divertido—. Pero estaría más cómodo vestido.

—No cómodo. —Negó rotunda con la cabeza.

—Para mí, sí.

Aisling frunció el ceño, no entendía a los humanos. Siempre había creído que les obligaban a vestirse para vivir en sus grandes ciudades de piedra. Al menos a su madre se lo habían exigido, y ella intentó renegar de eso cada segundo que estuvo presa allí. Un bufido indignado penetró en su cabeza. Miró el roble del extremo del claro. El rostro grabado en él mostraba un gesto enfadado. «No te dejes engatusar», susurraban sus hojas. «Este es tu bosque, tus normas, tus leyes; él obedece.»

Aisling bajó la cabeza, entristecida. Su madre odiaba la presencia de Kier en el claro. Pero ella quería su compañía. Quería hablar con él, reír, jugar… Necesitaba relacionarse con alguien parecido a ella, no solo con lobos y árboles.

Kier observó a la muchacha, su alegría se había tornado desánimo mientras miraba el extraño árbol con la cara grabada.

—Eh, ¿qué pasa? ¿Por qué estás triste? —preguntó llevando una de sus manos hasta el precioso rostro de la joven. Acarició lentamente sus mejillas y, sin poder evitarlo, pasó el pulgar sobre sus labios.

—No ropa —ordenó Aisling frotando la cara contra los fuertes dedos que la sujetaban. Luego se lo pensó mejor. Su padre había dado demasiadas órdenes a su madre, impidiéndole ser libre. Ella no cometería el mismo error. Kier era libre. Igual que ella—. Mmm. Sí. —Se levantó y fue hacia su cueva.

Cuando regresó llevaba varios vestidos pomposos entre las manos. Se arrodilló junto a él y se los tendió.

—¿Gustan? ¿Sí?

—¡No! ¡No gustan! —Kier estalló en carcajadas al imaginarse vestido con esas prendas. Se detuvo al observar la cara enfadada de la muchacha—. Los vestidos son para las mujeres —explicó—. Los hombres llevamos calzas, jubones… No sé si me entiendes.

—Yo sé que hombres llevan otra ropa. ¡Pero yo no tengo esa ropa! ¡Yo no tonta! —gritó indignada.

Él se había reído de ella, y su madre no paraba de meterse en su cabeza para recordarle que ya se lo había avisado.

—Claro que no eres tonta. Yo no he dicho eso.

—Tú no dices, piensas —aseguró dolida—. Tú muerto si yo no ayudo. Tú mujer si yo no curo —dijo señalando sus genitales—. Tú no comes si yo no alimento. Yo hablo lobos, hablo bosque. ¡Tú tonto, no yo! Yo no habla bien con tú. Tú ríes. Yo cuido a ti. Yo amiga. Yo doy regalo. Tú ríes. ¡Vete! —gritó tirándole los vestidos sobre la cabeza. Luego se levantó y echó a correr, internándose en el bosque.

Kier parpadeó asombrado por el alegato de la muchacha. Para no saber hablar correctamente se expresaba con una franqueza tan rotunda que le había hecho darse cuenta de muchas cosas. Cerró los ojos apesadumbrado. La había tomado por una salvaje sin sentimientos, y, en realidad, el salvaje era él.

Se levantó como pudo y caminó renqueante hacía el lugar por el que ella había desaparecido, adentrándose entre los árboles. Tropezó una y otra vez con raíces que aparecían de improviso del suelo. Se arañó con las ramas que le golpeaban de repente la espalda y el estómago, y esquivó como pudo las bellotas que caían sobre él sin previo aviso; parecía que el bosque, enfadado, le intentara castigar. Cuando por fin la encontró, estaba acurrucada contra un viejo roble, rodeada por sus lobos.

Blaidd empujó con su hocico a Aisling y lamió su rostro. Ella sonrió y le rascó detrás de las orejas, cariñosa. El lobo, una vez conseguida su ración de mimos, y dejando bien clara su amistad con la joven, se dirigió hacia él amenazante. Le enseñó los incisivos y gruñó con rabia lanzando salivazos. *Dorcha* observó a ambos machos, impasible.

—Aisling, lo siento… —El lobo le lanzó una dentellada que le hizo detenerse en seco.

—Vete —le rechazó ella—. Vuelve a tus muros de piedras, a tu ciudad gris apestosa —dijo con pasmosa claridad mirándole fijamente a los ojos—. Este mi bosque. No quiero tú aquí.

Kier la observó compungido. La vitalidad y alegría que siempre demostraba la muchacha se había convertido en profundo pesar. Y todo por su culpa. Caminó hasta ella ignorando los gruñidos del lobo y se arrodilló a su lado, sujetándose las costillas.

—Aisling, lo siento. No pretendía herirte —susurró acercando sus labios al rostro de la muchacha.

—Tú no sientes. Hombres no tienen sentimientos —masculló.

—Sí, sí lo siento —musitó tomando el rostro de la joven entre las manos y obligándola a mirarle—. Cuando me has enseñado los vestidos, me he imaginado con ellos puestos; por eso me he reído. No ha sido por ti o por tu regalo, solo por verme vestido de mujer. Te lo juro, créeme —suplicó besándola en la frente—. He sido un egoísta, lo sé, lo reconozco. Me has curado, cuidado y alimentado, y yo no he hecho más que quejarme…

—Y rascarte —le recordó ella, todavía enfadada porque se hubiera arrancado la costra hacía un par de días.

—Y rascarme, y no seguir tus consejos —aceptó Kier con una sonrisa en los labios—. Perdóname —rogó abrazándola—. Me gustaría mucho que me consideraras tu amigo.

—Perdono. Amigo —asintió ella, con sus ojos de cierva felices de nuevo.

—¿Ya está? ¿No vas a recriminarme más, ni vas a echarme en cara que no he hecho nada por ayudarte, ni…?

—Amigos. —Le tapó la boca con sus dedos—. Amigos discuten, pelean, juegan, quieren. No reprochan.

«Amigos», para ella esa palabra significaba afecto franco, puro y desinteresado, sin los tapujos y conveniencias con que la envolvían los humanos, comprendió él, al ver cómo había acariciado a su lobo después de la tremenda pelea que habían tenido antes.

—Durante todos estos días he pensado que eras una mujer salvaje… —confesó Kier—. Me arrepiento profundamente de ello. Eres especial —afirmó sin dejar de acariciarle los pómulos con los dedos—. Me muero por besarte —susurró incapaz de contenerse.

—¿Besarme? —preguntó ella entornando los ojos. Su padre no usaba esa palabra durante sus visitas, no sabía qué significaba.

—Sí, besarte. —Kier se acercó a Aisling y posó sus labios muy cerca de la comisura de los de ella, besándola con amistoso cariño. Se retiró lentamente, esperando su reacción. Al fin y al cabo era una princesa…

—Pinchas. —Aisling se tocó la mejilla y lo miró con los ojos entrecerrados.

—Sí. —Kier se pasó la mano por su rostro, una oscura y corta barba lo poblaba.

—Tú muy distinto a mí. Tienes pelo en cara. ¡Y pinchas! —exclamó divertida—. Como *Blaidd* y *Dorcha*. —Señaló a los lobos, que en ese momento lo vigilaban con atención entre los robles—. Eres como yo… —susurró repentinamente seria—. Distinto e igual a mí.

Le instó a tumbarse sobre la hojarasca del suelo y comparó los brazos fuertes y musculados de Kier con los suyos, finos y delicados. Acarició con la palma de la mano las piernas velludas y recias y luego extendió las suyas, torneadas y suaves, junto a las del hombre, y las frotó contra él.

—Iguales y distintos —dijo pensativa. Kier tragó saliva ante su examen, e intentó pensar en algo que hiciera remitir el deseo que en ese momento arrasaba su cuerpo.

Aisling se arrodilló junto a él y le recorrió con las manos el rostro, parándose sobre la nariz y la boca, dibujando su forma con las yemas. Después las deslizó hacia el cuello y palpó la nuez de Adán. Siguió bajando hasta el torso y divagó sobre el oscuro y rizado vello que le cubría el pecho para casi desaparecer en una fina línea que le atravesaba el abdomen y que se ampliaba en el bajo vientre, formando un nido de rizos en su ingle. Sus dedos encontraron los pequeños pezones masculinos y se entretuvieron con ellos. Kier dio un respingo.

—¿Gusta? —preguntó ella volviendo a acariciarlos. Él no supo qué contestar, estaba petrificado por el sensual examen—. A mí sí gusta —declaró, llevando su propia mano hasta sus pechos y tomando su sonrosado pezón entre el índice y el pulgar. Apretó y un escalofrío le recorrió el cuerpo—. Gusta mucho.

—Sí. A mí también me gusta mucho —afirmó Kier con voz ronca. No sabía si se refería a las caricias que ella le proporcionaba o a verla disfrutar con su propia mano sobre sus perfectos pechos.

—Iguales —afirmó Aisling presionando a la vez su pezón y la tetilla del hombre—. Distintos —declaró acariciando el vello del torso masculino para después hacer lo mismo con sus pechos.

Kier no supo qué responder.

Aisling exploró el vientre liso de su amigo, alisó con las yemas los rizos de su ingle y después dirigió los dedos al pene, que despuntaba erecto e insolente sobre ellos.

—¿Cómo llamo? —le preguntó.

—Ahhh, polla —contestó él sin pensarlo.

—Polla —repitió Aisling la palabra sin dejar de acariciarle—. ¿Gusta toque polla? —inquirió observándole con atención.

—Demonios, sí —gruñó él aferrando las hojas del suelo entre sus puños.

El dolor que sentía en la cicatriz del escroto se difuminaba rápidamente bajo los mimos que ella le prodigaba.

Aisling se colocó a horcajadas sobre él y continuó acariciándole con una mano, mientras se llevaba la otra a su propio pubis y se tocaba el pequeño botón que tanto placer le proporcionaba. Se mordió los labios y cerró los ojos, disfrutando de la caricia. Luego los abrió y le miró.

—Iguales —reiteró. Alejó la mano del pene, le recorrió el torso y pellizcó sus tetillas mientras con la que tenía libre hacía los mismos movimientos sobre sus propios pechos—. Gusta igual —jadeó feliz.

Continuó jugando con sus pezones y las tetillas de Kier. Le

gustaba acariciarse a sí misma, sobre todo desde la primera vez que vio al magnífico macho que era Kier jugando con una mujer en la linde del bosque. Esa primera vez pidió a los árboles que le avisaran cuando él volviera, y desde entonces estaba atenta al susurro de las hojas, haciendo oídos sordos a la indignación de su madre.

Le gustaba observarle jugar, y luego practicaba consigo misma en su nido entre robles hasta caer jadeante sobre el lecho de ramas. Ahora se sentía igual, presa de sensaciones que le recorrían el cuerpo y hacían que la entrepierna se le humedeciera, sus pezones se irguieran y se le erizara la piel.

—Iguales… Distintos —jadeó posando los dedos sobre el pene del hombre y deslizando la mano libre hasta su pubis—. Donde yo me abro —introdujo índice y anular en su vagina—, tú te alzas —afirmó envolviendo el pene en un puño.

—¡Cristo! —jadeó Kier.

Se apoyó en los codos e intentó incorporarse para abrazarla, pero sus costillas aprovecharon ese preciso instante para quejarse. Gruñó frustrado, y acto seguido alzó los brazos y aferró un mechón del sedoso cabello de la muchacha, instándola a que bajara la cara hasta él. Ella lo hizo. La besó impetuoso, incapaz de controlarse. Lamió sus labios, los succionó y mordisqueó hasta que ella los entreabrió y pudo introducir la lengua entre ellos.

Aisling jadeó asombrada al sentir cómo le chupaba la boca, cómo le acariciaba los dientes y presionaba contra su propia lengua. Imitó sus movimientos y se enzarzó en una lucha húmeda que la excitó como nada lo había hecho nunca.

Kier sació su sed en el paladar de la joven, recorrió con manos ansiosas los pechos que le tentaban cada segundo del día y, cuando el tacto no fue suficiente, se separó de los apetecibles labios y la instó a colocar los pezones a la altura de su boca. Aisling sonrió divertida, y rozó sus pequeños pechos contra las mejillas rasposas del hombre hasta que él no pudo soportarlo y giró la cabeza para devorarlos. Los chupó y succionó, y cuando la escuchó jadear, mordió con cuidado. La muchacha gimió con fuerza y bajó las caderas hasta pegar la pelvis a su estómago. Se frotó contra él, friccionando contra el áspero vello del abdomen masculino su clítoris inflamado.

Sin poder evitarlo, Kier soltó un gruñido cuando sus costillas se quejaron, resentidas por el trato al que estaban siendo sometidas.

Aisling se incorporó contrita.

—Yo siento…

—No, no lo sientas. No se te ocurra —afirmó Kier perdido en las sensaciones que le arrasaban el cuerpo. Sus testículos lanzaban llamaradas de placer mezcladas con fuertes pinchazos de dolor.

Sujetó a la joven por la cintura y la colocó sobre su verga. Ella se dejó caer y comenzó a mecerse sobre el enorme miembro. Kier la observó extasiado durante unos segundos y luego posó una mano sobre el pubis femenino y acarició el clítoris con el pulgar.

Aisling abrió los ojos como platos, sorprendida.

—Gusta —consiguió decir entre jadeos—. Gusta mucho.

Kier continuó trazando círculos con el dedo sobre el endurecido botón hasta que la sintió temblar sobre él. Entonces colocó las manos bajo sus redondeadas nalgas y la obligó a levantarse. Ella obedeció, mirándole interrogante. Él sonrió insolente, seguro del placer que le iba a proporcionar; al fin y al cabo, tenía mucha experiencia en esas lides. Deslizó los dedos por el monte de Venus, ignoró el palpitante clítoris y comenzó a acariciar con lentas pasadas los pliegues que circundaban la vagina. Ella abrió los labios en un grito sordo y se echó hacia atrás, apoyando las palmas de las manos en los muslos del hombre.

Cuando Kier sintió los dedos empapados por el placer que emanaba de la mujer, introdujo dos de ellos en la vagina.

Aisling saltó al borde del éxtasis al sentir la excitante intrusión.

—Quieta…

Ella apretó con fuerza las manos sobre las velludas piernas del hombre, respiró profundamente y se mantuvo inmóvil.

Él volvió a penetrarla, esta vez más profundamente. Mantuvo los dedos inmóviles en su interior unos segundos y luego los abrió, y comenzó a moverlos lentamente. La muchacha jadeó, con todo el cuerpo en tensión. Él los sacó muy despacio, se los llevó a la boca y los lamió.

Aisling gimió asombrada. Jamás le había visto hacer eso con ninguna de las otras mujeres.

—Me gusta tu sabor —afirmó Kier, extrañado por lo que acababa de hacer.

Él nunca saboreaba a las mujeres. Jamás.

Llevó el índice y el anular a la boca de la muchacha y la invitó a que los chupara.

Aisling abrió los labios y obedeció. Él metió y sacó los dedos, imitando los movimientos que deseaba hacer con su polla. Cuando los tuvo bañados en saliva, recorrió despacio el cuerpo de la muchacha hasta llegar al clítoris, lo pinzó entre dos dedos y tiró, haciéndola estremecer. Jugó de esa manera durante unos segundos y después la penetró veloz con el índice y el corazón, una y otra vez hasta que sintió su prieto interior dúctil y mojado. Luego se sujetó la polla, la colocó a la entrada de su vagina e instó a la muchacha a descender sobre ella.

Aisling así lo hizo; bajó lentamente, adaptándose a la intrusión, jadeando cuando él colocó los empapados dedos sobre su clítoris y empezó a jugar con él.

—Puñeta, Aisling, qué apretada estás —gritó Kier a punto de estallar. Hacía mucho, mucho tiempo que no se sentía tan excitado.

Ella continuó introduciéndole en su interior, ajena a todo lo que no fuera su propio placer. Sentirle dentro, llenándola, era… delirante.

—¡Espera! —gritó Kier, estupefacto y aterrado, al sentir el himen intacto de la joven contra el glande.

Ella le ignoró y se dejó caer con fuerza. Un gemido quejumbroso abandonó sus labios mientras permanecía inmóvil, adaptándose al tamaño del pene que se alojaba en su interior.

—¿Por qué no me lo has dicho? —susurró él, arrepentido por la brusquedad con que la había tratado—. Te hubiera preparado más.

—¿Decir qué?

—¿Que eras virgen?

—¿Virgen? —preguntó ella confundida.

—Sí… ¿No has estado con ningún hombre, verdad?

—No hombres —jadeó ella comenzando a mecerse sobre él.

—¿Te ha dolido mucho? —interrogó preocupado. Debería haberlo imaginado. Debería haber tenido más cuidado, haberla mimado más, haberla llevado al orgasmo antes de penetrarla egoístamente como había hecho.

—No. Dolor normal. A *Dorcha* también duele. Ya pasa —explicó ella. Había visto jugar en multitud de ocasiones a sus lobos, y sabía que al principio era molesto.

Se meció con más fuerza sobre él y, cuando se acostumbró a su grosor, se elevó, para luego caer lentamente hasta que sus pliegues tocaron los rizos del hombre. Jadeó al sentir el roce en su clítoris y la presión en su vagina. Repitió el movimiento, perdida en el punzante placer que le recorría el cuerpo.

—¿Hago daño? —le preguntó ella, deteniéndose al ver que él cerraba los ojos y apretaba los labios. Temía caer con demasiado ímpetu y hacerle daño en las costillas.

—No —farfulló Kier con voz ronca—. Estoy a punto de morir de placer. ¡Cristo! Voy a correrme —gritó al borde del éxtasis. Había arrebatado la virginidad a la hija del rey, y ahora iba a correrse dentro de ella. Con la suerte que tenía, seguro que la dejaba preñada.

—Gusta, ¿sí? —inquirió ella sin entender lo que él decía.

—Sí. Gusta mucho —afirmó tomándola de la cintura y obligándola a aumentar el ritmo de sus movimientos.

Sin importarle los pinchazos de dolor en sus costillas, se apoyó en los talones y levantó el trasero para ir al encuentro de la muchacha en cada embestida que ella daba. Placer y dolor se mezclaron en sus testículos. Los tenía tan tensos y duros que la herida le tiraba apremiante. Necesitaba correrse ya, estallar en pedazos y después relajarse. Posó el pulgar sobre el clítoris de la muchacha y lo masajeó insistente hasta que sintió que su vagina le constreñía la verga con fuerza. Levantó la mirada para observarla. Y lo que vio le llevó al orgasmo más potente que había sentido en su vida. La muchacha tenía la boca abierta en un grito silencioso, se acariciaba con las palmas de las manos los pechos a la vez que tenía presas las rojas puntas de sus pezones entre los dedos, y apretaba y tiraba de ellos al mismo ritmo que se acoplaba a él.

En el mismo instante en que se corrió dentro de ella, Aisling dio un último tirón a sus pechos, tensó todo el cuerpo y gritó su placer al bosque. Luego se derrumbó lánguida sobre él y rodó hasta caer al suelo. No quería dañarle con su peso las magulladas costillas.

Pasados unos minutos recuperó la sensatez. No debería haber jugado con él así.

—Kier —susurró posando una mano en el varonil torso.

Él giró la cabeza y la observó. Estaba preciosa, sonrosada y sudorosa. Con los labios hinchados y los ojos brillantes.

—Gusta jugar. Gusta mucho —declaró lamiéndose los labios.

—¿Jugar? No, Aisling, no hemos jugado. Hemos follado. A esto se le llama «follar» —afirmó él, inquieto.

Ella era tan inocente y tan… natural. No parecía incómoda por la experiencia, ni preocupada por lo que habían hecho. Y tenían motivos para preocuparse. Muchos. Cuando el rey Impotente se enterara, a él le arrancaría los huevos poco a poco y a ella la encerraría en una torre y tiraría la llave.

—Ah, gusta follar. Gusta mucho follar —declaró ella paladeando la palabra—. Pero no más follar ahora —afirmó sentándose con las piernas cruzadas en el suelo.

—No —aceptó él. Había sido un gran error.

—Tú aún no curado —dijo acariciándole las costillas—. No bueno moverte tanto —indicó dejando resbalar sus dedos hasta el vientre del hombre—. Jugar, sí. —Circunvaló con las yemas el ombligo y después bajó hasta acariciarle el pubis—. Tocar, sí. —Envolvió el flácido pene entre sus dedos. Este comenzó a hincharse de nuevo—. Follar, no. No hasta tú curas. —Entrecerró los ojos pensativa—. Doce ocasos. Luego follar. Ahora besar —ordenó bajando la cabeza y devorándole los labios.

La leyenda del Verdugo - La promesa de los amantes

Y sucedió que el amor dio su fruto.

En el vientre de la joven germinó la semilla del verdugo, y este tuvo miedo.

Tuvo miedo del viento que llevaba hasta el bosque los ladridos de los perros, de las hojas del roble que le susurraban a su amada el desasosiego de los sauces, los serbales y los eucaliptos que poblaban la floresta cuando los soldados se internaban en ella buscando a los amantes. Al Verdugo y su bruja.

Y el Verdugo tomó una decisión.

Abandonaría el bosque, obligaría a los soldados a seguir su rastro por la llanura, alejándolos de su amada, dándole la libertad a su familia.

Antes de abandonar su refugio, pidió ayuda al roble. Le rogó protección para su esposa y su hijo no nato.

Y el roble aceptó, pero antes le advirtió: en el mismo momento en que acogiera a la mujer en su interior, roble y humana serían uno. La sangre de la joven se mezclaría con la savia del árbol, y la vida que anidaba en su vientre dejaría de ser solo humana... Y si el vástago que naciera de la unión entre la sangre de la mujer y la savia del roble fuera hembra, las hijas que tuviera heredarían esa maldición... Todas las descendientes del Verdugo serían también herederas del roble.

El verdugo inclinó la cabeza y asintió. «No existe mejor destino que sellar nuestra amistad convirtiéndonos en familia.»

Morag Dair (An finscéal)

Capítulo 8

Érase una vez un hombre que ofreció a su amada hija los regalos
más valiosos del mundo, sin darse cuenta de que el valor
no es lo más importante de un regalo.

Antes del amanecer, 10 de tinne (julio)

*I*olar abrió los ojos, despierto en la oscuridad impenetrable de su alcoba. Inspiró profundamente y sus sentidos se llenaron con el aroma del tibio cuerpo de su amante acunado contra su torso. Retiró con una mano el cabello que ocultaba la nuca de su acompañante y depositó un suave beso en ella. El cuerpo se removió, pegándose más a él, meciéndose contra la palpitante erección que comenzaba a alzarse en la ingle del monarca.

El rey deslizó los dedos por la espalda firme de su amante, acarició sus caderas y subió por el pecho hasta encontrar los labios abiertos, que le estaban esperando. Introdujo el índice entre ellos y permitió que se lo chupara mientras se deleitaba con los gemidos que acompañaban la succión. Meció su sexo contra el duro trasero de quien lo acompañaba, a la vez que alejaba la mano de la ansiosa boca para recorrer cariñoso su cuello. Bajó por el costado y penetró con el dedo empapado en saliva el ano, dispuesto, que esperaba los envites. Un jadeó solazó los oídos del monarca. Continuó jugando con el fruncido orificio hasta que se tornó dúctil y maleable, y entonces aferró su enorme pene en su puño, lo colocó en la oscura entrada y empujó.

Un gruñido abandonó los labios de Gard. La verga de su amigo era inmensa, más aún de buena mañana. Dobló la rodilla y alzó un poco la pierna, permitiendo a Iolar penetrar más profundamente en él. Gimió con cada embestida, jadeó con cada centímetro de suave piel que entraba en él y gozó feroz cuando sintió los testículos del rey presionar contra su culo. Estaba dentro. Por completo.

Iolar se detuvo cuando quedó enterrado en el cuerpo de su amante. Llevó una mano hasta la polla de Gard y comenzó a frotarle el glande, extendiendo las gotas de semen que escapaban de la uretra. Recorrió sutil el tronco, dibujando apenas cada vena. Acunó los duros testículos y volvió a subir hasta la corona, donde se entretuvo jugando con la sensible piel del frenillo hasta que escuchó suplicar a su amigo. Salió lentamente de él a la vez que trazaba círculos sobre el pene. Esperó inmóvil unos segundos.

—Iolar, fóllame.

—¿Osas darme órdenes, Gard? —dijo pellizcando el glande que acariciaban sus dedos.

—¡Sí! —rugió Gard moviéndose contra su rey, intentando que volviera a penetrarle.

—Tsk. Tsk. Muy mal, Gard. Un capitán jamás debe exigir a su rey. ¿Qué castigo crees que te mereces? —le susurró al oído con voz ronca.

—Ninguno, Iolar. En esta cama somos iguales. Si no me follas tú, te follaré yo —advirtió burlón Gard.

Iolar asintió satisfecho. Esa era la única condición para sus encuentros. Que ambos fueran iguales.

Iolar apresó con sus fuertes manos la cintura de su amigo y entró en él de una sola embestida. Luego aferró la venosa polla del capitán de la guardia en su puño y comenzó a masturbarle al mismo ritmo que le poseía. Esperó hasta escuchar su rugido extasiado y sentir su semen derramándose sobre sus nudillos para dejarse ir. Se corrió en el estrecho recto, temblando de placer. Luego se separó del cuerpo amado, tumbándose de espaldas sobre la cama, respirando agitadamente.

En el mismo instante en el que el tímido sol naciente inundó la estancia, el rey abandonó el lecho y, situándose frente a la estrecha ventana de doble vano, descorrió el tapiz que la cubría para observar absorto el horizonte.

—¿Partirás ahora al bosque prohibido? —preguntó Gard, acercándose a él.

—Sí.

—¿Irás solo otra vez? —inquirió con el ceño fruncido. No le gustaba que el rey anduviera sin escolta por los caminos.

—Sí.

—Suerte, amigo —le deseó Gard besándole en los labios.

Iolar asintió y comenzó a vestirse. Acudía a ver a su hija, o al menos a intentarlo, una vez al mes. Esa noche la luna nueva ocultaría el bosque y sentía curiosidad mezclada con desasosiego por la suerte corrida por el hombre que Aisling les había arrebatado a sus soldados. Nada podría hacer por él, pero pensaba hablar con ella, convencerla de que era mucho más compasivo cercenar la cabeza a aquellos que se adentraran en su bosque que torturarlos.

Terminó de vestirse, abrazó a su amado y dejó que sus dedos se perdieran en la grieta entre sus nalgas a la vez que sus lenguas se enredaban. Cuando se separaron, le palmeó los hombros y partió hacia las cuadras.

Sobre el adarve, oculto por las sombras de la noche, un hombre acechó con mirada artera cada una de las caricias que los amantes se prodigaron frente a la ventana de la Torre del Homenaje. El rostro picado de viruela, con una enorme y afilada nariz despuntando torcida en el centro, se arrugó en una mueca de asco que marcó las pálidas y estilizadas cicatrices que recorrían una de sus mejillas.

—Puercos sodomitas —susurró—, vosotros la matasteis con vuestros jueguecitos perversos —siseó colérico.

El hombre esperó apoyado sobre un parapeto y su paciencia fue premiada poco después cuando el rey salió de la Torre del Homenaje y atravesó el patio de armas en dirección a las caballerizas con un morral en las manos.

«Imbécil roñoso —pensó—, le llevas inútiles enseres a tu hija, cuando lo que merece son vestidos y joyas.»

Él mismo se ocuparía de proveerla de lujos, como siempre hacía.

Observó al monarca cruzar el patio de armas y negó con la cabeza. Cuando llegara la noche habría luna nueva, y como todas las noches de luna nueva el Impotente visitaría a su hija. ¡Cómo si no tuviera cosas más importantes que hacer!

Pero no, el estúpido rey aún no había solucionado el problema del bosque del Verdugo, y no parecía tener intención de hacerlo.

Había un hombre allí, con la bella y dulce Aisling, y el perro sodomita no hacía nada por enmendarlo. Un puto que estaría pervirtiendo a la princesa, abusando de su afable inocencia, y su padre no hacía nada por evitarlo. Si el rey fuera un hombre de verdad, entraría en el bosque, mataría al puto, rescataría a la joven y la llevaría a la corte, donde la convertiría en la dama que en realidad era. Y donde, por supuesto, le buscaría un buen pretendiente.

Un hombre decente que supiera cómo tratarla, y que mantuviera a raya su salvaje naturaleza dríade. Y nadie mejor que él mismo para ese menester.

Pero el jodido rey sodomita no hacía nada.

El noble deseó poder internarse en el bosque y rescatarla él mismo, seguro que así se ganaba el favor de la princesa. Pero el bosque prohibido estaba cercado por los soldados de confianza del capitán de la guardia; ahora más que nunca debía mantenerse oculto, evitar ser descubierto. Quince ocasos atrás casi había sido desenmascarado cuando fue a entregar sus presentes. No podía arriesgarse. Todavía no. Debía dejar correr el tiempo y esperar a que todo volviera a su cauce y, entonces, buscaría la manera de hacerla salir de allí.

Antes o después, Aisling estaría en sus manos, dulce y salvaje, sometida a sus deseos.

Iolar atravesó con largas zancadas el patio de armas; deseaba llegar a las caballerizas antes de que amaneciera por completo y el lugar se llenara de nobles, sirvientes y plebeyos que no dudarían en mirarle interrogantes o, Dios no lo permitiera, interceptarle para aburrirle con alguna de sus múltiples peticiones. Al llegar a la altura del aljibe, vio por el rabillo del ojo a uno de los hombres más poderosos del reino apoyado en él y, suspirando para sus adentros, ralentizó el ritmo de sus pasos. No sería adecuado ignorarle, aunque tampoco estaba dispuesto a prestarle demasiada atención.

El noble se alisó con las manos la túnica de seda y estiró los bordes del jubón sin mangas de piel de nutria que llevaba a pesar del calor, compuso un gesto afectado y sumiso en su rostro sonrosado y se incorporó con la intención de abordar al monarca.

—Majestad —le saludó respetuoso cuando este pasó a su lado.

—Neidr, he oído que vuestra esposa está enferma —respondió Iolar sin detener sus pasos.

—Así es, majestad —contestó el interpelado haciendo una reverencia y colocándose a su lado mientras caminaban—. Cayó del caballo hace tres semanas, sus heridas son de extrema gravedad y no se curan como debieran. Apenas tiene un hálito de vida.

—Lo lamento profundamente. La duquesa está presente en nuestras oraciones —afirmó el monarca con un asentimiento de cabeza—. Si en algo podemos ayudaros…

—Gracias, Majestad. Pero hemos perdido toda esperanza. Solo deseamos que su fin no sea doloroso.

—Rezaremos por ello —se despidió Iolar.

—Majestad, disculpadme el atrevimiento, pero…

—No. No os disculpo. Hablaremos cuando regrese —ordenó Iolar sin interrumpir su paso.

—Como deseéis, majestad —aceptó entre dientes Neidr.

El duque observó al monarca entrar en las cuadras y salir poco después montado en su brioso semental, vestido como un simple campesino. Ese maldito rey Impotente, además de ser en exceso cruel y altanero, era una vergüenza para el reino.

Iolar cabalgó veloz por la Cañada Real dejando atrás los muros de la ciudad. Las estrechas cabañas del arrabal —apiñadas unas contra otras a la orilla del río—, las angostas callejuelas, las moradas señoriales junto a la plaza —eternamente embarrada—, el mercado ruidoso y de penetrantes olores y las tierras fértiles que ahora mismo atravesaba. Ese era su feudo, y quienes en él vivían, los súbditos a los que debía cuidar y proveer, pese a que se burlaran de él en las tabernas y le temieran a la luz del sol.

Los condados de Rousinol y Aquila al norte, el ducado de Neidr al sur y los demás feudos aledaños de menor importancia estaban bajo su vasallaje y, aunque se proveyeran por sí mismos y el duque, los condes y demás nobles constituyeran sus leyes, todos ellos estaban bajo el mandato de su gobierno, y por ende debía proteger sus fronteras o, al menos, intentarlo.

Detuvo su caballo y se volvió lentamente sobre la silla, observando en la lejanía la capital del reino del Verdugo.

Iolar amaba Sacrificio del Verdugo más que su vida, pero no podía dejar de guardarle rencor a la urbe. Contempló pensativo el imponente castillo que se alzaba en lo alto de la solitaria loma que había en la inmensa llanura que le rodeaba. Sus murallas coronadas por almenas y la Torre del Homenaje eran lo único que alcanzaba a distinguir. Una mole de piedra gris presta a protegerle de cualquier amenaza, y que le había arrebatado a la única mujer que había amado en su vida y a la única hija que concebiría nunca. Cabeceó enfadado por haberse dejado llevar por la melancolía y espoleó a su semental. Ansiaba llegar al bosque del Verdugo. Sintió el peso del morral a su espalda y sonrió, pensaba sorprender a su hija. Quizá hoy se dejara ver por completo…

Hacía trece años que, vencido y humillado, había abandonado el bosque del Verdugo.

Ese día juró que no regresaría jamás. Qué ni su mujer ni su hija encontrarían refugio entre los mágicos robles. Preso de la rabia y la fiebre, había ordenado quemar el bosque para que se vieran impelidas a regresar a Sacrificio del Verdugo, junto a él.

Gard había impedido que sus macabras órdenes se cumplieran.

Al regresar a la ciudad, el capitán le acompañó a sus aposentos, se cercioró de que las heridas que laceraban su regio cuerpo fueran limpiadas y curadas, y obligó al galeno a que le sumiera en la inconsciencia drogándole con láudano. Después, dio contraorden a los soldados: no debían quemar el bosque.

Cuando tiempo después Iolar se despertó, consciente de lo que había ordenado y dispuesto a lo imposible para detener el mandato, encontró a Gard sentado al pie del lecho. Vestido solo con unas calzas de lana y con el abdomen vendado.

El capitán de la guardia le había mirado arrogante mientras le explicaba que había tomado el mando, para impedir el cumplimiento de su orden.

Gard, su querido y sensato Gard. Jamás se lo podría agradecer lo suficiente.

El niño demasiado delgado que fue su escudero se había convertido en un hombre que rondaba el metro ochenta, de imponentes espaldas y músculos prominentes. Los ojos azules y el largo cabello rubio, que enmarcaba un rostro de rasgos afilados y mentón cuadrado, se habían convertido en lo primero que Iolar veía cuando despertaba y lo último que acariciaba cuando se acostaba. Pero no era su faz ni su cuerpo lo que le habían convertido en capitán de la guardia con solo veinte años, sino lo que había en el interior del hombre. Su cerebro despierto y metódico, una inteligencia práctica y sensata, y la capacidad para salir airoso de cualquier circunstancia unidos a la facilidad para planear las estrategias más inverosímiles le habían convertido en imprescindible para el rey.

Y fue Gard, con sus palabras mesuradas y sus argumentos irrefutables, quien le convenció de que dejara a un lado el rencor y acudiera al bosque prohibido para encontrarse con su hija.

Iolar tardó más de medio año en entrar en razón y asumir que era culpable de parte del infortunio. Aceptó los consejos de Gard y decidió adentrarse de nuevo en la adversa fronda. Solo una cosa le reprochó Gard, y fue que decidió acudir en soledad, sin él. Sin ninguna guardia que pudiera protegerle ni ser testigo de su humillación. Porque si de algo no tenía duda Iolar, era de que no sería bien recibido.

La primera vez que pisó el bosque tras los nefastos sucesos, este lo recibió silencioso, expectante. Alcanzó el anillo de robles y, al ir a traspasarlo, la muralla de ramas cayó sobre él. Desenvainó su espada y la alzó con la intención de abrirse camino a estocadas, pero una rama traidora le golpeó dejándole inconsciente. Juró no volver jamás.

Un mes después regresó. Le recibió el mismo silencio sepulcral, la misma muralla inconmovible, pero esta vez no desenvainó la espada. Golpeó los troncos con los puños hasta desollárselos y gritó hasta quedar sin voz. Nadie acudió a su llamada, pero tampoco fue atacado.

Regresó una y otra vez durante los siguientes meses, el otoño se convirtió en invierno, las nevadas dieron paso a una exultante primavera y a esta le sucedió un caluroso verano. Y el rey Impotente retornó un mes tras otro, inasequible al desaliento. Estaba seguro de que su pequeña hija estaba viva más allá del anillo de robles, oculta en el verde claro que estos protegían. Y visita tras visita, fue llevando regalos con los que comprar de nuevo el cariño de la niña. Muñecas de la más fina porcelana, zapatos de la piel más suave, vestidos cosidos con hilo de oro, diamantes y esmeraldas engarzados en diminutos anillos, broches de plata y capas de terciopelo. Y todo lo encontraba, cuando regresaba al mes siguiente, envuelto en la misma tela de seda en que lo había dejado.

Un año después de su primera visita, no había conseguido siquiera saber si su hija le escuchaba tras la muralla de ramas. Ni si seguía viva.

Acudió al bosque por enésima vez, desesperanzado y abatido, se sentó frente a los árboles que le impedían el paso y habló, no como rey, dando órdenes y exigiendo, sino como un padre habla a su hija. Le contó al viento cómo se desarrollaba la vida en Sacrificio del Verdugo, cómo las aldeas de la frontera volvían a ser pasto de las rencillas entre reinos. Habló sobre el árido verano tras la seca primavera y sobre el escaso grano que guardaban los graneros de la ciudad. Habló sin parar hasta que el atardecer convirtió el luminoso bosque en un paraje en sombras. Entonces sacó un pequeño paquete envuelto en arpillera y lo dejó en el suelo.

—No sé si estás ahí, Aisling, pero, si lo estás, quiero que sepas que te echo de menos, hija. He ordenado vaciar tu habitación y la he convertido en una sala de costura para las damas que acuden a visitarme junto a sus maridos. Nada queda allí de ti. He quemado tus vestidos y zapatos. He regalado tus joyas y juguetes. He convertido tus recuerdos en aire. Solo permaneces en mi corazón y en el de Gard. Nadie más puede hablar de ti o mencionar tu nombre. He borrado tu rastro y te he convertido en una leyenda que corre de boca a oreja en las tabernas. Lo he hecho porque te amo, porque te echo tanto de menos que me duele escuchar tu nombre o ver aquello que un día tocaste.

»Pero no ha sido esa la única razón. He pensado que… quizá puedas temer que quiera secuestrarte, como hice con tu madre, y llevarte conmigo de nuevo. No lo haré. Nunca te obligaré a regresar, he entendido que perteneces al bosque como tu madre, que sin él morirás, igual que Fiàin. Sé que no crees en mis palabras, yo tampoco lo haría. Por eso he destruido todo aquello que algún día te ató a mí, a Sacrificio del Verdugo, para que te sientas libre incluso de los recuerdos que pudieran atarte. Desearía verte, mi vida, pero sé que tú no lo quieres. —Iolar respiró profundamente, consciente de que las lágrimas resbalaban por sus mejillas. Consciente de que su adorada hija le odiaba por la muerte de su madre—. No voy a volver a exigirte ni pedirte que te muestres ante mí. Nunca más. Eres libre, Aisling. Volveré cada luna nueva y hablaré a los robles con la esperanza de que lleven mis palabras a tus oídos.

Iolar esperó a que el manto de la noche envolviera el bosque. Esperó sin esperanza a que ella se mostrara. Pero eso no ocurrió. Acarició con los dedos el paquete que había dejado frente a él.

—Hoy es tu cumpleaños, Aisling. He pensado mucho en qué regalarte. Sé que no precisas ropa, joyas ni muñecas. Me he devanado el cerebro intentando averiguar qué podría hacerte ilusión y creo que por una vez en toda mi vida he encontrado algo que espero te guste y aceptes. Te quiero, mi cielo. —Se levantó del suelo y abandonó el bosque.

Regresó, tal y como había prometido, la siguiente luna nueva, desmontó de su caballo y se sentó en el mismo sitio que ocupaba desde hacía más de un año. El paquete de arpillera continuaba allí. Sintió que el corazón se le rompía en el pecho. Extendió la mano y asió el pequeño fardo entre los dedos.

El aire abandonó sus pulmones.

El saco era el mismo; su contenido, no.

No sintió bajo los dedos la dureza afilada de la daga que había comprado como regalo, sino algo etéreo. Abrió el paquete con dedos trémulos y en su interior encontró un pequeño anillo hecho con cabellos de un hermoso tono castaño.

A partir de ese momento, jamás faltó a su palabra de acudir cada luna nueva.

En cada visita fue ganando poco a poco la batalla que creía perdida. Durante años habló a los robles, con la esperanza de que Aisling estuviera tras ellos. Llevó pequeños obsequios sin apenas valor material, pero que imaginaba que le gustarían a su hija. Ella le dejó guirnaldas de flores y puñados de frutos del bosque, y un día, tres años después de aceptar su primer regalo, Iolar encontró un dibujo hecho en el suelo. Estaba enmarcado en hojas y eran dos figuras humanas dándose la mano. No pudo evitar que las lágrimas cayesen por sus mejillas. Acarició con suavidad las hojas y habló durante horas sin dejar de mirar al inclemente enramado que le impedía deleitarse con la visión anhelada. Cuando cayó la noche, se despidió con un «te añoro» y se levantó para marcharse.

Al darse la vuelta, una preciosa tonada inundó el bosque. Era la canción de cuna que Fiàin tarareaba a su hija. La escuchó paralizado, temeroso de moverse y romper el hechizo. Era la voz de Aisling, su voz dulce y cadenciosa, tan distinta de la aflautada y melancólica de su madre. Permaneció inmóvil hasta que la canción terminó y continuó esperando hasta que el amanecer lo encontró dormido sobre el dosel de hojas del bosque, cubierto por una fina manta de lana que él mismo había regalado a su hija pocos meses atrás. Desde entonces, durante cada visita, mucho antes de que comenzara a atardecer, esperanzado aguardaba escuchar la tonada.

Aisling no le decepcionó. Inventó canciones y baladas hechas de murmullos para él, y cada una era más hermosa que la anterior.

El día que Aisling cumplió quince años, Iolar se adentró en el bosque con un fardo bien sujeto entre sus brazos, dudando de entregar o no su regalo. Sabía que era un presente peligroso, pero sus entrañas le decían que no habría peligro para Aisling en él, y que ella necesitaría y agradecería esa ofrenda. Pensativo, se sentó en el lugar de siempre, colocó el fardo en su regazo y observó el suelo. Su hija había hecho un nuevo dibujo. Tres líneas en espiral que se unían en el centro. Un trisquel.

Iolar sonrió. El trisquel representaba evolución y crecimiento; el equilibrio entre cuerpo, mente y espíritu. Aisling había elegido bien su dibujo, esperaba no equivocarse con su regalo.

—Feliz día de tu nacimiento, Aisling. Te he traído un regalo, pero antes quiero contarte algo que ha pasado. —Respiró profundamente y comenzó su relato—. Ayer, los soldados trajeron ante mí a un cazador. —Un silbido enfurruñado reverberó tras la maraña de ramas—. Ya sé que te disgustan los cazadores, pero debes comprender que los hombres necesitan comer carne, y solo la pueden obtener cazando. —Escuchó otro silbido, esta vez más fuerte e indignado—. Sí, sé que es a los nobles a los que más odias, sé que cazan por diversión y no por hambre, pero no puedo prohibírselo; son costumbres arraigadas y en las monterías sello alianzas y lealtades provechosas para el reino. De todas maneras, no es de eso de lo que quiero hablarte.

»Ayer los soldados trajeron ante mí a un cazador furtivo para que lo juzgase. Había abatido a varios de los lobos que recorren el perímetro occidental de este bosque. —Un jadeo horrorizado surgió tras las ramas—. Sé que ya lo sabes, mi vida, tus árboles te lo habrán contado, pero déjame que te relate mi historia. El cazador había incumplido la ley y como tal lo castigué, nadie puede penetrar en tu bosque. En su carreta encontramos las pieles de los lobos que pensaba vender… y algo más —dijo Iolar sujetando el fardo que comenzaba a moverse en su regazo—. Un par de lobeznos de apenas un mes de vida. Si los dejo solos en el bosque morirán. Es muy probable que su manada los repudie al olfatear en ellos el olor a humano. Pero tampoco puedo criarlos en mi castillo, las criadas huirían en desbandada —comentó divertido al recordar los gritos de las sirvientas al entrar en su habitación y encontrar a los cachorros—. He pensado que tal vez tú quieras hacerte cargo de ellos. Son un macho y una hembra, y ya les he puesto nombre. *Blaidd* es este lobezno gris tan gruñón —dijo sacando a un pequeño cachorro del fardo, que no cesaba de removerse y lanzar dentelladas a diestro y siniestro—, y esta damisela tan comedida es *Dorcha*. —Cogió por el cogote a una hermosa lobezna negra, muy tranquila, que, al soltarla, se acurrucó entre los muslos del rey—. Es tu decisión, Aisling. Ahora voy a atarlos a esta rama y, en cuanto acabe, me iré a pasar la noche al otro lado de la Cañada Real, para que puedas decidir qué hacer. Mañana al amanecer regresaré. Si siguen aquí, se los llevaré a Gard; él conoce a alguien que se puede hacer cargo de ellos.

Sacó una cuerda del fardo y comenzó a llevar a cabo lo prometido. Se detuvo al escuchar cantar a su hija; sonrió cariñoso, pero su gesto pronto se tornó en desconcierto. La tonada que atravesaba el enramado no era dulce como las anteriores, sino autoritaria, casi indignada. A esa tonada se le unió el sonido de las hojas y las ramas de los robles chocando entre sí y, al momento, el bosque quedó silente tras un fuerte gruñido que estaba seguro de que provenía de Aisling.

Iolar se acercó asustado al enramado y posó las manos sobre él, intentando traspasarlo.

—Aisling, ¿qué ocurre? ¡Aisling!

Una rama salió disparada de la maraña, golpeándole en el pecho y tirándole al suelo.

El rugido enfurecido de su hija reverberó en el bosque seguido de una tonada imperiosa que silenció el ruido de las agitadas hojas. La canción devino en un murmullo orgulloso al que siguieron los crujidos y chasquidos de las ramas al moverse. Poco a poco, se abrió frente a él una pequeña brecha entre la frondosa muralla. A través de esta pudo observar a una joven muy hermosa, de cabellos castaños y rasgos delicados. Estaba desnuda y su cuerpo era delgado y flexible como un junco. Se mantenía agazapada, dispuesta a saltar ante el primer asomo de peligro. Sus ojos rasgados estaban clavados en él.

—Aisling —susurró Iolar de rodillas en el suelo, estirando el brazo hacia la bendita grieta que le permitía observar a su hija.

Las ramas se cerraron veloces ante él y le impidieron acercarse. Un siseo furioso le llegó desde el otro lado y la fisura volvió a abrirse lentamente, casi con pesar.

Iolar permaneció inmóvil, observando a su hija, deleitándose en ella, grabándola en su mente.

La muchacha tendió la mano con la palma hacia arriba.

Iolar soltó uno a uno a los cachorros y los empujó hasta que se internaron en el otro lado de la maraña. Ellos podrían tocar a Aisling, olerla, jugar con ella, y ser abrazados por ella.

Él no.

Al menos había podido verla.

La muchacha le miró mientras acunaba entre sus brazos a los lobeznos, sin dejar en ningún momento de entonar su imperativa canción.

Iolar supo que, cuando ella callara, las ramas caerían de nuevo. Observó la salvaje vegetación, comprobó cómo temblaba tensa, y comprendió que, si no había caído ya, era gracias a la fuerza de la canción de la muchacha. Contempló extasiado a su hija, dispuesto a atesorar cada segundo de visión que ella le brindara.

Aisling soltó a los cachorros en el suelo y, sin dejar de susurrar órdenes a los robles, se inclinó agazapada hacia su padre y extendió de nuevo la mano, casi atravesando la brecha entre las ramas.

Iolar dejó de respirar y extendió muy lentamente la mano hacia la joven, que esperaba. A medida que sus dedos se fueron aproximando a la grieta entre la fronda, los crujidos de las ramas se hicieron más audibles y los siseos de su hija más autoritarios. Los robles parecieron inclinarse hacia él; fuertes raíces surgieron del suelo atrapándole las piernas, envolviendo sus muslos y subiendo por ellos hasta ceñirle la cintura. Se estiró todo lo que pudo, con las yemas de los dedos a un suspiro del hueco entre las ramas.

Aisling imprimió un tono acuciante a su tonada, avanzó un solo paso y aferró entre sus dedos los de su padre.

Los robles dejaron caer las ramas sobre las manos unidas, envolviéndolas en tallos flexibles y suaves hojas.

Padre e hija se mantuvieron unidos hasta que la sangre dejo de recorrer sus extremidades, presionadas por la inconmovible fronda. Cuando se soltaron Iolar pronunció una promesa a los robles.

—Jamás la alejaré de vosotros contra su voluntad.

Quizá los robles le creyeran, o tal vez Aisling al ganar madurez obtuvo también fortaleza para mandar sobre ellos. Quizá simplemente fuera que alguien, con un poder superior al de los árboles y la joven dríade, se apiadó del padre desesperado y de la hija esperanzada y permitió que ambos se vieran y tocaran.

Desde ese día, durante cada visita, la maraña de ramas se tornaba menos tupida, más rala, permitiendo que padre e hija se pudieran observar, aunque de manera difusa, entre las verdes hojas. Y en cada despedida, Aisling dejaba asomar su mano, mientras Iolar, apresado por las fuertes raíces, la tomaba entre los dedos y la acariciaba.

Capítulo 9

Érase una vez un hombre que descubrió la felicidad
en una sonrisa, un susurro, una mirada.

Al amanecer, 10 de tinne (julio)

*K*ier se removió inquieto sobre el estrambótico catre hecho de vestidos, se llevó la mano derecha a la tremenda erección que se alzaba en su ingle y comenzó a acariciarse lentamente. Su respiración se agitó, sus piernas se abrieron y todo su cuerpo tembló cuando el éxtasis explotó derramándose sobre su vientre. Momentos después abrió los ojos a la penumbra neblinosa que precede al amanecer.

—¡Joder! —siseó entre dientes.

Le quedaba poco tiempo.

Se incorporó con cuidado en el lecho, se sujetó las costillas casi curadas con una mano y se puso en pie para abandonar el claro, acompañado por los susurros de las hojas de los robles. Sus pisadas firmes se dirigieron hasta un pequeño riachuelo que Aisling le había enseñado pocos días atrás, cuando consiguió convencerla de que ya era capaz de dar pequeños paseos, eso sí, siempre bajo la atenta vigilancia de la muchacha.

Se aseó, cumplió con sus necesidades más básicas y regresó. Al llegar de nuevo al claro, se apoyó en uno de los troncos que sostenían la cueva arbórea de la joven, descansó unos instantes para retomar el aliento que había perdido por la ligera caminata y elevó la mirada al cielo. Comenzaba a clarear. Observó con ojos entrecerrados el grueso tronco del roble, la cueva hecha de ramas estaba a unos seis metros de altura. Se rascó el estómago, dudoso; no sabía si sus doloridas costillas le permitirían trepar hasta allí.

Cerró los ojos y respiró profundamente. En el interior de sus párpados se dibujó la silueta de la muchacha. Cada amanecer ella acudía hasta él y le acompañaba al riachuelo, después desayunaban juntos para a continuación internarse en el bosque y recoger lo que sería la comida del día. Fresas y cerezas silvestres, endrinos, arándanos, moras, frambuesas y todo tipo de frutos, plantas y hojas que ella cocinaba de manera exquisita para él. Las tardes las ocupaban en juegos y conversaciones aderezados con caricias.

Kier sonrió al recordar esos momentos, se había acostumbrado a las maneras naturales y curiosas de la dríade. A que le besara de repente y sin motivo alguno, solo por el placer de hacerlo. Ahora agradecía la desnudez que días atrás tanto le incomodaba. A Aisling le gustaba acariciarle mientras conversaban. Le gustaba recorrer con las yemas de los dedos su torso velludo, arañarle con cuidado las pequeñas tetillas, jugar con el índice en su ombligo, y hacerle arrumacos en la polla con la palma de la mano, para después envolverla en su cálido puño y volverle loco a preguntas mientras jugaba con el pene.

Aisling era la mujer más curiosa que había conocido.

O tal vez no fuera curiosidad, sino necesidad de saber, de aprender, de conocer. Y mientras aprendía, se acurrucaba contra él, mimosa, y le hacía sentir el hombre más importante, deseado y querido del mundo.

Sin ser consciente de lo que hacía, deslizó la mano por su vientre y jugó con los rizos de su ingle mientras continuaba inmerso en los recuerdos.

La mayoría de las conversaciones entre ambos terminaban entre jadeos y gemidos. Por supuesto, él se tomaba placentera revancha y, mientras contestaba paciente sus preguntas, aprendía. Aprendía con húmedas caricias el sabor de sus pechos, la rugosidad de los pezones, el tacto de su piel de terciopelo. Estudiaba embelesado el color cambiante de sus mejillas cuando la pasión se instalaba en el bello rostro de la joven. Investigaba con las yemas de los dedos, hasta dar con el lugar entre sus torneadas piernas que la hacía jadear y olvidarse de las preguntas. Memorizaba su olor, sus gemidos y su respiración, dispuesto a no olvidar nunca el tiempo que había pasado con ella en el bosque.

Detuvo sus recuerdos, molesto, cuando se percató de que su verga estaba erecta de nuevo. Pasó el pulgar sobre el hinchado glande y presionó con fuerza hasta sentir un ligero dolor que obligó al impaciente pene a retraerse y volver, poco a poco, a su flacidez original. No podía trepar por el árbol con la polla dura como una piedra.

Volvió a mirar el cielo, se estaba quedando sin tiempo. Apretó la mandíbula, aferró un saliente del tronco, tomó impulso hasta alcanzar una rama baja con la mano libre y, encaramándose a ella, comenzó a ascender. Penetró en la cueva de ramas después de unos angustiosos minutos en los que pensó que caería y volvería a romperse los huesos que apenas tenía curados. Se sentó sigiloso en el suelo irregular y apoyó la espalda en una de las arbóreas paredes. Se sujetó las doloridas costillas envolviéndoselas con los brazos y se centró en normalizar su respiración agitada. El corazón le retumbaba en los oídos, quizá no estaba tan recuperado como creía, pero el esfuerzo había merecido la pena.

Observó a la muchacha que llenaba sus sueños de gemidos y sus días de caricias robadas. Estaba próxima a él, desnuda, dormida laxa sobre una cuna de hojas y ramas, cubierta por una manta de buena factura. Su esencia a naturaleza salvaje y límpida sensualidad inundaba la estancia.

Kier inhaló profundamente, deleitándose con ese aroma fresco que tanto le subyugaba.

Se endureció de nuevo.

Habían pasado doce amaneceres desde la primera y única vez que Aisling le había permitido poseerla. La curiosidad y el cariño innato de la muchacha no eran sus únicas virtudes. También tenía una determinación férrea y una inteligencia aguda. Ella le había dicho que no volverían a follar hasta que se curase, y había cumplido su palabra. Le mantenía en una permanente espera, anhelante y a la vez satisfecho. Sus caricias le instaban a desear más, siempre más, a la vez que le obligaban a claudicar en sus deseos cuando las hábiles manos de la dríade satisfacían la dolorosa tensión de sus testículos.

«Pronto. Cuenta ocasos, y al llegar a doce, entonces», le decía jadeante cuando él suplicaba por penetrarla.

Esa mañana se cumplía el plazo.

Kier intentó incorporarse y acercarse a ella para tomar aquello que le había sido prometido, pero algo se lo impidió. Las ramas que conformaban la pared de la cueva le habían envuelto el torso y los brazos sin que se hubiera percatado, tan prendado como había estado observándola.

Miró a su alrededor, consciente por primera vez del sonido de las hojas que vibraba en la boscosa cueva. Observó asombrado que unos finos y flexibles tallos emergían de las yemas nudosas de las ramas, acercándose a él, rozándole curiosos. De esos tallos brotaron verdes hojas que se posaron sobre sus labios, sus ojos y sus oídos, aislándole. Sintió que le acariciaban suavemente el pene, ahora erecto, que lo envolvían y palpaban.

Se mantuvo inmóvil ante el desvergonzado escrutinio y, en un intento de serenarse y no dar muestras de su inquietud, pensó una y otra vez en la muchacha, en sus caricias y besos, en los vívidos sueños en que la tomaba y la adoraba con lengua y labios. Y fue en ese momento cuando escuchó por primera vez hablar a los robles.

No percibió palabras ni voces, sino el sonido de las hojas al frotarse contra él. Las preguntas no formuladas que estas imprimían en forma de roces sobre su piel. Las amenazas no pronunciadas cuando los tallos ciñeron con fuerza su pene durante apenas un instante.

—No le haré daño, lo juro —susurró sobre la hoja que cubría su boca—. Solo quiero saborear la savia que emana de su feminidad y venerar el altar de su piel —confesó.

Y en el mismo momento en que la última palabra abandonó sus labios, Kier jadeó sorprendido al descubrir que era verdad; degustar el sabor del dulce sexo de la dríade era lo que más deseaba en el mundo.

Escuchó a los robles susurrar entre sí, lentos y cadenciosos, y entre los murmullos, hubo uno airado, enfadado. Los árboles no debieron hacer caso al que estaba irritado, porque, un segundo después, le liberaron de las ataduras. Esperó unos segundos a que su agitado corazón recuperase la serenidad y después se arrodilló en el suelo y se acercó a la joven apoyándose en rodillas y manos.

Aisling despertó al sentir el rumor de los robles. Se estiró perezosa y parpadeó para librarse del sueño. Cuando abrió los ojos se encontró con la mirada penetrante del macho con el que soñaba cada noche, aquel al que no deseaba dejar de tocar durante el día.

—Hola —suspiró feliz.

—Hola, princesa. —Kier se bebió el suspiro con un beso.

—¿Por qué tú aquí? —preguntó Aisling al percatarse de que estaba en su nido entre ramas, tumbado junto a ella.

—He contado doce ocasos —respondió él besándola en el rostro, el cuello, la clavícula—. Hoy se cumple el plazo.

—Tú no curado para trepar. Yo bajo cuando amanece —le recriminó, enredando los dedos entre los negros cabellos del hombre, instándole a saborear sus pechos.

—Quería darte una sorpresa —susurró él tomando un pezón entre los labios y succionándolo.

—Gusta tu sorpresa. Gusta mucho —gimió cuando él posó una mano sobre su vientre y bajó lentamente hasta acariciarle la vulva.

Kier sonrió sin dejar de besarla. Lo que más le gustaba de la muchacha era que nunca tenía miedo de expresar lo que sentía. Su sinceridad natural era un soplo de aire fresco que alejaba todas las mentiras que había dicho y escuchado en las relaciones que había mantenido con las damas con las que había negociado durante los últimos años de su vida.

Sin dejar de saborear sus pechos, acopló el índice y el anular sobre los labios vaginales y los abrió. Presionó con la palma de la mano el clítoris y hundió el corazón en el lugar donde su pene ansiaba estar. Ella tembló, anhelante. Él continuó adorando su sexo hasta que los fluidos que de él emanaban le empaparon la mano. Tanteó con un segundo dedo la entrada a la vagina y, al encontrarla dúctil y preparada, la penetró con los dos dedos.

Aisling gimió arrebatada al sentir la presión en las paredes de su vagina, abrió más las piernas y alzó las caderas, demandando un roce más profundo.

Él no se lo concedió.

Abandonó las profundidades de la muchacha, aferró su gruesa verga y la frotó con lentitud contra la vulva.

Aisling jadeó, se llevó las manos hasta el clítoris y se acarició.

—Espera… —Kier la aferró por las muñecas y le colocó los brazos por encima de la cabeza—. No tengas prisa.

—Sí prisa. Gusta mucho. Quiero más —exigió ella.

—Y más vas a tener. Confía en mí —susurró él en su oído.

—Confío en ti. Siempre —afirmó ella con sinceridad, instalándose total e irremisiblemente en el corazón del hombre.

Kier la miró asombrado. Estaba abrumado, no había esperado esa respuesta ni siquiera en sus mejores sueños. Él no era un hombre de fiar, o al menos eso se rumoreaba en la aldea. Se aprovechaba de las debilidades de las mujeres para hacer negocio, las follaba para ganar dinero. Solo que él no follaba con nadie. No lo hacía desde que se dio cuenta de que no debía mezclar los negocios con el placer.

Un movimiento debajo de él le sacó de sus pensamientos. Aisling le acariciaba el torso con las manos, pero no era una caricia erótica, sino cariñosa.

—¿Tú triste? No preocupes, nada malo te pasará en bosque, yo cuido de ti —susurró incorporándose y besándole con ternura en los labios. Kier la miró ensimismado—. ¿Duelen costillas? Promesa tonta. No cumplir —desechó ella, contrita por haberle hecho pensar que debía cumplir su promesa aunque le doliese—. Primero curas, luego follamos. Yo amiga aquí —dijo posando la mano sobre el corazón del hombre—. No aquí. —Le señaló la erección—. Polla solo jugar y follar —desestimó con un gesto de la mano—. Tú y yo amigos, eso importante. Polla no —afirmó segura.

—Aisling... Yo también confío en ti —acertó a decir Kier. Y esa palabra era la única que jamás le había dicho a nadie.

Bajó la cabeza y volvió a besarla de nuevo. Adoró su cuerpo, como solo lo puede hacer quien ha descubierto que el secreto de la felicidad está en el sabor de la piel amada. Entró en ella lentamente, atento a cada gesto de la muchacha, pendiente de no ocasionarle nada más que placer.

Y lo consiguió.

Ningún gemido de dolor escapó de los labios de la joven.

El rígido pene resbaló con suavidad en el interior de Aisling; la estrecha vagina le constriñó con fuerza, adaptándose dócil a su tamaño y firmeza, envolviéndole en su calor húmedo.

Kier se meció con dulzura sobre ella, acoplando sus cuerpos hasta que nada hubo entre ellos. Solo piel contra piel. Su pelvis presionó contra los hinchados labios vaginales; se frotó contra ellos hasta que la joven, impetuosa, apresó sus propios pechos con las manos y comenzó a acariciarse. Él sonrió al observarla; su impaciente dríade no se avergonzaba de darse placer a sí misma, y la adoraba por eso. Deslizó la mano entre ambos y acarició con las yemas de los dedos el tenso clítoris, a la vez que, sin dejar de contemplarla, la penetraba con más fuerza y rapidez.

Aisling le acompañó en cada una de las embestidas. Le envolvió la cintura con las piernas y elevó las caderas acudiendo a su encuentro, hasta que ambos estallaron al unísono en un clímax que les dejó sin aliento.

Kier se dejó caer a un lado y cerró los ojos, asustado por lo que había sentido hacía apenas unos instantes.

Había sido el mejor sexo de su vida con la mujer más hermosa, cariñosa y excitante que había conocido nunca. Había sido especial. Aisling era única, perfecta, mágica. Tenía la impresión de que, por primera vez en toda su existencia, no había follado. No.

Lo que había sucedido entre ellos iba mucho más allá del sexo. Al menos para él. Y eso era lo que le asustaba.

—Estás temblando —musitó Aisling acurrucándose contra él—. No fiebre. —Le besó la frente—. ¿Duelen costillas? —Le acarició preocupada el abdomen.

—No. No me duele nada, es solo que… no lo sé —susurró él devolviéndole el beso para no seguir hablando. Para no decirle lo que en esos momentos pasaba por su mente.

—¡Yo sí sé! —Aisling se levantó y fue hasta el fondo de la arbórea cueva—. Tú débil por follar —comentó risueña—. Ahora, hambre. ¡Hora de comer!

Cogió una escudilla tapada por un paño de lino que se asemejaba mucho a la manga de una camisa y se acercó a él.

—Aisling, no hemos follado —dijo Kier con seriedad. Ella le miró extrañada.

—¿Qué hecho entonces?

—Hemos hecho el amor —susurró él besándola—. No vuelvas a decir que follamos, por favor.

Él follaba a sus clientas con los falos de madera y cuero. Lo que había sentido con Aisling nada tenía que ver con follar, la simple palabra ofendía el exquisito acto que habían realizado. No permitiría que ella lo llamara así.

—Más bonito hacer el amor, ¿sí? —Él asintió con la cabeza. Ella sonrió con ternura—. Tú débil de hacer el amor —reconstruyó la frase—. Ahora comer. ¿Sí?

—Sí.

—Y luego vamos a río a nadar —afirmó tendiéndole la escudilla.

—¡No! —Kier sujetó la escudilla entre sus manos un segundo antes de que cayera al suelo.

—Sí. Tú macho valiente —murmuró lamiéndole el lóbulo de la oreja—. Fuerte. —Su mano se deslizó hasta acariciar el velludo torso del hombre—. Intrépido. —Bajó hasta rozar el pene, que se apresuró a alzarse de nuevo, y lo envolvió entre los dedos—. Tú osado y audaz. ¿Sí?

—Sí —jadeó él.

—Hoy nadar —sentenció soltándole la polla y dándole una palmadita en el estómago.

—¡No!

—No me sueltes, Aisling. No lo hagas. Odio hundirme como una piedra y que el agua me cubra la cara. No me sueltes —repetía una y otra vez Kier.

—No suelto. Relaja.

Estaban en una charca de aguas tranquilas y poco profundas, en la orilla de uno de los sinuosos meandros que el Verdugo había creado en su discurrir a través del bosque. Kier se mantenía tumbado boca arriba, intentando flotar, a la vez que hacía equilibrio con los brazos y las piernas extendidos mientras Aisling, de pie junto a él, le sujetaba con las manos bajo la espalda.

Estaba aprendiendo a flotar. Más o menos.

El hombre miró de refilón el extremo de la charca. A solo unos pocos metros de donde ellos estaban, una presa natural, formada por la acumulación de troncos arrastrados por el río, contenía la poderosa corriente fluvial, que rugía con fuerza, formando remolinos y arrastrando todo lo que encontraba a su paso, recordándole que cada primavera se ahogaban en ese mismo cauce algunos de los mejores nadadores del reino durante los juegos y celebraciones de Beltayne.

—Si llego a saber que te empeñarías en enseñarme a nadar, jamás hubiera insistido en bañarme —admitió Kier aferrando uno de los delicados brazos de la muchacha con sus dedos engarfiados—. En serio, Aisling, no hace falta que aprenda.

—Cobarde. —Rio ella, dando un tirón para zafarse de su mano.

El movimiento asustó al hombre, que comenzó a bracear como si le fuera la vida en ello y acabó hundiéndose en el agua, de poco menos de metro y medio de profundidad. La muchacha se apresuró a agarrarle por las axilas y lo puso en pie.

—¡Puñeta! —escupió atragantado—. ¡Se acabó! ¡Por poco me ahogo! —afirmó agarrándose con fuerza a los hombros de la joven.

—No te ahogas. No profundo. Respira. —Aisling posó ambas manos en el rostro del hombre y le obligó a mirarla a los ojos—. No hay peligro.

Kier inhaló profundamente, intentando retomar el control de su aterrorizado corazón, y miró a su alrededor. El agua que le rodeaba estaba tranquila y apenas le llegaba a la altura del pecho. Aisling estaba frente a él y le sonreía divertida, con el agua por los hombros. Plantó los pies firmemente en el suelo pedregoso del río, se zafó de las manos que lo sujetaban como a un niño pequeño y comenzó a andar hacia la orilla.

—¡Se acabó! —exclamó humillado—. El agua está bien para los peces y las nutrias, pero yo soy un hombre. ¡No necesito saber nadar!

Blaidd ladró su asentimiento tumbado en la rivera del río, bajo un enorme sauce llorón. Él tampoco comprendía el empeño de su amiga en nadar.

—Ves, hasta *Blaidd* está de acuerdo conmigo —afirmó Kier saludando al lobo con un gesto de la cabeza. El animal gruñó y escondió el morro entre las patas. No le gustaba estar de acuerdo con el humano, pero cuando este tenía razón, la tenía.

—Cobardes los dos. *Dorcha* lista. —Se burló la muchacha nadando hasta la loba.

Dorcha, que estaba tumbada sobre una enorme roca al pie del río, meneó la cola, jovial, cuando la muchacha la salpicó divertida. Estaba de acuerdo con los dos machos; a ella eso de nadar tampoco le convencía, pero, sin embargo, le encantaba que su amiga la mojara con el agua fresca del río.

Kier se encogió de hombros y continuó su huida con toda la dignidad que pudo reunir, aunque antes de llegar a la orilla, se dio la vuelta para observar a la dríade una vez más. No se cansaba de mirarla, y mucho se temía que no se cansaría nunca. La joven jugaba feliz en el agua, se reía al sentir las carpas rozando sus piernas y salpicaba divertida a los sauces llorones que hundían sus raíces en la ribera. Era como una nutria, imprevisible y salvaje, alegre y confiada.

Aisling era la mujer más eficiente que había conocido nunca, podía hacer cualquier cosa que se propusiera y siempre con una sonrisa en los labios y una caricia en los ojos. Por dura, dolorosa o difícil que fuera, ella conseguía realizarla sin apenas esfuerzo. Conocía cada recodo del bosque, cada hongo, semilla y fruta comestible. Sabía cómo utilizar cada planta para convertirla en un remedio capaz de curar la afección más dolorosa, pensó Kier acunando sus genitales con las manos en un acto reflejo.

Aún recordaba el dolor atroz de los primeros días, los emplastos con que ella le curaba, su peso inmisericorde, que le hacía retorcerse de dolor durante el primer minuto y que después le calmaba. El sabor de las repugnantes infusiones que le había obligado a tomar, bebedizos que habían aplacado su sufrimiento durante las largas y agónicas noches.

Observó cómo la joven se hundía por completo en las aguas claras para salir un trecho más allá, feliz y sonriente. Contempló con deleite sus brazadas firmes y seguras, el cuerpo flexible como un junco, la piel dorada y el cabello castaño formando ondas sobre los esbeltos hombros.

Era mágica.

Una luchadora que no solo había sobrevivido en el bosque, sino que se había hecho fuerte en él.

Si a él le hubieran abandonado a su suerte con cinco años, como le pasó a ella, se hubiera muerto de hambre. Aisling, en cambio, había sobrevivido para convertirse en una mujer especial a la que no podía dejar de admirar.

Kier cerró las manos formando puños, enfadado con el cruel padre que había sido capaz de desterrar de su vida a su hija pequeña y olvidarla sin remordimientos, sin mirar atrás, solo por ser una bastarda descendiente de una dríade.

Le dolía ver la sonrisa ilusionada de Aisling cuando le enseñaba los pobres tesoros que el gran rey Impotente le regalaba cual migajas. Si él tuviera la mitad de la riqueza del soberano; la mitad de su poder, le consentiría a la joven cada capricho, la haría dormir entre sábanas de seda bajo techos de oro, no entre las ramas de los robles sobre una manta vieja. No la escondería como si fuera un error. La mostraría orgulloso al mundo.

Pero él no era un rey poderoso sino un buscavidas que apenas era capaz de sobrevivir en el bosque, pensó frustrado y enfadado consigo mismo.

Todos sus conocimientos no servían para nada allí. Podía convertir cualquier trozo de bronce en una olla o una escudilla. Sabía tallar hermosas esculturas en madera, se vanagloriaba de ser el mejor artesano de falos de madera y cuero de todo el reino, el que hacía las fundas para penes más seguras, pero todo eso, en el bosque, no valía nada. Y la única de sus habilidades que podía ser útil allí no se atrevía a realizarla. Podía cazar cualquier animal de un único y certero flechazo, pero mucho se temía que si hacía eso, Aisling le odiaría profundamente. Y eso era lo último que deseaba.

Quería que ella lo admirase.

Que le contemplase orgullosa.

Que se asombrase con sus habilidades.

Él, que jamás había dado importancia a nada que no repercutiera en su beneficio, se frustraba desesperado cuando no era capaz de seguir sus pasos entre la fronda, cuando no conseguía trepar a un árbol sin resollar falto de aliento, cuando no lograba vencer el miedo y nadar en una maldita charca de agua estancada.

Quería deslumbrarla con sus proezas, y no había ninguna proeza que pudiera realizar mejor que ella.

Daría sus manos porque ella se sintiera orgullosa de él.

Él, qué siempre había desdeñado a las damas nobles, que jamás había querido mezclarse con ellas más allá de lo profesional, admiraba profundamente a la salvaje hija del rey. Y no solo eso. Anhelaba sentir su aprobación satisfecha en cada empresa que intentaba. Deseaba, más allá de toda lógica, que ella se sintiera tan embelesada por él como él lo estaba por ella.

Negó con la cabeza, asustado por la intensidad de sus sentimientos, por la locura a la que estos le abocaban, por el peligro en el que se estaba adentrando.

Aisling le fascinaba total e irremediablemente.

Estaba hechizado por la salvaje princesita. Y ella no era una princesa cualquiera, no. Era la hija de uno de los monarcas más severos y crueles de aquel rincón del mundo.

—Me da lo mismo —siseó entre dientes, apretando los puños—. Aisling merece el riesgo —afirmó para sí.

Había sido el primero en poseerla, en tocar el altar de su cuerpo. Había sido suya, y volvería a serlo mil veces más. Volvería a besarla, a acariciarla y a hacerle el amor.

Una y otra vez.

Tantas como ella se lo permitiera.

Salió de la charca sacudiendo con fuerza la cabeza, dio un traspié y se sentó con cuidado a un par de metros del lobo. El animal levantó la testa, lo miró indiferente un momento y luego volvió a recorrer el bosque con la mirada.

Desde que *Blaidd* le orinara en los pies y Aisling se peleara con el animal por ese motivo, parecía que ambos machos habían llegado a un acuerdo tácito: ignorarse mutuamente.

Kier se fijó en el animal, algo en su postura le llamaba la atención. El lobo estaba en apariencia relajado, pero no era así. Tenía las orejas erguidas, alertas, y los ojos entrecerrados, suspicaces. Olfateaba sin cesar el aire a la vez que mantenía la cola paralela al suelo y las extremidades, dobladas en aparente relax, estaban prestas a tensarse en segundos de ser necesario.

—¿Le pasa algo a tu lobito? —le preguntó a Aisling.

La joven puso los ojos en blanco, nadó hasta la orilla y salió con lentitud de las prístinas aguas. Se dejó caer de rodillas frente al hombre, depositó un sutil beso sobre sus labios y se tumbó a su lado, instándole a hacer lo mismo.

Kier apoyó un codo en el suelo y la cabeza sobre la mano y la miró embelesado.

—*Blaidd* es preocupado.

—¿Está preocupado? —la corrigió con sutileza.

—*Blaidd* está preocupado —repitió ella la frase correcta.

—¿Por qué? —le preguntó Kier mirando a su alrededor. No pensaba dejarse atrapar de nuevo por los soldados, y mucho menos permitiría que hicieran daño a Aisling.

La muchacha frunció el ceño, pensativa, buscando las palabras adecuadas para expresarse. Poco a poco iba tomando confianza con el lenguaje de Kier y su padre, pero aún no lo dominaba del todo.

—Mmm… No hay robles, solo sauces y alisos, ellos no avisan, no protegen. *Blaidd* atento.

—¿Los robles te protegen? ¿Hablas con ellos? —preguntó intrigado. Aún recordaba la muralla de ramas que había caído del cielo milagrosamente cuando estuvieron a punto de atraparles, y también las traicioneras raíces que le habían sujetado inclementes durante las dolorosas curas.

—Sí, robles cuidan de mí y yo de ellos. Somos familia —explicó mordiéndose los labios, incapaz de explicarse mejor—. Yo canto, ellos escuchan y obedecen… si quieren.

—Entiendo. Los robles son mágicos.

—No. Ellos son familia —dijo poniendo énfasis en la palabra.

—Ah —respondió Kier sin entender nada—. ¿Y los demás árboles no hablan?

—No. Algunos susurran, pero no *está* fácil entenderlos, alborotan mucho, solo robles comprenden y ellos dicen a mí.

—No es fácil entenderlos —musitó pensativo, corrigiéndola.

—Serbales y eucaliptos más listos —continuó entusiasmada Aisling. Había intentado explicárselo a su padre y a Gard siendo una niña, pero ellos se habían reído de sus cuentos. Kier era el primer humano que intentaba entenderla—. Árboles vigilan linde de bosque y cuentan a robles, y estos a mí. Pero aquí, en río, sauces llorones alborotan mucho y no escucho robles. *Blaidd* está atento por si alguien viene.

—Entiendo. —No mucho, pero si *Blaidd* estaba alerta, él también lo estaría. Dejó que su mirada vagara entre los árboles.

—Tú no preocupes. No peligro —informó ella acariciándole el torso y enredando los dedos entre el vello oscuro que lo poblaba—. Estamos lejos de camino. Nadie viene aquí —susurró besándole.

—Mmm… ¿Segura? —Él la abrazó, dejándose mimar.

Un potente ladrido junto a su oreja le hizo separarse de un salto. *Blaidd* estaba a su lado, a escasos centímetros de su cuello, gruñéndole irritado.

—¡Por Cristo! ¡Qué susto me has dado, chucho! —le increpó Kier apartándole con una mano. Poco a poco había aprendido que el lobo gruñía mucho, pero no mordía, al menos a él.

—*Blaidd* ofendido. Él no gusta que tú dudes —dijo Aisling, sonriendo por la incipiente amistad entre sus dos machos.

—¡¿Qué?! —

—Has dudado al preguntar si yo estoy segura. Yo siempre segura con *Blaidd* —comentó risueña colocándose a horcajadas sobre el hombre.

—Y conmigo, yo también te cuido —afirmó huraño el hombre, ganándose otro gruñido del lobo.

—Tú me cuidas mucho, ahora besa y calla —le ordenó divertida.

Él obedeció.

Se besaron y acariciaron hasta que sus respiraciones se tornaron jadeantes. Aisling lamió melosa el torso masculino, deleitándose en su sabor salado y su aroma viril. Le recorrió el vientre con la lengua y bajó hasta la ingle, tentándole cruel, para a continuación subir hasta el estómago y hundir la nariz en el ombligo. El escaso vello que lo rodeaba le hizo cosquillas en las mejillas, haciéndola reír risueña.

Kier enredó los dedos en su sedoso cabello y la instó a bajar de nuevo, pero ella se incorporó pensativa sin dejar de observar su antaño musculado vientre.

—Ya no duro aquí —comentó siguiendo con el índice los apenas visibles abdominales masculinos.

—Eh. No. —¿A qué venía eso ahora?

—¿Pasas hambre?

—No…

—¿Por qué tú estás más delgado aquí? —señaló el abdomen.

—Porque me paso el día sin hacer nada. Necesito trabajar de nuevo —respondió abrazándola e intentando besarla. Aisling se apartó.

—Explica —ordenó.

—Llevo mucho tiempo sin apenas moverme, imagino que por eso no estoy tan duro como normalmente —le explicó a la vez que se rascaba la barriga. Aisling sonrió.

—Tú duro en otros sitios. —Posó la mano sobre el pene erecto.

—Ah, sí.

—¿Tienes polla dura porque haces trabajo con ella? —preguntó masturbándole.

—Mmm, sí. Los huevos también —jadeó Kier.

Aisling arqueó una ceja y llevó la mano libre hasta los testículos, y sí, también estaban duros, más tensos y elevados.

Le encantaba verle erecto. Su polla hinchada y rígida era tan hermosa que, si por ella fuera, Kier siempre estaría duro. Cuando le caía flácida entre los muslos era tan feúcha que no podía evitar tocarla hasta que volvía a alzarse imponente y orgullosa. Pero no era solo eso. Le encantaba sentir los gemidos del macho sobre la piel, escuchar su respiración alterada reverberando en sus oídos, inhalar el aroma especiado que desprendía cuando estaba excitado… Y entonces, él la envolvía entre sus poderosos brazos y ella sentía que por fin había encontrado al hombre especial y único que la aceptaba como era.

Sin preguntas.

Sin censuras.

Sin normas.

Con él era libre de sentir y pensar. Libre de actuar como quería, de ser ella misma. Estaba segura de que Kier jamás la confinaría en la prisión de normas sociales y paredes de piedra en la que su padre y los demás hombres encarcelaban a sus mujeres. No la alejaría de su bosque, de sus lobos, de su familia.

Aisling dejó que sus pensamientos se dispersaran cuando sintió los dientes del hombre arañándole con delicadeza los pezones. Seguía a horcajadas sobre los muslos de Kier mientras él se había incorporado sobre los codos y saboreaba sus pechos. Ciñó con fuerza el pene que aún envolvían sus dedos y posó el pulgar sobre el glande. Jugó con la abertura que en él había, haciéndole derramar gotas de placer, volviéndole loco. Observó sus ojos verdes cerrándose extasiados y, a continuación, llevó la mano que tenía libre hasta su propio sexo y se tocó la vulva. Los pliegues de su vagina estaban hinchados y lubricados, y el brote que tanto le gustaba que Kier le tocara despuntaba endurecido y terso. Lo acarició con el índice, imitando los mismos movimientos circulares que ejecutaba con el pulgar sobre la corona del pene de su macho.

Kier alejó la cabeza de los exquisitos pezones que estaba succionando y contempló asombrado a su salvaje amiga. Jamás había conocido a una mujer tan natural con el sexo como ella. Conteniendo un jadeo, tomó los senos de la muchacha. Los amasó entre sus palmas y a continuación pellizcó con cuidado las endurecidas y sonrosadas cimas que los coronaban. Ella jadeó. Se apartó de él y se sentó en el suelo con las piernas muy abiertas, luego posó ambas manos sobre sus labios vaginales, separándolos.

—¿Cómo llamo? —preguntó posando el índice sobre el clítoris.

—¡Dios! —exclamó él ante la excitante visión de su sexo enrojecido y mojado.

—¿Dios?

—No. ¡Puñeta! —acertó a decir a la vez que rodaba lentamente hasta quedar con la cabeza a pocos centímetros del tentador aroma que le llamaba.

—¿Puñeta? Puñeta no es esto —refutó ella; él le había dicho días antes que esa palabra era un juramento, fuera eso lo que fuera.

—Dulzura de Venus[3] —dijo Kier moviéndose hasta que su cabeza quedó a la altura de la vulva de la muchacha. Se mordió los labios, pensativo, y tanteó con incertidumbre con la lengua sobre el clítoris enaltecido.

Aisling jadeó, incapaz de hablar.

Era la primera vez que él le hacía eso y era estupendo.

Kier nunca había sentido el deseo de saborear a una mujer. O al menos así había sido hasta que su salvaje dríade penetró con fuerza en su vida, y le mostró su hermosa alma. Fascinado por el exquisito e inesperado sabor del néctar que llenaba su paladar, se atrevió a lamer con lentitud los pliegues brillantes de la muchacha. El sabor dulce y agradable que impregnó su lengua a cada pasada le hizo olvidar sus antiguos reparos y temores.

Aisling sintió cómo él jugaba con su clítoris, cómo lo mordisqueaba y succionaba, cómo penetraba en su vagina con la lengua. Cerró los ojos, e incapaz de soportar tantas sensaciones, se aferró

---

3. Dulzura de Venus: nombre con el que Renaldo Columbus denominó al clítoris en 1559.

con fuerza al suelo y gritó cuando todo su cuerpo convulsionó en un orgasmo sobrecogedor.

Cuando consiguió volver a respirar con normalidad, Kier estaba sobre ella, entre sus muslos, penetrándola lentamente.

—Tu sabor, Aisling… —jadeó él incapaz de expresar con palabras lo que había sentido—. Adoro tu sabor —reiteró una y otra vez sin dejar de moverse sobre ella.

Aisling le envolvió las caderas con las piernas y le besó dulcemente mientras él la llevaba hasta el paraíso una vez más.

Una vez saciada la pasión, Kier se tumbó boca arriba y dejó que su mirada vagara por el dosel de hojas y ramas que cubría el cielo. Acababa de hacer el amor, otra vez, con la hija del rey. La había saboreado, y había gozado con ello.

Le costaría la cabeza.

Se tumbó de lado, apoyando la barbilla en una mano, y observó a la muchacha. Le miraba feliz, con las mejillas sonrosadas y el precioso pelo castaño alborotado.

—Merece la pena perder la cabeza por estar un solo segundo en tu interior, por sentir en el paladar tu dulzura —afirmó antes de envolverla entre sus brazos y besarla.

Ella sonrió perezosa, se acurrucó entre sus brazos y dejó que sus párpados se cerraran. La contempló ensimismado hasta que la vista se le tornó borrosa por las pestañas que poco a poco bajaron cubriendo sus verdes iris.

—¡Por los clavos de Cristo, está helada! —aulló Kier sobresaltado.

Se había quedado dormido, y Aisling le estaba despertando de la peor manera posible. Echándole agua del río en la entrepierna.

—Quejica.

—¿Quejica? ¿Yo? Ya veremos cómo reaccionas tú cuando te tire al Verdugo —amenazó burlón un segundo antes de percatarse de que la joven tenía el cuerpo húmedo y el cabello empapado. La amenaza llegaba tarde.

—Siento bien. Agua buena. Yo estoy limpia; ahora, tú también. —Derramó más agua sobre el pene y los testículos y procedió a frotarlos hasta que quedaron tan limpios, y duros, como a ella le gustaban—. Me gusta tu polla, es fuerte y poderosa —afirmó bajando la cabeza y depositando un sutil beso en el glande—. Tengo hambre. Vamos a comer.

Se levantó de un salto, recogió el saco que esa misma mañana habían llenado con comida durante la caminata hacia el río y le tendió la mano, instándole a ponerse en pie.

Kier rompió a reír, feliz. Aisling era única. Mágica. Suya.

Caminaron hasta el claro sin dejar de hablar, se sentaron sobre la tupida hierba del suelo y sacaron los frutos silvestres que habían recogido. Estaban a punto de empezar a comer cuando el susurro de los robles llamó la atención de Aisling. La muchacha se puso en pie, escuchó atenta y, sin previo aviso, echó a correr hacia la gruta entre las ramas de los robles. Cuando regresó se había puesto una de las enormes camisas de lino que su padre le había regalado.

—¿Qué pasa? —le preguntó Kier, extrañado al ver a la muchacha vestida con uno de los *valiosos* regalos que el puñetero rey Impotente le había regalado en su *infinita generosidad*.

—Tengo que irme. Padre espera tras los robles —explicó ella.

—¿El rey Impotente viene a verte?

—Sí, cada luna nueva. —Aisling frunció el ceño, confusa—. Él no Impotente, yo soy su hija.

—Ah, sí, ya… no me hagas caso.

—No te lo hago —afirmó sin prestarle atención mientras se alejaba hacia el extremo del claro.

—¡Aisling! —Ella se detuvo y se dio la vuelta para atender su llamada—. ¿Por qué te has vestido? —le preguntó Kier.

—Padre regala esto, cuando me lo pongo sonríe —le explicó encogiéndose de hombros. A su padre le hacía feliz verla con esa cosa, y ella se la ponía por él.

—Ah.

Aisling le sonrió, se dio la vuelta de nuevo y corrió dichosa hacia la linde del claro.

Kier la observó embelesado. Contempló el balanceo del firme trasero bajo la fina tela y recordó los pezones sonrosados, apenas silueteados tras la prenda. Llevaba casi un mes viéndola desnuda a todas horas, su mente y su cuerpo se habían acostumbrado a admirar la totalidad de la piel dorada y, ahora que ella se había vestido, cubriendo todas y cada una de sus exquisitas curvas, estaba duro como una piedra, tan dolorosamente excitado que bastaría un solo roce para llevarle al orgasmo.

Capítulo 10

Érase una vez un hombre que creía saberlo todo, y no sabía nada.

10 de tinne (julio)

*I*olar llegó al bosque prohibido después del mediodía, acababa de desmontar cuando seis guardias le rodearon. Los miró con ojos acerados, revisó su postura, armas y rostros e hizo un gesto satisfecho con la cabeza. No toleraría más fracasos por parte de sus soldados. Le tendió las riendas a uno de ellos y se internó en el bosque sin pronunciar palabra ni mirar atrás. Eran hombres entrenados por Gard, no necesitaban órdenes para cumplir su cometido. Atravesó con paso firme las hileras de eucaliptos y serbales, ignorando decidido el ruido que hacían los árboles a su paso y la roja y amenazante tonalidad del fruto de los serbales. Estaba acostumbrado a que el camino hacia la muralla de ramas transcurriera entre extraños susurros provocados por el entrechocar de las hojas. Cuanto más se acercaba a su meta, más fuerte era el murmullo, más opresivo el silencio de los animales, más denso el aire que respiraba.

Tras un buen trecho caminando vislumbró por fin la hilera de robles que anunciaba el fin de su viaje. Parecían robles normales; sus ramas miraban al cielo, sus raíces se enterraban en el suelo y entre los ancianos árboles se podía entrever el sendero que llevaba al claro en el que vivía su hija. Aceleró el paso, aun sabiendo que sería inútil. Las ramas caerían, la entrada se cerraría, y él se encontraría de nuevo ante el muro impenetrable que le impedía ver a aquella a quien el cruel bosque le había arrebatado.

Un paso, otro más, apenas diez metros y los árboles continuaban inmóviles, permitiéndole adentrarse entre sus troncos. Cinco metros, el susurro aumentó de intensidad convirtiéndose en un zumbido abrumador que le taladraba los oídos. Un metro, quizá esta vez le permitirían pasar. Estiró los brazos, dio un último paso, y las ramas cayeron creando una tupida e infranqueable barrera.

Se dejó caer al suelo, sus rodillas se hundieron entre la hojarasca mientras sus manos palpaban impotentes el boscoso muro. Sus dedos buscaron alguna grieta, alguna rendija olvidada entre las ramas que le permitiera ver qué había más allá de la barrera. Como tantas y tantas veces antes, no la encontró. Cerró los ojos y permitió que de sus labios emergiera un suspiro entristecido. Estaba solo en el bosque, nadie podría verle comportarse como un hombre y no como un rey. Podía permitirse ser el padre arrepentido. El penitente que busca el perdón de aquella a quien más ama.

Una suave voz inundó el bosque, una dulce tonada hecha de murmullos que poco a poco se fue acercando, tornando la impenetrable muralla en una celosía de ramas a través de la cual podía ver entre las sombras verdosas de las hojas.

Iolar se sentó erguido, alejó de sus ojos el pesar y esperó. Pocos segundos después, la silueta inconfundible de su hija apareció semioculta ante él. El destello blanco que pudo observar a través del boscoso enrejado le indicó que ella vestía una de las camisas de lino que le regalaba cada pocos meses. Sonrió. Su pequeña usaba al menos uno de sus pobres regalos. La cubriría de diamantes si no supiera que ella los miraría extrañada y los desecharía como algo inútil.

—Hola, Aisling —saludó dispuesto a comenzar su monólogo. En todos esos años, él era quien hablaba y ella quien escuchaba. Iolar se conformaba, al menos permanecía frente a él—. Gard ha estado en Rousinol, visitando al nuevo herrero. Ya sabes cómo le gusta buscar juguetes afilados con los que entretenerse —comentó intentando dar a su voz un tono divertido—. Se encontró unas dagas de factura exquisita y filo extraordinario, y pensó que te gustaría tener una —comentó sacando un paquete del morral. Lo dejó en el suelo, junto a la pantalla de ramas—. ¿Recuerdas a Gard? Es el capitán de mi guardia. Un hombre alto y rubio de ojos azules. —Intuyó que Aisling asentía con la cabeza—. Te echa de menos, todos te echamos de menos. Ojalá algún día regresaras —se atrevió a decir, aun sabiendo que ella fruncería el ceño, como así hizo.

Iolar habló de todas aquellas cosas que esperaba que a ella le hicieran sentir curiosidad, tratando de tentarla para que regresara, aunque era inútil. Aisling no regresaría, al menos no por su propia voluntad, y él le había prometido hacía años que no la obligaría a nada. Y pensaba cumplir su promesa.

—Tengo que decirte algo que sé que no te va a gustar, pero necesito hacerlo —afirmó muy serio.

Había pasado más de media tarde monologando sobre nimiedades y necesitaba exponer aquello que le preocupaba. No podía callar solo por el temor a que ella se enfadara y se alejara. Era su padre, tenía derecho a ejercer como tal y a regañarla si hacía algo reprobable.

—Hace tres semanas estuve aquí. —Aisling ladeó la cabeza, extrañada. Los árboles no le habían dicho nada—. Fue el día en que el furtivo se adentró en el bosque y mis hombres le apresaron para castigarle. Sé que tú y tus lobos se lo arrebatasteis de las manos y lo llevasteis hasta el claro. —Iolar respiró profundamente; lo que iba a decir a continuación despertaría la ira de la muchacha, pero aun así, tenía que reprenderla. No podía permitir que el rencor de Fiàin se alojara en el corazón de su hija—. Cuando me enteré cabalgué hasta aquí, dispuesto a comprobar con mis propios ojos lo que había sucedido, y a castigar tanto a mis soldados como al intruso. Al llegar, escuché sus alaridos de dolor.

»Sé que no guardas buen recuerdo de tu estancia en el castillo, sé que os hice la vida muy difícil a ti y a tu madre, y que no te fías de nadie, pero no puedes torturar a un hombre por los pecados que únicamente yo cometí —afirmó entristecido. Sabía que llegaría el día en que su hija se vengaría en nombre de su madre, pero había esperado que eso no sucediera—. Di órdenes estrictas de que todo aquel que irrumpiera en el bosque fuera ejecutado al instante, y eso era lo que iban a hacer mis soldados cuando tú apareciste. Entiendo que te asustaras cuando ese proscrito invadió tu espacio, pero no debes tomarte la justicia por tu mano. No debes permitir que el rencor que tu madre sintió hacia mí se haga fuerte en ti. El hombre merecía un castigo, pero un castigo justo, no una tortura. Eras una niña muy dulce y cariñosa, no puedo creer que ahora te diviertas causando dolor —continuó hablando Iolar, intentando hacerse entender sin ser demasiado severo—. No lo voy a consentir, Aisling. No volverás a entrometerte en la labor de mis soldados. No volverás a torturar a nadie. Mis leyes son válidas para todos mis súbditos, tú incluida. Debes entender esto, hija mía: el dolor engendra dolor. No quiero verte convertida en un ser sanguinario que disfruta con el padecimiento ajeno. Eres libre en tu bosque, deja que mis soldados se ocupen de todos aquellos que entren aquí. Mantente al margen.

—Tus soldados torturaban a Kier. Ellos no cumplen tus órdenes, disfrutan con su dolor. Yo lo salvé —contestó furiosa Aisling. Su padre, como siempre, se equivocaba. No creyó a su madre, y ahora pensaba cosas malas de ella. No era justo.

—Hablas —siseó Iolar perplejo. Era la primera vez desde hacía trece años que escuchaba la voz de su hija—. Puedes hablar.

—Siempre puedo.

—Nunca me has dicho nada.

—Nunca tuve nada que decir. —Ante el gesto confuso de su padre, Aisling decidió continuar—: Gusta escuchar tu voz. No necesario yo hable. Hoy sí. Tus soldados mienten. Ellos torturan a Kier, yo salvo y curo. Por eso él grita, porque duelen heridas. Pero ahora ya curado. Casi —añadió recordando los gestos de dolor del hombre y como se sujetaba a veces las costillas.

—¿Kier? —preguntó Iolar, turbado. Era la primera frase que su hija le dedicaba desde que le abandonara para vivir en el bosque, y en lugar de pronunciar su nombre, pronunciaba el de un proscrito. No era justo.

—Kier es hombre que entró en bosque. Él mi amigo ahora. —Iolar la miraba atónito, y ella decidió continuar—. Quieres saber más. ¿Sí?

—Sí. Siempre querré saber más, siempre querré escuchar tu voz.

—Kier no malo, él bueno. Yo le observo desde hace muchas lunas, él entra en bosque para jugar con mujeres amigas tuyas en castillo… Mm… ¿Condasas?

—Condesas.

—Sí. Condesas —Aisling paladeó la palabra—. ¿Duquesas? —Iolar asintió asombrado. «¿Jugar?»—. Juega con ellas y luego les da pollas de madera a cambio de cosas pequeñas y redondas que brillan.

—¿Pollas? ¿Quién te ha enseñado esa palabra? —preguntó asombrado. Su dulce hija no debía decir esas cosas. Un segundo después toda la frase encajó en su mente—. ¿Monedas? —¡Un puto! ¡El proscrito era un jodido puto! Y estaba con su hija. Lo mataría con sus propias manos.

—Monedas. Sí. Él entró en bosque y soldados cogieron, pero no cortaron cabeza como tú ordenas —explicó con un escalofrío.

No le gustaba nada esa faceta de su padre—. Ellos le pegan y atan en suelo y golpean con… cosa como cuerda pero de piel. Mucho daño.

—Un látigo —susurró Iolar. Creía intuir por qué sus soldados habían hecho eso. Había algún noble despechado detrás.

—Sí. Yo salvo y curo. Y ahora amigos. Él buen hombre.

—¿Buen hombre? —repitió aturdido. Había supuesto que su hija odiaría a los hombres, igual que su madre, no que se haría amiga de un puto.

—Sí. Amable y divertido. Él ríe y habla conmigo. Me mira y me ve a mí; no a vestidos ni joyas, solo a mí —afirmó muy seria—. No ordena ni exige, no quiere que yo sea otra. Él gusta como soy. Él amigo.

—¿Amigo? —Iolar contuvo como pudo la rabia que le carcomía. Aisling parecía prendada de ese tal Kier. Un hombre como ese jamás podría ser amigo de ninguna mujer. Se aprovechaba de ellas en su beneficio. Y ahora estaba jugando con su inocente y solitaria hija.

—Sí, Kier buen amigo —contestó Aisling entusiasmada—. Él cuida, o intenta, torpe en bosque, pero poco a poco aprende. Mira fiero alrededor y dice que él protege de todo —rio feliz, imitando el gesto ceñudo de su amigo—. Me envuelve en sus brazos y me besa, tan dulce —relató soñadora—. Me acaricia y lame, y luego follamos. Me gusta jugar con él.

—¡Folláis! —exclamó indignado Iolar. Mataría a ese hombre. Aunque fuera lo último que hiciera en su vida. Lo estrangularía con sus propias manos, justo después de cortarle los cojones.

—Sí. Mmm, no, ya no. Él dice no follar. Ahora hacemos el amor —afirmó contenta sin percatarse del gesto huraño de su padre que asomaba entre el enrejado de ramas—. Más bonito. ¿Sí?

—¡No! ¡No es más bonito! ¡No debes hacer esas cosas, ni con él ni con nadie! ¡No te das cuenta de que se aprovecha de ti!

—¿Cómo aprovecha de mí? —preguntó curiosa, sin entender el porqué del enfado de su padre—. Yo no tengo nada de lo que vosotros decís valioso. Mi reino es el bosque, mis súbditos los lobos, mi techo las estrellas y mi cama los árboles. No tengo ninguna de esas cosas brillantes que tanto os gustan.

—Eres mi hija. Eso tiene cierto valor —replicó Iolar enfadado porque ella no se daba cuenta de su poder.

—No valor. Tú eres rey, yo soy parte de bosque. Mi mundo y el tuyo no están unidos.

—El tal Kier podría secuestrarte y pedir un rescate, obligarme a claudicar ante sus exigencias.

—No puede secuestrar en bosque. Robles me protegen.

—Yo secuestré a tu madre —refutó Iolar implacable. Aisling tenía que saber a qué se enfrentaba y dejar de ser tan ingenua.

—Fiàin quiso que secuestraras —rebatió ella divertida. A pesar de tantos años transcurridos, su padre seguía sin entender nada.

—No, cariño. Ella no quiso.

—Sí. Ella te observó durante lunas, como yo a Kier, y cuando quiso, se dejó ver y ordenó a los robles que te dejaran cazarla.

—Estás equivocada —musitó Iolar perplejo. Eso no podía ser posible.

—No lo estoy.

—¿Por qué se dejó capturar? —preguntó Iolar entornando los ojos, repentinamente consciente de que, de igual manera que Fiàin le había emboscado en el claro cuando la liberó, también podía haberlo hecho cuando la capturó.

—Madre sentía curiosidad. Le dolía vientre y se le endurecían pezones cuando te veía, igual que a mí con Kier. Buscó compañero. Tú fuiste elegido.

—No, Aisling, te equivocas —susurró Iolar, intuyendo que el equivocado era él—. Y aunque eso fuera cierto, mira lo que pasó después…

—Cometiste error. Encerraste entre muros —murmuró ella apenada.

—Y tu amigo hará lo mismo. Te raptará y te encerrará para conseguir poder sobre mí.

—¡No! Kier no hará eso. Confío en él. Somos amigos.

—Eres demasiado joven e ingenua, ¿acaso no recuerdas lo que sufrió tu madre por mi culpa? Él te hará sufrir igual —le advirtió Iolar, en un intento por hacer recapacitar a su hija—. Deshazte de ese hombre. Entrégamelo, y te prometo que cuidaré de que no le falte nada. —Ni siquiera un nudo alrededor del cuello, pensó para sí.

—Madre sufrió porque estaba en ciudad —afirmó Aisling entristecida. Conocía de primera mano el sufrimiento padecido por sus padres—. Pero ella fue feliz contigo.

—No lo fue. Eras muy niña, tus recuerdos están alterados por el tiempo —musitó dejándose llevar por el pesar.

Sí habían sido felices, al principio, cuando él no le exigía nada, cuando ella se comportaba como la dríade que era. Hasta que él quiso convertirla en una dama. Entonces la obligó a comportarse como la mujer que no era, y Fiàin perdió su vitalidad, su alegría y hasta su misma vida.

—Te equivocas, Aisling. Tu madre nunca fue feliz conmigo. Nuestro tiempo juntos le costó la vida y a mí la felicidad —musitó.

—Pero vosotros os queríais.

—No, pequeña. No.

—Sí, padre. Os queríais, lo sé. Madre te quiso y tú a ella. Yo soy prueba —sentenció segura.

—Cariño, el amor no tiene nada que ver con tu concepción —susurró entristecido Iolar.

—Sí tiene, lo sé.

—Escucha, Aisling… —La frase fue interrumpida por un súbito y fuerte susurro de hojas, seguido por el aullido de dos lobos.

—¡Kier! ¡Fiàin, no! —gritó Aisling poniéndose en pie de un salto—. Tengo que irme, madre está atacando a Kier —explicó dando un paso atrás.

—¿Fiàin está viva? —preguntó sorprendido Iolar, levantándose a su vez. Aisling no contestó, toda su atención estaba en algún lugar entre la espesura—. ¡Aisling, contéstame!

La muchacha susurró una orden sin palabras y, durante apenas un instante, la cortina enramada se deshizo, permitiendo a su padre contemplarla sin obstáculos por segunda vez en años.

—Madre no está muerta.

—Se la tragó un árbol. Lo vi con mis propios ojos.

Iolar dio un paso, acercándose a la abertura, dispuesto a entrar en ella. Las ramas se cerraron sobre él, envolviendo su cuerpo entre fuertes brazos leñosos.

—No. Fiàin es ese árbol. Ella descansa siendo roble hasta que olvide.

—Hasta que olvide… ¿qué?

—Hasta que olvide a ti, a Gard. Después ya no Fiàin, solo roble.

—¿Y si no me olvida?

—Seguirá en roble hasta que lo haga… o despierte —afirmó Aisling girándose hacia el interior del bosque al escuchar de nuevo los aullidos. El ruido de la floresta se hacía más intenso a cada segundo que pasaba. Los robles estaban nerviosos.

—¡Espera! —gritó desesperado Iolar. Fiàin estaba viva. ¡Viva!—. Y si despierta… ¿Qué pasará?

—Dejará su roble y volverá a ser Fiàin.

—¿Puedes hacer que despierte?

—Nadie puede. Solo ella. Cuando Fiàin preparada, despertará u olvidará. Pero aún no ha llegado el tiempo de decidir.

—¿Cuándo?

Aisling fijó la mirada en su padre y se encogió de hombros; nadie podía saber los pensamientos que anidaban en el interior de una dríade, ni siquiera otra dríade.

Iolar observó perplejo cómo su hija se daba la vuelta y echaba a correr a través de la fronda, ignorándole. Gritó su nombre una y otra vez, hasta que se dio por vencido. Aisling no regresaría esa tarde. Había otro hombre que le importaba más que él. Un puto que la utilizaría en su propio beneficio, que le haría daño y luego la abandonaría... Eso en el mejor de los casos. No quería ni pensar qué podía hacer el tal Kier en el peor de los casos.

Respiró profundamente, obligando a su cuerpo a relajarse. Poco a poco, las ramas que lo sujetaban fueron soltándole para instalarse de nuevo en la muralla impenetrable que le impedía acceder al claro en el que se ocultaba su hija... y su mujer. Cerró los ojos, apretó la mandíbula y esperó hasta que quedó libre por completo. Después, abandonó el bosque con zancadas rápidas y firmes. Precisaba llegar a Sacrificio del Verdugo cuanto antes.

Después de tanto tiempo en la ignorancia, el aluvión de noticias recibidas le impelía a actuar. Necesitaba recabar información sobre el puto llamado Kier y, sobre todo, requería un plan para conseguir entrar de una maldita vez en el claro y ver qué ocurría allí realmente. Captó por el rabillo del ojo el brillo de algo sobre la hojarasca, pero no le prestó atención. Tenía cosas más importantes que hacer.

Detuvo sus pasos antes de llegar a la linde del bosque. Se pasó las manos por el pelo, alisó con las palmas sus ropajes y se obligó a esbozar el gesto indiferente que siempre mantenía al abandonar la floresta. No podía permitir que nadie supiera cuánto le importaban esas visitas. Una vez conseguida la serenidad deseada, traspasó las hileras de eucaliptos y entró en la cañada Real.

Nadie lo recibió. Escuchó el piafar de caballos y las voces roncas de sus soldados al otro lado del camino, tras unos brezos. Caminó hasta allí. Los hombres que debían guardar el bosque estaban sentados en un círculo jugando a los dados.

—¡En pie! —ordenó enfadado.

Los soldados se levantaron asustados.

—Majestad, no esperábamos que regresarais tan pronto —musitó uno de ellos, estremecido por las posibles consecuencias de su error—. Normalmente volvéis ya entrada la noche.

—Os presentareis ante Fear en el mismo momento en que lleguéis a Sacrificio del Verdugo —ordenó Iolar sin percatarse de que las palabras del soldado mostraban que sus actos eran más predecibles de lo que habría deseado.

—Sire, perdonadnos, no era nuestra intención faltar a nuestros deberes, pero la noche se acerca y…

—Nunca he aceptado excusas, ¿qué os hace pensar que voy a hacerlo ahora? —preguntó Iolar con gesto sereno.

—Señor… ¿Fear nos enviará a la frontera norte?

—Quizá deberíais intentar huir. Será divertido ver si podéis conseguirlo —comentó Iolar subiendo a su semental.

Apretó los talones contra el costado del animal, instándole a partir al galope, dejando a los soldados preocupados y temerosos, y olvidando el brillo fugaz que había llamado su atención en el bosque.

A pocos metros del lugar donde Iolar se había reunido con su hija, caros vestidos de terciopelo ribeteados con filigranas de oro y adornados con finos brocados se mecían en las alas de la brisa del atardecer. Yacían rotos sobre la hojarasca del suelo, con las faldas enganchadas en las ramas de los matorrales y los corpiños desgarrados por las fauces de los animales.

Hacía más de quince días que los robles habían avisado a Aisling de la llegada del hombre de los regalos, pero ella, ocupada como estaba en curar a Kier, no había acudido a por el paquete que el desconocido dejaba de vez en cuando en el bosque, y, por ende, los animales salvajes se habían cebado con los caros ropajes. Y habían disfrutado haciéndolo; había algo en ese humano que no les gustaba, que les provocaba temor…

La leyenda del Verdugo - Las llanuras del rebelde

Y aconteció que el Verdugo abandonó el amparo protector del bosque.

Se escabulló entre las sombras de los árboles cuando el sol despuntaba en el cielo, y los soldados le persiguieron.

Recorrió las llanuras con los aullidos de los perros en sus oídos y el sonido de los cuernos de caza cercándole. Se adentró en las aldeas, habló con hombres y mujeres asustados, y observó a los niños silentes, escondidos tras las faldas de sus madres, temerosos de jugar en las plazas.

Descubrió que las hordas de los Ancianos asolaban con sus leyes de terror la vida de cada habitante del antiguo reino. Que el río se tornaba rojo por la sangre de inocentes vertida en él. Que nadie estaba a salvo de la represión y la tiranía.

Y en cada una de las aldeas que visitó encontró hombres y mujeres dispuestos a luchar. Hombres y mujeres que le convirtieron en líder de una hueste de labriegos y pastores decididos a derrocar el antiguo reino.

Y el Verdugo se convirtió en rebelde. Y las llanuras que recorrió tomaron de él su nombre.

Morag Dair (An finscéal)

Capítulo 11

Érase una vez un hombre que descubrió que hasta el corazón más frío puede ablandarse con una caricia.

Al entrar en el claro, Aisling se encontró ante una escena totalmente inesperada.

Kier yacía en el suelo, encogido en posición fetal frente al roble con el rostro grabado en el tronco. Tenía los tobillos aprisionados por fuertes raíces que le impedían escapar, mientras que, desde la copa del árbol, una furiosa lluvia de bellotas caía con certera precisión sobre él. *Dorcha* se mantenía a escasos pasos del hombre, aullando alarmada mientras *Blaidd,* con el lomo encorvado, las orejas erguidas y el pelaje erizado, le mostraba sus afilados incisivos al roble. En ese momento una bellota cayó sobre la testa del lobo; este cesó durante un segundo su protesta, estrechó los ojos y, agazapándose más todavía, soltó un indignado aullido, para a continuación comenzar a gruñir de nuevo.

—¡No, detente! —gritó Aisling corriendo hacia el lugar donde se desarrollaba todo, a la vez que comenzaba a cantar una de sus misteriosas y cadenciosas tonadas.

Las bellotas dejaron de caer, aunque las hojas del roble agresor parecieron erguirse ante la voz de la muchacha. Las ramas se frotaron entre sí provocando un sinfín de chasquidos y crujidos que la joven pareció entender a la perfección, a tenor de la mirada acerada que se dibujó en su rostro.

Ante el aparente cese de las hostilidades por parte del árbol, Kier se atrevió a adoptar una postura menos humillante. Aisling estaba de nuevo con él y no iba permitir que ella pensara que era un hombre débil, que se asustaba por unas pocas y malintencionadas bellotas. Aunque sus golpes fueran muy dolorosos. Se sentó con las piernas extendidas e intentó liberarse de las raíces que le apresaban los tobillos. Una bellota aprovechó que tenía la cabeza descubierta para caer sobre su coronilla con inusitada precisión.

—¡Ay! —gimió tocándose el lugar golpeado.

Aisling se colocó frente a él, con los brazos alzados, protegiéndole del despiadado árbol, y aumentó la rapidez y el ímpetu de su canción a la vez que miraba de refilón a su amigo. Poco a poco el roble pareció calmarse, sus ramas dejaron de chasquear y crujir, y, por fin, las raíces soltaron a su presa y se hundieron en el suelo.

Kier aprovechó su inesperada liberación para alejarse del agresivo árbol. Se levantó y caminó renqueante hasta el centro del claro, intentando aparentar un orgullo que no sentía. Una vez allí, lejos del peligro, revisó sus piernas y brazos. Al día siguiente luciría varios moratones. «Jodidas bellotas.» Palpó con cuidado el chichón de su coronilla y la hinchazón que comenzaba a notar en la frente y, a continuación, estiró los brazos intentando tocarse la espalda, que le dolía como si le hubieran tirado encima miles de piedras.

Estaba comenzando a cansarse de los arbóreos amiguitos de Aisling.

—¿Por qué has hecho eso? —le preguntó la joven llegando hasta él y propinándole un tremendo empujón que casi le tiró al suelo.

—¡¿Yo?! ¡¿Un árbol me ataca lanzándome mil puñeteras bellotas, y tú me echas la culpa a mí?! —bramó Kier enfadado.

—¡Tú metes dedo en el ojo a Fiàin, ella defiende!

—¿Yo he hecho qué a quién? —Kier parpadeó atónito. ¿De qué estaba hablando Aisling?

—Le has metido dedo en ojo a madre. Eso no bueno. No amable. Duele —le regañó a la vez que le clavaba el índice en el esternón.

—¿Qué? Yo no… ¿Tu madre? —farfulló él, confuso; no entendía nada.

Desvió la mirada y observó con atención la cara grabada en el tronco del roble malhumorado; tenía, sin lugar a duda, rasgos femeninos, pero de ahí a decir que pertenecieran a Fiàin, la madre de Aisling, la mujer que había convertido al antaño fogoso rey en un sodomita impotente…

—Sí, mi madre —dijo en ese momento la joven sacándole de sus pensamientos—. La has atacado, eso no está bien. Ella no te ha hecho nada.

—Aisling… Solo es un maldito roble —replicó Kier atónito por la vehemencia de la joven.

Todo el bosque se quedó silente tras sus palabras.

¿Todo?

No.

Las hojas del irritable roble se mecieron con fuerza, sin que ningún viento las moviese, y, un segundo después, la corteza que cubría el tronco comenzó a retirarse de los hermosos rasgos grabados en él, permitiendo que surgiera de las profundidades del árbol un rostro de una belleza inusual y etérea. Un rostro que Kier reconocía por haberlo contemplado de niño: las facciones de hada de la mujer, a la que había visto apresada con crueldad entre los poderosos brazos del monarca, mientras este cabalgaba en su negro semental en dirección al bosque prohibido. Fiàin, la amante salvaje del rey. La madre de la princesa, de Aisling.

Esa fue la última vez que nadie la volvió a ver con vida.

En los pueblos y aldeas, corría el rumor de que el mismo rey Impotente la había asesinado, para luego abandonar a su pequeña hija junto al cadáver en el interior del bosque.

Parecía que, por enésima vez, los rumores estaban equivocados.

Kier parpadeó, en un fútil intento por borrar de su visión los rasgos de aquella que se insinuaba bajo la corteza del árbol, una faz que en ese mismo instante desprendía vitalidad… e indignación.

—¡Kier! Discúlpate ahora mismo con Fiàin. Eso que has dicho es feo. Ningún roble es maldito —ordenó Aisling encolerizada.

—No puede ser tu madre… es un puñetero árbol —refutó ofuscado.

De todas las cosas que había visto desde que estaba allí, esa era la más inverosímil. Aceptaba que los árboles se comunicaran con Aisling, que le ataran con sus raíces y ramas, pero… que uno de ellos fuera Fiàin. No. Eso era imposible. La cara que asomaba a la corteza de ese roble tenía que ser una alucinación debida a los golpes que había recibido en la cabeza.

Un súbito dolor explotó en su mejilla. Miró a Aisling desconcertado. Le había abofeteado.

—Discúlpate ahora mismo con madre o abandona claro —le exigió con las manos apuntaladas en las caderas y mirada fiera.

—Lamento lo sucedido. No sabía que tu madre… que ese árbol… Lo siento.

Fiàin fijó su mirada multicolor en su hija y murmuró una canción sin palabras pero con un tono amenazante. Aisling respondió con otra tonada, afable y serena. El semblante de la mujer encerrada en el árbol pareció dulcificarse y, poco a poco, la corteza volvió a cubrir su rostro, hasta que este volvió a quedar grabado en el árbol y la piel rosada, que hacía apenas unos instantes Kier había vislumbrado, se convirtió en parte del tronco.

—Por los clavos de Cristo —musitó entre dientes.

—No vuelvas a atacar a madre nunca más —le ordenó Aisling dando media vuelta y alejándose de él.

—¡Espera! —Kier la asió por la muñeca. No pensaba permitir que la joven se alejara enfadada, dejándole inmerso en esa confusión—. No he atacado a nadie, solo quería ver cómo había sido tallada esa cara. Nada más. Nunca imaginé que el árbol estuviera vivo, y mucho menos que fuera tu madre…

—Yo dije a ti robles familia. ¡Mi familia! Tú no escuchas —le increpó ella, zafándose de su agarre.

—¡Sí te escucho, pero no te entiendo! Los robles no… no son personas.

—Robles no personas. ¡Dríades! —gritó frustrada. Él no era distinto a los demás. No era distinto a su padre. No sabía ver más allá de sus propias narices—. ¡Ella, Fiàin, madre! —dijo señalando al roble con el arcano grabado en el tronco—. ¡Ella, Darach, madre de madre! —Señaló otro—. ¡Ellas, Milis y Grá, hermanas de madre de madre! —Indicó los dos robles que conformaban con sus ramas la cabaña en que dormía y luego abrió los brazos, como si quisiera abarcar todo el claro—. Familia. ¡Mi familia!

Kier giró sobre sí mismo, observó los robles dejando de lado la pátina de realidad que cubría su cerebro y entendió. Vio la magia en cada uno de ellos. Escuchó el tono cadencioso de sus susurros y chasquidos, y se sintió a su vez observado y evaluado. Su respiración se detuvo durante unos instantes, cuando comprendió, o al menos intentó comprender, las implicaciones de aquello que había afirmado Aisling.

—Son tu familia… tu… madre, tus tías, tu abuela… —musitó fascinado.

—Sí.

—Pueden vernos y escucharnos… —murmuró asombrado.

—Sí.

—¡Puñeta, Aisling! ¡Hemos hecho de todo delante de tu familia! ¡De tu madre! ¡No me extraña que me odie!

—Fiàin no odia, desconfía —afirmó ella con seriedad.

—¿Desconfía? ¡Por Dios! ¡Ha intentado matarme a bellotazos!

—No matarte. Para eso más fácil estrangular con raíces —desestimó la joven. Kier tragó saliva a la vez que se llevaba una mano al cuello. Su amiga tenía razón—. Ella enfadada porque tú metes dedo en ojo.

—Te he follado delante de toda tu maldita familia —farfulló Kier incapaz de quitarse de la cabeza ciertas escenas que habían protagonizado.

—¡Mi familia no maldita! ¡Disculpa ahora mismo con familia! —gritó indignada.

Los robles murmuraron su disgusto con chasquidos y crujidos, y las ramas se cernieron amenazadoras hacia el hombre, que estaba atónito en el centro del claro.

—¡Lo siento! —exclamó él sentándose en el suelo, rendido.

Se llevó las manos a la cabeza y comenzó a pasarlas una y otra vez por los cabellos, confundido, intentando sacar, aunque fuera a tirones, una idea clara de lo que estaba pasando.

—No entiendo nada, Aisling… esto es una locura.

—Tú pregunta, yo explico.

—Estoy desnudo en mitad de un claro rodeado de árboles que dices que son tu familia, árboles que nos han visto hacer de todo… y uno de ellos es tu madre. ¡Tu madre! Una mujer que todo el mundo cree muerta desde hace años. ¡Asesinada por tu padre! Y no solo no está muerta sino que vive ¡dentro de un roble! Pero puede salir. Y nos ve… nos observa… —musitó tapándose la entrepierna al darse cuenta de que jamás habían estado solos en el claro—. Y tú no has hecho nada para impedir que foll… que hagamos el amor, y tu madre se enfada porque le toco la cara. —Kier inspiró profundamente intentando calmarse—. Tu padre me cortará la cabeza cuando se entere de lo que hemos hecho aquí, y a tu madre, que nos ha visto juntos, lo que le molesta es que le haya metido un dedo en el ojo. Es de locos.

—Padre sabe que hemos hecho el amor, yo contado, él enfada pero no puede entrar en claro —le reveló Aisling encogiéndose de hombros—. A madre da igual, no importante.

—¿Tu padre lo sabe? —musitó él aturdido.

—Sí. —Kier gimió con fuerza al escuchar la respuesta de Aisling.

—Y a tu madre y al resto de… robles familiares, ¿no les importa?

—No. Ellos no piensan como vosotros —rechazó Aisling con una mueca al recordar la reacción de su padre y lo que le había contado Fiàin de la ciudad de piedra.

—Pero... tu madre debe sentirse ofendida —murmuró Kier. En todo el tiempo que llevaba en el bosque, jamás había sido tan consciente de la diferencia abismal entre las culturas y reglas que regían el mundo de Aisling y el suyo.

—¿Por qué ofendida por ver hacer el amor? Todos los animales hacen. Si no, no habría cachorros. Es divertido y da gusto. —Aisling entornó los ojos, pensativa—. Es bueno para ella vernos, así recuerda y no olvida.

—No te entiendo. Lo intento, pero no consigo entenderte.

Aisling frunció el ceño, pensativa. Después observó enfadada los moratones que decoraban el cuerpo que tanto le gustaba tocar y tomó una decisión.

—Yo curar tú para nada. Otra vez estás magullado. —Se levantó suspirando y se dirigió a la cabaña entre las ramas—. Espera aquí, cuando regreso, yo explico —le advirtió.

Al pasar junto a los lobos, miró a *Blaidd* enfadada.

—*Blaidd*, ¿por qué no evitado esto? —le preguntó señalando los moratones del hombre.

El lobo irguió las orejas y lanzó un pensamiento a su amiga: él mismo a cuatro patas sobre el cuerpo encogido y tembloroso de Kier, meneando feliz la cola mientras una lluvia de bellotas caía sobre su lomo.

Aisling gruñó irritada.

Blaidd resopló desdeñoso y se tumbó. Él no era tonto, no pensaba interponerse entre Fiàin y el objeto de su furia.

La joven ignoró al lobo y fue hasta la arbórea cueva. Regresó un momento después con una escudilla, se arrodilló tras Kier y comenzó a frotarle la espalda con uno de sus prodigiosos y malolientes ungüentos.

—Pregunta, yo explico —le instó.

Kier reflexionó un instante, había tantas cosas que no entendía o que había dado por supuestas y no eran ciertas que no sabía bien por dónde empezar. Al final se decidió por aquella que más le había impactado.

—Tu madre... todos pensábamos que estaba muerta, y está dentro de un roble. ¿Qué clase de embrujo ha usado para meterse ahí? ¿Fue tu padre quien le hizo eso? ¿Está prisionera, puede escapar?

Aisling detuvo sus caricias sobre la espalda del hombre y se colocó frente a él, mirándole asombrada. Kier no entendía nada.

—Fiàin no está muerta. Hubo un tiempo que casi, por eso ella en roble. No usó embrujo, y padre no tuvo que ver. Él aún hoy la echa de menos —musitó pensativa—. Madre no es prisionera, un roble nunca nos haría eso. Solo personas encierran a otro ser vivo —afirmó instándole a tenderse en el suelo para poder friccionarle los golpes en los brazos y las costillas.

—Pero… El rey secuestró a tu madre, la encerró en su castillo y cuando se cansó de ella os trajo al bosque y os abandonó; nadie ha vuelto a veros desde ese día. Se rumorea que…

—Rumores de personas son como susurros de sauces llorones, hacen mucho ruido y no dicen verdad. Iolar no secuestró a Fiàin, ella se dejó secuestrar —afirmó rotunda la joven—. Nadie entra en claro si robles no quieren. La familia nos protege.

—Pero…

—Fiàin observó a Iolar durante muchas lunas. Ella sintió la llamada y eligió a él. Se mostró y padre se la llevó.

—La secuestró.

—Fiàin vio fuerza y determinación en Iolar —rebatió Aisling; luego frunció el ceño, pensando en cómo explicar lo que no se podía explicar—. Fiàin siempre en bosque, con robles. Nunca con personas. Hombres no llaman su atención, hasta que ve a Iolar. Mira sus ojos, y siente que él más fuerte que ella, más fiero… y decide probarlo. Fiàin gusta lucha, ella no fácil; Iolar está a su altura. Entonces va con él, hacen amor y pasan bien. Madre piensa que cuando ella canse, vuelve al bosque, pero ella no cansa de Iolar ni Iolar de ella. Cada mes madre escapa a este claro, respira aire de robles y vuelve a ciudad de piedra sin que él sepa que se ha ido. Fiàin no quiere vivir sin Iolar —afirmó la joven divertida—. Y un día, Iolar entra en corazón de Fiàin y Fiàin entra en corazón de Iolar, y nazco yo, y entonces él desea que Fiàin sea su esposa, vista como esposa y actúe como esposa, pero ella no sabe ser esposa. Ella solo sabe ser dríade —sentenció encogiéndose de hombros.

»Un día Fiàin me trae aquí y presenta a mi roble. Él era pequeño y delgado, parece ramita —dijo señalando al más joven de los robles del claro con voz soñadora, aquel al que ella solía abrazarse—. Cuando regresamos a ciudad de piedra una luna después, Iolar y Gard están enfadados con Fiàin porque se ha ido sin decir. Ellos construyen jardín para nosotras y padre encierra a madre entre muros, pero los robles de allí no son familia. Su aire no llena los pulmones de Fiàin, ella se ahoga, pierde fuerzas, enferma. Iolar enfada. Él piensa que es truco, que madre ya no le tiene dentro de su corazón y quiere huir al bosque llevándome con ella. Él equivocado. Fiàin lleva a Iolar muy dentro, pero no puede respirar, se debilita, muere… Iolar entonces nos trae aquí, y Fiàin entra en roble para ser fuerte otra vez… —Aisling posó la mirada en el roble que era su madre. Lágrimas de savia recorrían el rostro grabado en él—. Padre se asusta al verlo y ordena cortar roble y sacar a madre de allí. Darach y familia defienden a Fiàin. Atacan a soldados. Madre ordena a robles que dejen escapar a Iolar y Gard… Desde entonces Fiàin en roble.

—¿Por qué tu madre no puede vivir sin su roble?

—Cuando nace una dríade, un roble brota. Están vinculados, no pueden vivir alejados. Necesitan respirarse, tocarse, vivirse mutuamente. Son uno.

—Pero tú viviste en el castillo de pequeña, y no parecías enferma; de hecho no te pareces nada a tu madre, no eres tan… salvaje. —Kier recordaba haberla visto en alguna ocasión paseando por la plaza de Sacrificio del Verdugo en compañía de Gard. Parecía una niña dulce, triste y solitaria, pequeña para su edad y muy delgada, con un cierto poso de fragilidad.

—Nací en castillo de piedras. Aprendí a hablar y vestirme como personas, pero no soy como ellos —explicó encogiéndose de hombros—. Necesito mi roble igual que Fiàin el suyo. Cuando por fin estuve en bosque sentí que la tristeza había quedado en ciudad de piedra, y pude respirar profundamente. Dríades no mueren por estar lejos de su roble unos pocas lunas… mueren poco a poco, por melancolía, cuando son separadas de ellos mucho tiempo.

Kier asintió, comenzaba a entender por qué veía a menudo a Aisling abrazada al pequeño roble. Observó los árboles que rodeaban el claro, cada uno era diferente al resto. Algunos tenían gruesos troncos y enormes ramas, y otros eran altos y estilizados, como si quisieran tocar el sol. Las copas de algunos formaban cúmulos de ramas que brotaban del tronco, mientras que en otros el tronco parecía partirse en mil ramas. Y había uno de ellos que era especial. Era el más grande de todos, pero no era su tamaño lo que llamaba la atención de Kier, sino su aspecto imponente, orgulloso y maternal. Su tronco era tan grueso que ni siquiera una docena de personas con los brazos abiertos podrían abarcarlo y de él surgían recias ramas, tan grandes como robles adultos, cubiertas de musgo, que caían hasta casi tocar el suelo.

—¿Por qué ese es tan… enorme? —le preguntó a la joven señalando el inmenso árbol.

—Ella es Máthair Mór. La primera de todas. Gran Madre cuida de todas nosotras.

Kier asintió ante sus palabras y, sin pensar lo que hacía, inclinó la cabeza en un respetuoso saludo en dirección al imponente árbol. Se quedó paralizado al ver que el gran roble alzaba sus ramas unos segundos, saludándole a su vez. Parpadeó estupefacto y desvió la mirada hacia otro lado. Esta cayó sobre el árbol al que Aisling había llamado «madre de madre».

—Y ese otro es tu… abuela —dijo señalándole, tenía el tronco retorcido y las ramas casi desnudas de hojas—. ¿Por qué parece tan… desolado?

—Ella Darach, madre de madre. Padre de Fiàin entró en corazón de Darach y ella le correspondió. Al nacer Fiàin, Darach la presentó a su hermano árbol y, cuando hombre vio a Darach introducir a Fiàin en roble, se asustó y huyó. Él no regresó nunca. Darach triste desde entonces. Ella olvidó a hombre, pero rabia quedó en su roble —afirmó la joven mirando fijamente a Kier, intentando discernir si él alguna vez haría lo mismo.

Ninguna de las dríades de su familia había sido feliz junto a un humano durante mucho tiempo. Unas habían sido abandonadas por miedo, y otras habían visto, inmersas en el dolor, cómo sus amados envejecían y morían mientras ellas seguían vivas en sus robles durante siglos.

—¿Por qué el roble de tu madre es el único que tiene una cara grabada? —preguntó Kier tras observar atentamente el resto de los árboles.

—Fiàin no puede olvidar. Por eso roble tiene cara grabada, porque aún es dríade. —Aisling soltó la escudilla con el linimento, ya había acabado de curar a su amigo—. Cuando dríade cansa de vivir como dríade, entra en roble y comienza a olvidar. Solo rostro grabado en corteza muestra que todavía es dríade. Cuando olvida que un día caminó sobre dos piernas, entonces rostro desaparece. Fiàin no olvida. Pero tampoco quiere salir de roble. Iolar dentro de su corazón, pero ella recuerda ciudad de piedra, y furia no mengua… —explicó abrazándose a sí misma—. Ahora nos ve a nosotros hacer amor, siente pasión, calor y cariño. Recuerda lo que una vez sintió y eso es bueno para ella.

—¿Por qué no se ha buscado otro... amante? Tu madre era una mujer muy hermosa. No debería estar oculta en ese roble.

—¡Nunca! —jadeó Aisling, asombrada ante la pregunta—. Dríades pueden conocer hombres, jugar y follar con ellos. Pasar bien juntos. Pero cuando uno entra en corazón de dríade, demás hombres son viento en hojas, están ahí, pero no son nada. Una dríade nunca olvida a quien entra en su corazón, a dueño de su mirada, por mucho que duela. Y padre entró con fuerza en corazón de Fiàin, mezcló sus ojos con los de madre.

—Pero acabas de decir que las demás dríades han olvidado... —replicó Kier confuso.

—Han olvidado su vida como dríades, no lo que sintieron. Fiàin quiere olvidar que es dríade, pero Iolar no la deja. Él viene al bosque, habla conmigo, y ella le siente cerca, le trae recuerdos que quiere borrar. Madre no puede evitar recordar lo que desea olvidar. —Aisling desvió la mirada más allá del claro, hacia el lugar donde poco antes había hablado con su padre—. Padre tampoco consigue olvidar a Fiàin. Le he dicho que madre sigue viva, y él ha intentado entrar en claro. Vi en sus ojos el deseo de volver a verla, de hacerla suya.

Kier asintió, aún confuso. Nunca imaginó que los sentimientos de las dríades y sus robles fueran tan... complejos. Ni tampoco que el rey Impotente pudiera seguir enamorado de la salvaje dríade a la que según los rumores despreció y asesinó en el bosque. Aunque esos rumores habían resultado ser mentira. Como todos.

—Dicen que sois unos... seres muy sensuales —dijo Kier, recordando las habladurías de la aldea—, y tú aseguras que os gusta jugar y follar con nosotros...

—Sí. Gusta mucho jugar —aprobó Aisling acercándose a él y besándole en la mejilla—. Gustan besos y caricias, reír y hacer amor. Eso bueno.

—Dices que tu madre eligió a tu padre...

—Sí, Fiàin vio a Iolar y quiso jugar con él —afirmó ella observando a su amigo. Su gesto abstraído le dijo que estaba dando vueltas a una idea...

—¿Por qué me elegiste a mí?

—Te observé. Me intrigaste... —susurró seductora a la vez que comenzaba a recorrer con sus manos el cuerpo masculino—. Gusta tu cuerpo. Es duro como roca, o era —comentó divertida acariciándole el blando estómago—. Pero lo que más gusta es tu mirada. Ojos de color de hojas, intensos. Gusta cómo me miras —afirmó perdida en los iris esmeralda del hombre.

—Has dicho que las dríades follan con muchos hombres —gimió Kier cuando sintió los dedos femeninos acariciarle el pubis—. Pero tú no habías hecho el amor con ninguno… ¿Por qué?

—No gustan los hombres que hay cerca de bosque. Ninguno llama mi atención, solo tú —respondió encogiéndose de hombros a la vez que comenzaba a acariciar el pene erecto y dispuesto de su amigo.

Kier se apresuró a sujetar entre las suyas la mano traviesa de la muchacha y alejarla de su imponente erección.

—¿Cómo puede un hombre entrar en el corazón de una dríade? —le preguntó. El verde de sus ojos refulgió con intensidad mientras esperaba la respuesta.

—No lo sé. Solo sucede. De repente la mirada de un hombre está en los ojos de la dríade y la de la dríade en los del hombre —afirmó besándole en los labios cuando él abrió la boca para preguntar de nuevo. Había cosas que no se podían explicar por mucho que se preguntaran.

Cómo entraba la mirada de un hombre en el corazón de una dríade era una de ellas.

Haciendo caso omiso del intento de Kier por seguir hablando, apoyó las manos sobre los poderosos hombros masculinos y empujó hasta que su espalda tocó el suelo. Luego se colocó a horcajadas sobre él y lamió los pequeños pezones cubiertos de vello que tanto le llamaban la atención y, mientras, sus manos se deslizaron por el vientre masculino hasta llegar al pubis. Frotó el pene erecto con la palma de una mano mientras alojó en la otra los testículos, ahora duros y tensos. Le encantaba sentir el cuerpo de Kier debajo de ella; sus músculos ondulando en cada caricia, su polla endurecida llorando lágrimas sobre sus dedos. Ascendió con los labios hasta morderle en la clavícula, jugó con la lengua sobre la nuez de Adán y acabó bebiendo los jadeos excitados que emanaban de la boca de su amante.

Kier respondió al beso con un gemido angustiado. La deseaba, sí, pero a la vez se sentía furioso por ser considerado un mero divertimento, elegido por el color de sus ojos y el grosor y dureza de su polla. No sabía por qué, pero quería más. Quería ser considerado un firme candidato a entrar en su corazón. Y además, no pensaba hacer nada delante de toda su arbórea familia.

Sujetó las manos de la muchacha, que ya comenzaban a hacer

estragos en su endurecida verga, y separó los labios de la boca dulce y jugosa a la que era adicto.

—No. Aquí no, vayamos a la cabaña… —jadeó cuando Aisling comenzó a frotarle el glande con el pulgar.

—Cabaña lejos —susurró ella chupándole el lóbulo de la oreja para después introducir la lengua en ella.

—No, Aisling. Vayamos a la cabaña —exigió de nuevo fijando su mirada en los ojos negros de la muchacha. Le asió con fuerza las manos y las separó de su polla, impidiendo que los mimosos dedos lograran convencerle de esa locura. No iba a hacer nada delante de miles de dríades convertidas en robles.

—¿Por qué? —inquirió ella confundida. Él nunca se había negado a hacer el amor en el claro, y su erección era buena muestra de que la deseaba en ese mismo instante.

—No puedo hacer el amor delante de toda tu familia —gimió él cuando ella le acunó la ingle con su pubis.

—Sí puedes —refutó frotando con lujuria su vulva contra el pene enhiesto, que esperaba impaciente.

—Por favor, Aisling. Vayamos a la cabaña —suplicó Kier posando ambas manos en la cara de la muchacha, obligándola a mirarle.

—A robles no importa lo que hagamos —rebatió Aisling parando el vaivén de sus caderas. Kier negó con la cabeza, a él sí le importaba—. Ellos no pueden vernos, no tienen ojos. Robles nos sienten en el aire. Da igual dónde estemos. Ellos nos percibirán.

—Pero yo no los veré —afirmó Kier—. Eso es todo lo que necesito por ahora.

Aisling aceptó su petición, se levantó con rapidez y caminó presurosa hacía la cabaña en los árboles.

—¡Vamos! ¿Qué esperas? —le instó a seguirla.

Kier prorrumpió en carcajadas y, levantándose presto, la siguió a través del claro con las manos tapando disimuladamente su pene erecto.

Al llegar a los altos robles cuyas ramas conformaban la cabaña, alzó la vista y observó maravillado como su dríade ascendía grácilmente cual ardilla. Su cuerpo delgado y flexible parecía nadar entre las ramas, su cabello castaño ondulaba sobre sus hombros con cada movimiento, sus estilizados pies volaban sobre la corteza del árbol a la vez que sus manos se aferraban casi con cariño a los brotes nudosos del tronco. Parecía fundirse con el roble. Era una exquisita criatura moldeada para dar luminosidad a ese mágico bosque. Y era suya. Al menos por el momento.

Cabeceó para alejar la imagen de su mente y suspiró al sentir la hinchazón de su verga, tenía que trepar hasta la cueva entre las ramas. No iba a resultarle fácil. Aferró entre los dedos un saliente del tronco y, de un impulso, comenzó a subir. Sus costillas se quejaron por enésima vez ese día, las estaba forzando demasiado. Apretó los labios y, rodeando el tronco con las piernas, tomó apoyo y buscó un nuevo brote al que agarrarse para continuar ascendiendo. De repente un nudo de la corteza se hinchó a pocos centímetros de sus manos, estiró el brazo y se aferró a él, extrañado de su inesperada suerte. Tanteó el tronco, buscando un saliente en que apoyarse, y otro nudo brotó súbitamente bajo la planta de su pie; se aupó sobre este, y parpadeó asombrado al sentir que el brote crecía, elevándole hacia una rama que parecía inclinarse ante él para que la usara de asidero.

Detuvo su ascenso y observó a los dos robles cuyas ramas y hojas conformaban la cabaña. Eran robustos y a la vez estilizados, idénticos el uno al otro, como si fueran gemelos. Sus troncos brotaban del suelo, apenas distanciados, para luego ir separándose en forma de «V» a la vez que las ramas se entrelazaban, formando entre ellos la tupida gruta en que pernoctaba Aisling, y continuaban entrelazados en su ascenso hacia el cielo, como si no pudieran o no quisieran mantenerse alejados uno del otro.

—Kier, no pienses más. Milis y Grá ayudan, vamos —le llamó Aisling asomada a su cueva.

—¿Milis y Grá?

—Hermanas de madre de madre —explicó Aisling acariciando una rama—. A ellas gustas tú. Sube —ordenó divertida.

Kier abrió los ojos al escuchar a Aisling, pero, antes de que pudiera pensar en el significado de la frase, una rama juguetona se posó en su trasero y le empujó hacia arriba. Continuó ascendiendo, atónito ante las libertades que se tomaban los árboles, y, pocos instantes después, se asomó a la gruta. La ascensión había resultado de una facilidad inusitada. Los robles no solo le habían ayudado, sino que, cuando se detuvo para tomar aliento, le habían golpeado suavemente en el culo para que se apresurara.

Kier hizo un último esfuerzo, entró a gatas en la arbórea cueva y se quedó inmóvil, extasiado ante la visión que allí le esperaba. Aisling estaba sentada sobre el nido de carísimos vestidos que usaba de cama, tenía una pierna extendida frente a ella y apoyaba un codo sobre la otra, que estaba doblada y pegada a su cuerpo, en una postura relajada y a la vez tan sensual que hizo que su pene se endureciera de nuevo. Sonreía divertida sin dejar de mirarle, mientras una ramita delgada como el tallo de una flor se enroscaba en su cintura, abrazándola a la vez que ocultaba con sus hojas los pechos y el pubis de la joven. Atónito, y sin saber qué hacer, se sentó apoyando la espalda en una de las rugosas paredes. Finos tallos le rodearon de la misma manera que hacían con Aisling. Sintió el roce fugaz de las hojas sobre su pene, excitándolo, mientras la musical risa de la joven se mezclaba con los susurros de los robles.

—No hagas caso de Milis y Grá, están jugando. Les gustas mucho. —La joven inclinó la cabeza, escuchando los crujidos y chasquidos de las ramas—. Dicen que has hablado con ellas al salir el sol. —Lo miró interrogante—. Confían en ti y aprueban mi elección —susurró feliz acercándose a él.

Las jóvenes ramas abandonaron deslizantes el cuerpo de la muchacha, permitiendo a Kier ver sus pezones endurecidos. Un jadeo emergió de sus labios cuando ella llegó hasta él y se arrodilló a su lado.

La joven dríade acarició con sutileza el fuerte torso de su amigo, dibujó con los dedos su marcada clavícula y, acercándose con extrema lentitud, lamió las comisuras de sus labios para a continuación mordisquearlas con delicadeza. Cuando él abrió la boca, ella se sumergió en su interior y le azotó con la lengua el cielo del paladar, a la vez que él caminaba con la suya sobre los perlados dientes de la joven. Y mientras las bocas de ambos combatían en un ósculo que rápidamente se tornó impetuoso y salvaje, los suaves lóbulos redondeados de las hojas del roble acariciaron impúdicos el pene erecto del hombre, haciendo que escalofríos que no eran solo fruto del placer recorrieran su cuerpo.

—Aisling, para —susurró contra los labios de su dríade.

—No.

—Tus… lo que sean… me están tocando… —jadeó al sentir los dedos de la joven pellizcándole los pezones, a la vez que las hojas se colaban entre sus muslos para envolver sus testículos—. Diles que se detengan.

—No hagas caso. Ellas curiosas. Nunca han tenido hombre, solo quieren saber qué es lo que te hace distinto a nosotras —desestimó Aisling.

—No puedo no hacerles caso… ¡Me están tocando la polla y los cojones!

—¿Te hacen daño? —preguntó ella dejando un sendero de besos en el pecho de Kier para luego mordisquear la sensible piel alrededor del ombligo.

—No. Pero es… extraño. —Kier jadeó sobresaltado cuando una hoja especialmente atrevida le palpó la abertura de la uretra.

—No hagas caso, pronto olvidan de nosotros —le aconsejó Aisling—. No puedo decir que no toquen, son familia y tienen curiosidad. No pasa nada, piensa en otra cosa —le ordenó bajando la cabeza y comenzando a jugar con la lengua sobre el glande a la vez que las hojas envolvían el tronco del pene.

—¡Cristo! —siseó Kier—. Todos los robles que me has presentado tienen nombre femenino… ¿No hay dríades macho? —preguntó, más por alejar de su mente lo que estaba sucediendo en la parte inferior de su cuerpo que por genuina curiosidad.

—No hombres dríades —respondió ella mordiendo con ternura el interior del muslo masculino para luego lamerle el pene desde la base hasta la corona. Las hojas presionaron sobre sus testículos, jugando con ellos—. Gusta cuando tu polla está dura. Es suave y salada. Gusta mucho —afirmó golosa.

—¿Solo tenéis hijas? —Kier echó la cabeza hacia atrás, sintiendo que el placer se instalaba en cada poro de su ser.

—No. También hijos. Pero varones no dríades. Solo hembras. Niños son humanos —explicó Aisling antes de abrir los labios e introducirse en la boca la cabeza del pene y chuparlo con fruición.

Kier se aferró con ambas manos al cabello de la joven y elevó las caderas, intentando penetrar su boca por completo. La joven se escabulló de su agarré y bajó la cabeza para lamer los testículos. Kier se apresuró a tumbarse y abrir más las piernas. Las hojas abandonaron por fin su extraño escrutinio.

—¿Qué hacéis con los niños que nacen? —inquirió girando sobre sí mismo y tumbando a la muchacha de espaldas en el suelo. Se colocó entre sus muslos y presionó con su erección la entrada de la vagina.

—Si nace un varón es entregado a su padre —jadeó Aisling al sentir como la penetraba con demasiada lentitud. Envolvió las caderas de Kier con sus piernas y le espoleó con los talones a darse prisa.

—¿Por qué? —preguntó él deteniéndose. Temía que por una

vez los rumores de la aldea fueran ciertos y las dríades abandonaran a sus hijos varones.

—El deseo sincero de hombre es el que engendra niñas en vientre de dríades. Solo niñas. Niño varón es ofrenda que dríade hace al dueño de su mirada. No fácil tener ese honor. Solo posible cuando hombre está muy dentro del corazón de dríade. Solo dríade que se sienta dueña de corazón de hombre da parte de su alma, su hijo, a hombre —le explicó Aisling muy seria, fijando sus ojos negros en él—. Engendrar varón no fácil para dríade, porque los varones son mortales, mientras que las niñas viven eternamente convertidas en robles. Ninguna dríade quiere ver morir a su hijo.

—Nunca te pediré que me des un hijo, Aisling —juró mirándola a los ojos y viendo la tristeza que los habitaba—, pero a cambio, me tienes que prometer que llenaremos el claro de preciosas niñas dríades que lo inundarán con sus risas y nos volverán locos con sus vocecitas —bromeó, intentando hacerla sonreír.

—Yo prometo —aceptó ella muy seria, dejándole sin palabras.

Kier la miró, embargado por una emoción a la que no se atrevía a dar nombre. La besó apasionado y se hundió por completo en ella, meciéndose en un salvaje vaivén que no tardó en llevarlos más allá del simple placer.

Capítulo 12

*Érase una vez un descubrimiento inesperado que devino en una pasión
prohibida, en un amor imposible de esconder o soslayar.*

Al anochecer, 10 de tinne (julio)

Gard observó desde una aspillera del cuartel de la guardia la llegada de Iolar. Lo vio desmontar presuroso de su semental nada
más entrar en el patio de armas y arrojar las riendas al suelo, sin
esperar a que un mozo de cuadras las recogiera, para después en-
caminarse con pasos furiosos hacia la Torre del Homenaje. Gard
no esperó más. Dio instrucciones a los soldados de la guardia,
tomó nota mental de los requerimientos de Fear y abandonó el
cuartel con rapidez. A Iolar le había pasado algo en el bosque.
Nunca regresaba tan pronto, ni tan alterado.

Cuando entró en la Torre del Homenaje se dirigió al gran salón, seguro de encontrar allí a su rey. Y así fue.

Iolar, con gesto hastiado e impaciente, trataba de librarse de
la multitud que le había rodeado nada más entrar. Damas que
solicitaban merced para sus esposos y que estaban dispuestas a
complacerle por ello, en la cama o fuera de ella. Nobles de alta
cuna, arrogantes y pendencieros, que exigían más, que solicitaban una reducción de impuestos, una nueva cacería o una
muestra del favor real para conquistar una ciudad, una dama o
una apuesta. Jóvenes caballeros, la mayoría arruinados, dispuestos a rendirle vasallaje y luchar en cualquier guerra a cambio de algún cargo de relativa importancia, y, por supuesto,
monjes orondos en busca de nuevas rentas con las que enrique-
cerse.

Iolar afiló la mirada y templó el gesto, Gard acababa de entrar
en el salón y precisaba hablar con él.

—Mañana, durante la audiencia escucharé peticiones —tronó

con su voz de rey a la vez que observaba a cada uno de los solicitantes con regia altivez.

Los más inteligentes dieron un paso atrás, conocedores de que ese día no obtendrían nada del monarca. Los más desesperados se mantuvieron en sus posiciones, intentando un nuevo acercamiento al rey.

—Majestad, esta mañana intenté hablar con vos, pero vuestra partida lo impidió. —El duque de Neidr interrumpió la marcha del monarca, colocándose ante él—. Debo regresar a mi feudo, la vida de mi duquesa se consume y yo me veo en la obligación de mantenerme alejado de ella hasta poder haceros partícipe de cierta cuestión... —imploró recordando al rey sus palabras de esa misma mañana.

—Hablad —ordenó Iolar. Si no se deshacía de Neidr en ese mismo instante, lo tendría revoloteando a su alrededor hasta que le escuchara.

—Tras la caída de caballo que sufrió en la Cañada Real, la vida de mi dama pende de la mano del Señor. Los sacerdotes ya le han dado la extremaunción y solo esperamos su pronto ingreso en el reino de los cielos, pero una cuestión la mantiene anclada a estas tierras.

—Decid qué necesitáis y dejaos de rodeos —le interrumpió Iolar arqueando una ceja, harto de la palabrería que el duque usaba para impresionar al resto de nobles que había en la sala.

—Sire. —El duque agachó la cabeza e hizo una pronunciada reverencia y, sin levantar la mirada del suelo, se atrevió a exponer al monarca su petición—: El último deseo de mi dama antes de abandonar este mundo y entrar en la gracia de Dios es que vos acudáis a su entierro.

—¿Acaso dudáis de mi presencia en el funeral de un par de mi reino? —le increpó Iolar con los ojos entornados.

—Jamás se me ocurriría, majestad. Pero ella os tiene en gran estima, y me solicitó bajo juramento que os trasladara su deseo, y me veo en la obligación de hacer justicia a mi palabra.

—Decidle que allí estaré —aceptó el rey, a continuación fijó la mirada en Gard—. Buscad a Luch y acompañadlo a la sala del rey.

Iolar no esperó a ver la mirada interrogante de su leal amigo, se dio la vuelta, e ignorando la cara de consternación de los nobles, caminó con largas y firmes zancadas hacia las escaleras que le llevarían a sus dependencias privadas. Poco después, un golpe en la puerta le advirtió de que sus órdenes se habían cumplido.

Gruñó una respuesta ininteligible y se acomodó tras la enorme mesa de madera pulida que ocupaba gran parte de la estancia.

Gard entró acompañado de un hombrecillo de edad indeterminada, pequeño, delgado y casi calvo. Los acompañaba una sirvienta que portaba una bandeja con tres jarras de estaño que depositó en la mesa, antes de hacer una tímida reverencia y retirarse apresurada.

—Me he permitido ordenar un buen caldo para acompañarnos en la reunión —comentó Gard bebiendo de su jarra.

Iolar sonrió para sus adentros; Gard leía en su mente como en un libro abierto. En verdad necesitaba un poco de vino de la mejor cosecha antes de ocuparse de los asuntos por los que había mandado llamar a Luch.

El hombrecillo carraspeó, llamando la atención de ambos hombres. Por muy poderosos que fueran, por mucho que uno fuera el mismísimo rey y el otro su más íntimo amigo, él tenía cosas importantes que hacer y no podía perder el tiempo en majaderías de taberna.

Iolar arqueó una de sus regias cejas ante la interrupción del adalid de sus informadores.

Luch le miró impaciente a la vez que tamborileaba con los dedos sobre la mesa.

—Cuando un hombre ve a su rey en pañales, no puede evitar perderle el miedo —comentó el hombrecillo—. Si tenéis algo que decirme, majestad, hacedlo ahora, y si no, permitidme continuar con las miles de cuestiones de suma importancia —apuntó con chanza— con que me abrumáis a diario.

—Ten cuidado, viejo. Mi paciencia tiene un límite —advirtió Iolar ante la sonrisa ladina de Gard.

—No recuerdo ningún tiempo en que hayáis gozado de esa cualidad, sire —replicó burlón.

Gard estalló en carcajadas al escuchar a Luch. Iolar no pudo menos que sonreír ante la desfachatez de su más antiguo mentor.

—Quiero que busques información de un puto llamado Kier —exigió el rey al punto, mostrando en la severidad de su voz la urgencia de la orden.

—¿Kier, de Olla del Verdugo? —Ante la mirada interrogante del monarca, el viejo se apresuró a completar la información—. Es una aldea limítrofe con el bosque del Verdugo.

—Puede ser —asintió Iolar pensativo—. Desapareció hace poco más de un mes…

—Arrebatado de manos de los soldados por una dríade. Unos soldados que pretendían cortarle la cabeza al joven, eso sí, después de arrancarle la virilidad a latigazos por encargo de cierto noble del que no logro averiguar la identidad —completó Luch la frase del rey—. No sé por qué os extrañáis, muchachos —gruñó el viejo ante las miradas atónitas del monarca y el capitán de la guardia—. Prometí a mi rey en su lecho de muerte cuidar de su familia. Y Aisling es tu hija, su nieta —afirmó mirando sin pestañear a Iolar, obviando el tono formal que solo usaban cuando estaban rodeados de más gente.

—Cierto… —afirmó Iolar. Luch era un viejo metomentodo, el mejor en su trabajo.

—Lo que me lleva a pensar… —le interrumpió el hombrecillo—. ¿Por qué preguntas ahora por él? ¿Qué sabes tú que yo no sé? —interrogó con ojos acerados a la vez que arrugaba la nariz.

—Está vivo.

Ante la afirmación de Iolar, Gard y Luch se irguieron sobre las sillas y observaron con inquietud a su amigo y rey.

—Aisling le ha curado las heridas y ahora vive con él en el claro —continuó Iolar—. Está… entusiasmada con su nuevo amigo —afirmó con un gesto de repulsa.

—¿Cómo sabes eso? —preguntó Gard.

—Ella misma me lo ha contado… resulta que mi hija habla. ¡Habla! Trece malditos años callada y cuando rescata a un repugnante puto y se lo lleva con ella a ese bosque del diablo, recupera la voz —gritó furioso tirando con un golpe de brazo lo que había sobre la mesa—. Averígualo todo sobre ese malnacido, Luch. Quiero saber si alguien le importa lo suficiente como para hacerle salir del bosque, cuáles son sus puntos débiles, qué puede hacerle a mi hija… ¡Todo! Averígualo y dime la manera de llegar hasta él, para que pueda separarle la cabeza del cuerpo antes de que la luna llena se oculte de nuevo en el cielo.

—Siéntate, muchacho, y déjame contarte lo que sé —indicó Luch, indiferente ante la regia ira del rey, que no distaba mucho de las pataletas que se cogía de zagal cuando no lograba ganarle al ajedrez—. No es un puto, al menos no como la gente piensa. No se folla a las damas; parece tener una regla que cumple a rajatabla: donde tengas la olla no metas la polla.

—Le has estado investigando, viejo —afirmó Gard cabeceando satisfecho.

—Siempre es bueno conocer todo lo que ocurre alrededor de

mi rey —declaró el hombrecillo mirando socarrón a los dos amantes—. Es un joven agraciado, poco mayor que Aisling. Vende falos de madera, fundas para pollas, aceites de placer y cosas por el estilo y, una vez al mes, acude al mercado de la ciudad para vender ollas a la plebe y vergas a los mercaderes. También aprovecha para entregar a las sirvientas de las nobles, previo pago, por supuesto, varios encargos con los que las damas juegan en su intimidad. En las ocasiones que las damas lo requieren, se adentra en el bosque del Verdugo, donde, además de hacer entrega de sus artilugios, si la dama lo solicita, le enseña cómo utilizarlos. Pero no se las folla, algo de lo que se han quejado ardientemente las mujeres que han hablado con mi hombre de confianza.

—¿Tu hombre de confianza? —inquirió asombrado el capitán de la guardia.

—El joven Pulcher, Gard. ¿O acaso pretendéis que con mi aspecto sea capaz de seducir a las altivas damiselas para sonsacarles información…? Cada uno tiene sus limitaciones, y yo soy muy consciente de las mías. —Se encogió de hombros antes de continuar hablando, con la mirada fija en el rey—. El puto no tiene familia ni debilidades con las que atraerle a tu trampa. Es un solitario que no se ha metido nunca en problemas, hasta que el mes pasado le tocó las narices a alguien y este pagó a tus soldados para que le arrancaran los cojones. Imagino que al buen noble no le cayó en gracia descubrir que su esposa tenía un amante más satisfactorio que él, aunque fuera de cuero; pero como digo, son solo elucubraciones. No hemos podido descubrir quién está detrás de ese castigo —aseveró con una mueca indignada.

—Averígualo —ordenó Iolar pensativo—; busca la manera de llegar hasta él, Luch. Y… ¿recuerdas a Morag Dair, aquella bruja que decía saber cosas sobre Fiàin?

—¿La que aseguraba conocer todas las leyendas sobre las dríades, aquella a la que expulsaste del castillo cuando te hartaste de escuchar sus verdades? —Iolar apretó los dientes con fuerza, el hombrecillo sonrió antes de contestar—: Sí.

—Tráemela.

—¿Por fin te convences de que tu hija es una dríade? —inquirió burlón el viejo.

—Siempre lo he sabido, Luch. Le prometí no obligarla a regresar a la ciudad…

—¿Piensas romper tu promesa? —inquirió Gard intrigado al ver el gesto de su amigo.

—No. Solo regresará por propia voluntad. —Ante las miradas interrogantes de su amante y de su mentor, Iolar decidió exponer parte de sus pensamientos—. Quiero averiguar cómo despertar a una dríade de su letargo. —Los miró con intensidad antes de decir aquello que no se atrevía todavía a creer—. Fiàin está viva.

Gard y Luch se levantaron sorprendidos por la noticia, pero, antes de que pudieran decir nada, Iolar despachó al viejo con un gesto.

—Vete, Luch. Averigua lo que te he pedido, y tendrás mi agradecimiento eterno.

—No quiero tu agradecimiento, muchacho; solo deseo que sepas bien en qué aguas estás a punto de hundirte —advirtió saliendo de la estancia.

Gard esperó hasta que dejaron de orírse las pisadas del hombrecillo, y luego cerró la puerta con cerrojo. Cuando se volvió, la estancia estaba vacía, caminó hasta las escaleras que llevaban a las estancias privadas del rey y ascendió por ellas hasta la habitación real.

Iolar había retirado el tapiz que cubría el estrecho ventanuco y miraba a través de este en dirección al bosque del Verdugo.

—¿Cómo sabes que está viva?

—Me lo ha dicho Aisling. Fiàin está dormida en el maldito roble que se la tragó. Debo despertarla y obligarla a salir de él.

—¿Cómo piensas hacerlo?

—Secuestrando al amante de Aisling.

—¡¿Su amante?! ¿Ese puto ha osado tocar a tu hija? —tronó Gard golpeando con ambos puños la mesa. Iolar asintió con la cabeza—. Juro que mataré a ese bastardo.

—Lo harás, pero antes lo utilizaremos en nuestro beneficio —musitó Iolar con la mandíbula apretada—. Cuando Aisling descubra que yo tengo a su amigo, vendrá a Sacrificio del Verdugo por su propia voluntad; eso asustará a Fiàin y la hará despertar. No esperará de brazos cruzados en el bosque, vendrá a buscar a nuestra hija, y, entonces, la tendré al alcance de la mano.

—No puedes encerrarla en el castillo de nuevo, Iolar. Aquello la mató… estuvo a punto de matarla —se corrigió Gard.

—No voy a encerrarlas. Le demostraré a Aisling cómo es en realidad su puto y, después, dejaré que ella decida si marcharse o no. Y a él le arrancaré la piel a tiras —afirmó con ferocidad sin dejar de observar el bosque. Gard asintió en silencio—. Y con respecto a Fiàin… solo quiero volver a verla, comprobar con mis propios ojos qué queda de la mujer que nos robó el alma. —Se volvió hacia el capitán de la guardia con la mirada empañada por los recuerdos—. ¿Recuerdas como era, Gard? Han pasado trece años y aún puedo evocar el color de su cabello, el sonido de su risa…

—La manera en que entornaba los ojos cuando se enfadaba, la suavidad de sus manos —le interrumpió el capitán de la guardia acercándose a él.

—El aroma de su piel, el sabor de sus pechos… —Iolar enredó los dedos en el largo cabello rubio de su amigo y tiró de él hasta que sus bocas se juntaron.

—La calidez de su boca devorándonos la polla —jadeó Gard mordisqueando los labios del rey.

—Quiero volver a sentirla temblar bajo mi cuerpo —afirmó Iolar llevando a Gard hasta el lecho—. Quiero perderme en ella de nuevo.

—No, Iolar. Lo que quieres es que volvamos a jugar con fuego —aseveró Gard empujándole sobre la cama para luego arrancarle el jubón de suave piel y la camisa de seda y desgarrarle las finas calzas que cubrían la regia erección.

Gard inspiró, llenando sus pulmones con la esencia de su rey, y, a continuación, este hundió la imponente y real polla en las profundidades de su boca.

—Qué mejor fuego para quemarnos que aquel que arde en el interior de Fiàin —jadeó Iolar apresando entre las manos la cabeza de su amante y obligándole a tomarle más profundamente.

Gard se liberó de las manos que le sujetaban y levantó la mirada. Sus labios húmedos esbozaron una sonrisa que casi detuvo el corazón del monarca.

—Quemémonos —aceptó dando un ligero mordisco en el glande de su rey.

Iolar jadeó excitado cuando sintió los dientes de Gard deslizarse por el tronco de su polla, arañándole con cuidado, para a continuación lamer cada rasguño con su lasciva lengua. Se mordió los labios para no gritar de placer al notar los dedos de su amigo adentrarse bajo las rasgadas calzas hasta acoger sus testículos y comenzar a jugar con ellos.

Cerró los ojos y recordó.

Su mente voló veinte años atrás en el tiempo, al momento en que la había dejado escapar por primera vez.

Hacía poco más de un mes que había llevado a la dríade al castillo del Verdugo e Iolar se había ido ganando su confianza poco a poco. Ella era similar a un animal salvaje, desconfiada, imprevisible y peligrosa, las marcas de mordiscos que adornaron los brazos del monarca durante la primera semana que estuvo cautiva eran buena prueba de ello. Había conseguido que no rasgara los sencillos vestidos con que la obligaba a vestirse, que dejara de atacarle cuando se acercaba a ella e incluso que le dedicara su enigmática sonrisa en un par de ocasiones, pero aún no había podido escuchar su voz ni averiguar su nombre.

Su feroz dríade no sabía hablar, ni parecía dispuesta a aprender, aunque al menos Iolar había conseguido que aceptara su presencia siempre y cuando esta no fuera demasiado cercana. Pero eso no tenía la menor importancia ya que esa misma mañana la había dejado escapar en un arrebato de… ¿compasión? ¿Remordimiento? ¿Estupidez?

Sin pararse a pensarlo había ordenado a sus hombres subir el rastrillo de la entrada al castillo mientras paseaba junto a ella por el patio de armas. Ella había posado sus ojos color lavanda en él y había caminado, altiva como una reina y sinuosa como una serpiente, hasta la arcada que era la frontera con el exterior del castillo, la había traspasado con una maliciosa sonrisa en los labios y había escapado.

Ni Iolar ni Gard habían podido despegar su mirada de ella cuando echó a correr en dirección al bosque del Verdugo. Lo último que vieron fue su vestido blanco ondeando al viento, enganchado en un matorral cercano a la Cañada Real.

La salvaje dríade había vuelto a su feudo, olvidando todo aquello que no pertenecía al bosque, incluidos los dos hombres a los que había robado el alma.

—Es lo mejor, Iolar. No tienes tiempo para domar fieras y reinar a la vez —le susurró Gard horas más tarde, en la intimidad de sus aposentos.

Iolar se limitó a asentir con la cabeza.

Le había costado la misma vida dejarla marchar.

Gard tenía razón, no podía permitirse tener la cabeza llena de lujuriosas imágenes de la dríade mientras debatía con los nobles o juzgaba en las audiencias. Aunque no era ese el motivo por el que le había devuelto la libertad.

Había observado al capitán de la guardia cada día que ella había estado en el castillo y, por mucho que este intentara mostrarse impasible, los rasgos severos de su rostro no podían ocultar la desolación que se leía en los atormentados ojos azules. Ambos se habían prendado de la dríade, pero Gard, como el fiel amigo que era, se había apartado y había mirado a otro lado, consciente de que tan exquisito bocado solo podría saborearlo su rey.

Iolar negó con la cabeza, ni siquiera él había podido tocarla, ella no se dejaba domar.

—Olvidémosla —musitó Iolar aquel atardecer veinte años atrás, antes de darse la vuelta hacia Gard y devorarle la boca como hacía cada noche desde que ambos eran unos adolescentes imberbes.

Sus lenguas se enredaron en un combate en el que no había vencedor ni vencido, y a la vez, sus manos se apresuraron en despojarse mutuamente de los ropajes que les impedían acariciarse como deseaban.

Gard, como casi siempre, fue más rápido que su rey.

Los dedos de Iolar aún bregaban con los cordones de las calzas, cuando el joven rubio se arrodilló en el suelo, desgarró la tela y, asiendo con una mano el real pene, comenzó a lamerlo a la vez que con la otra mano se colaba entre los muslos del monarca para alojar los testículos en la palma.

Iolar apoyó la espalda en la pared de piedra y abrió las piernas para permitir a su amante acceder sin trabas a sus genitales. Jadeó excitado cuando Gard comenzó a masturbarlo con la mano mientras chupaba con fuerza su glande lloroso y los dedos que lo envolvían. Sabía lo que venía a continuación, su compañero estaba lubricándose los dedos. Cuando estuvieron ungidos en saliva, Gard penetró con el índice el ano de su rey a la vez que arañaba sutilmente con los dientes una de las venas marcadas en la exquisita polla que estaba devorando.

Iolar se mordió los labios para no gritar. No pensaba complacer a Gard con sus gemidos, al menos no tan pronto. Aferró la cabeza de su amante con ambas manos y le obligó a tomarle más profundamente. En ese momento, un jadeo que no provenía de él llamó su atención.

Sus párpados se elevaron, mostrando la alerta en sus ojos negros como la obsidiana.

Sus obscenos juegos nocturnos no podían ser descubiertos.

—Gard… —jadeó tirando de los cabellos enredados en sus dedos, obligando al capitán a separarse de su falo a punto de estallar.

—¿Qué…? —Gard levantó la cabeza y se volvió hacia el lugar en que estaba fija la mirada de su rey—. ¡Maldición! —exclamó al ver a la dríade junto a la ventana, desnuda, observándolos.

Fiàin gruñó extrañada al ver la estupefacción de los dos hombres. Intrigada, se sentó en el borde de la cama e inclinó la cabeza a la vez que se lamía los labios.

—¿Por dónde demonios has entrado, mujer? —gritó Iolar.

La altiva dríade señaló la ventana con la mirada y después volvió a posar sus hermosos ojos lavanda sobre el pene erecto del rey.

—¡Mujer entrometida! —bramó Iolar comenzando a atarse los calzones—. ¡Cuando te quiero a mi lado, me esquivas, y cuando te dejo ir, me espías! ¡Maldita seas!

—Fiàin —susurró ella con voz gutural, luego se levantó de la cama y se acercó al rey.

—¿Qué demonios…? —susurró Gard al observar estupefacto cómo la dríade sujetaba irreverente las muñecas de Iolar y le impedía cubrir su erecta polla.

El capitán de la guardia dio un paso atrás, consciente de que su tiempo en el lecho del monarca había llegado a su fin, pero aun así, no pudo dejar de observar la mirada embelesada de su amigo cuando ella le acarició el pene bañado en saliva.

Recurrió a toda su fuerza de voluntad y se volvió de espaldas a ellos, luego inspiró profundamente y caminó en silencio hasta la puerta. Un roce en la espalda le hizo darse la vuelta. Ella estaba jugando con su cabello. Había dejado a Iolar apoyado en la pared, todavía aturdido, y había ido hasta él para enredar sus finos dedos en su rubia melena.

—¡Ve con tu rey, mujer! —le ordenó Gard con las venas del cuello marcadas por la tensión.

—Fiàin. —Volvió a susurrar ella a la vez que le acariciaba los labios con las yemas de los dedos.

Entornó los ojos, pensativa, y acto seguido presionó la boca masculina con el índice, hasta que él le permitió la entrada y comenzó a chuparle el dedo sin ser consciente de sus actos. Sonrió ensimismada y se llevó ese mismo dedo hasta sus propios labios para saborearlo.

—¡Basta! —Gard sacudió la cabeza aturdido, haciendo que la dríade retrocediera de un salto y enseñara los dientes en un gruñido amenazador.

—Ha hecho algo parecido conmigo —murmuró en ese instante Iolar—, me ha tocado la polla y luego se ha llevado la mano a la boca. Es como si quisiera saborearnos… a los dos.

—¡Regresa con tu rey! —ordenó Gard enfadado, empuján-dola hacia su amigo—. Y déjame marchar en paz —musitó.

La dríade se defendió arañándole el pecho con las uñas a la vez que giraba sobre sí misma y saltaba para caer felina en el suelo, con las piernas flexionadas, el cuerpo inclinado hacia delante y las manos formando garras, lista para atacar. Esperó la reacción de ambos hombres, y cuando esta no se produjo, se sentó en el borde del lecho, y los miró burlona a la vez que separaba las piernas y dirigía el dedo con que los había saboreado a ambos hasta su sexo.

Los dos amantes observaron sorprendidos cómo se acariciaba el clítoris y, cuando el primer gemido escapó de sus voluptuosos labios, Gard cabeceó con fuerza y apresó entre sus tensos dedos el tirador de la puerta. No podía continuar allí. No podía seguir mi-rándola. No quería ver lo que, estaba seguro, iba a pasar a conti-nuación.

—Espera, Gard; aún no ha llegado la hora de tu partida. —Le detuvo Iolar sin dejar de mirar a la libidinosa dríade—. Nos estás volviendo locos, mujer

—Fiàin —volvió a decir ella.

—¿Es ese tu nombre? ¿Fiàin?

—Fiàin —repitió ella levantándose y caminando hasta el hombre que permanecía inmóvil junto a la puerta.

Gard dejó de respirar cuando ella tomó su mano y tiró de él hasta llevarle junto al rey.

Jadeó asombrado cuando la dríade, Fiàin, posó la mano sobre su cabeza y le instó a arrodillarse, para luego guiarle hasta la po-lla enhiesta de su amigo.

—Creo que quiere mirarnos, Gard —comentó Iolar diver-tido—. Démosle ese placer, al fin y al cabo no sabe hablar… no se lo puede contar a nadie.

Gard contempló conmovido a su amigo, y, sin dejar de mirar sus ojos negros como la noche, introdujo su enorme falo en la boca. Pocos segundos después, un coro de gemidos y jadeos mas-culinos llenó la estancia.

Fiàin observó curiosa a los hombres. Eran hermosos y fuertes, viriles y poderosos, dos enérgicos sementales. Se deleitó con sus músculos ondulantes, con las venas hinchadas que se marcaban bajo sus pieles en los brazos y el cuello, y con el aroma a macho excitado que emanaba de ellos.

Acechó curiosa cada uno de sus movimientos cuando ambos acabaron en el suelo. El rubio de ojos azules a cuatro patas, como los lobos, y el moreno sobre él, penetrándole la única entrada del cuerpo con la que ella jamás había imaginado que se pudiera jugar.

Se acercó sinuosa hasta ellos, sin importarle que ambos hombres siguieran con la mirada cada uno de sus pasos. Se arrodilló a su lado y, cuando las embestidas del moreno se hicieron más potentes, comenzó a acariciar la espalda del rubio, para después descender desde sus costillas al vientre y de allí a la endurecida y enorme polla que se balanceaba solitaria con cada acometida de las caderas de su amante.

—¡Ah, Iolar! No lo resisto más… voy a estallar… —jadeó Gard al sentir la caricia femenina.

Fiàin miró al moreno y formó su nombre con los labios sin llegar a pronunciarlo.

Iolar mantuvo la mirada fija en la dríade, comprendiendo el significado de los movimientos de su boca, y casi estuvo a punto de correrse cuando ella llevó la mano que tenía libre hasta su duro trasero masculino y comenzó a jugar con los dedos en la hendidura entre sus nalgas.

—Aguanta, Gard. Aguanta un poco y mírala, míranos —ordenó con voz ronca, conteniendo el brío de sus embates.

Gard obedeció a su rey; desvió su mirada añil del suelo y contempló a la dríade. Lo que vio estuvo a punto de llevarle al orgasmo.

El rey deslizaba una de sus manos por el vientre de la joven. Sus dedos se internaban decididos entre los rizos castaños del pubis para acabar posándose sobre la vulva brillante y comenzar a jugar con ella.

Los labios de Fiàin se abrieron en un mudo jadeo al sentir el primer roce áspero sobre su sexo. Separó las piernas, excitada, y el moreno, Iolar, introdujo uno de sus dedos dentro de ella. Dedos grandes, fuertes, dedos sabios que le hicieron tocar las nubes.

—Oh, Dios, Iolar… Dios… —jadeó Gard al sentir que la presión de la mano femenina sobre su polla se incrementaba.

—Aguanta un poco más, Gard —exigió el rey apretando las nalgas en un ramalazo de placer cuando uno de los dedos de Fiàin penetró por fin en su ano—. Solo un poco más. —No sabía si se lo ordenaba a su fiel amigo o a sí mismo—. Vamos, Fiàin, preciosa, grita para mí…

Posó el pulgar sobre el clítoris de la joven, y ella arqueó las caderas hacia él, frotándose contra la mano que hacía estragos en su sexo.

—Vamos, mi hermosa dríade, tiembla para nosotros... —la instó friccionando más rápidamente el clítoris e introduciendo un segundo dedo en la vagina.

Un gemido gutural escapó de la garganta de Fiàin cuando todo su cuerpo comenzó a arder, quemándole cada terminación nerviosa, volviéndola del revés.

Apenas un segundo después el grito ronco de Gard unido a la fuerte presión que tensó el recto en que tenía enterrado el pene, le indicó a Iolar que también su amante había alcanzado el orgasmo.

Una sonrisa orgullosa se dibujó en el rostro del rey a la vez que aferraba con ambas manos la cintura del capitán de la guardia y le embestía con ferocidad hasta obtener su propia satisfacción.

Esa misma noche, tiempo después, Iolar y Gard tomaron por vez primera a su lasciva y curiosa dríade. Iolar le penetró la vagina y Gard el ano, instaurando así la primera de las normas para ese extraño trío.

A la mañana siguiente descubrieron que ella había vuelto a escapar, dejando como únicos recuerdos de su presencia las blancas sábanas manchadas de sangre virginal y la memoria imborrable de ese primer encuentro grabado a fuego en sus almas.

Fiàin regresó un par de semanas después y, en aquella ocasión, se quedó por propia voluntad durante el tiempo que tardó la luna en renovar su ciclo. Retomaron sus juegos de cama y aprendieron a darse placer de distintas maneras, pero Gard no se permitió, ni se permitiría nunca, tomarla en aquel lugar en que su semilla podía germinar...

A partir de ese momento, Fiàin escapó en múltiples ocasiones de los brazos de sus amantes, y estos lo consintieron, conscientes de que debían permitirle ser libre si querían mantenerla a su lado. Anidaba durante un tiempo en su bosque, hasta que el deseo y la añoranza por ellos la hacían regresar, y llegó un momento en que los períodos que pasaba junto a sus robles eran mucho más escasos que los que pasaba junto a sus amantes humanos.

Hasta que llegó el día en que no pudo regresar a su bosque.

Tres motivos se lo impidieron. El primero: que ambos hombres entraron con fuerza inusitada en su corazón y se anclaron en él, sin dejar posibilidad de escapar de ellos u olvidarlos. El segundo: el amor que Iolar y Gard sentían por la hija que el primero de ellos había engendrado en su vientre una noche de verano. El tercero... El tercero fue el temor del rey a perder a ambas por culpa del bosque...

—¿Recuerdas el color de sus ojos, Gard? —musitó Iolar alejando los recuerdos de su mente y retornando al presente.

Estaba tumbado bocabajo sobre el lecho, con las piernas separadas y con un almohadón bajo su vientre levantándole las caderas.

Gard estaba tumbado entre sus muslos; jugaba con la lengua sobre su perineo y le masajeaba el trasero con las palmas de las manos. Al escuchar su pregunta, le hincó los pulgares en la hendidura entre las nalgas y dio un largo y húmedo lametón hasta posar la punta de la lengua sobre el fruncido orificio, que comenzaba a temblar de impaciencia.

—Claro que recuerdo sus ojos multicolores. Es imposible olvidarlos —aseveró penetrando con el índice el ano de su rey.

—Ahh... No. Antes de eso. Recuerda, Gard. Cuando la tomamos la primera vez eran malvas. Fueron de ese color los primeros meses que estuvo con nosotros. —Iolar tembló ante la explosión de placer mezclado con dolor que recorrió su cuerpo cuando el rubio capitán añadió un dedo al que ahondaba en su interior.

—Sí. —Gard sacó los dedos del cuerpo de su amante y vertió sobre ellos un poco de aceite, para luego volver a introducirlos profundamente—. Eran del color de un campo de lavanda en primavera —afirmó abriendo los dedos para dilatar más aún el recto que pronto penetraría.

—Y, un amanecer, cambiaron... —siseó Iolar al sentir que se ensanchaba bajo el brusco y placentero asalto.

—No. —Gard frunció el ceño, recordando—. No fue un amanecer. Fue una noche. La noche que nos contó por señas que había concebido. —Sus dedos abandonaron el interior del rey.

—Sí —jadeó Iolar al sentir el placer expandiéndose por su vientre cuando el pene de su compañero se frotó contra su oscuro orificio—. Cambiaron esa noche y, nueve meses después, nació Aisling.

—Piensa en Fiàin mientras te follo —ordenó Gard penetrando profundamente a su amante.

Iolar gruñó de placer; con cada embestida de su amante restregaba su propia verga contra la almohada que tenía bajo las caderas. Aferró las sábanas entre sus manos e imaginó que el cuerpo sedoso de Fiàin estaba debajo de él, que eran sus manos, y no las de Gard, las que sujetaban su cabello. La sangre recorrió veloz sus venas y el placer se acumuló en sus genitales, endureciéndolos. Su pene palpitó con fuerza un segundo antes de que la vorágine del orgasmo asolara sus sentidos. Cerró los ojos con fuerza, y vio de nuevo los iris multicolores de su amada.

Gard escuchó los roncos gemidos de Iolar, observó cómo los músculos de su espalda y glúteos comenzaban a temblar, cómo las venas se marcaban hinchadas bajo su piel y arremetió con mayor ferocidad en el interior de su rey. Dejó que sus párpados bajaran con lentitud para deleitarse de nuevo con el recuerdo de los ojos de dispar tonalidad de la única mujer a la que había amado.

Un quedo susurro rompió el silencio que siguió al orgasmo de ambos hombres.

—¿Recuerdas lo que hizo cuando le dijimos que sus iris habían cambiado de color? —murmuró Gard a la vez que salía del interior de su rey y se tumbaba a su lado.

—Sí. Nos miró y posó sus manos sobre nuestros pechos, justo sobre nuestros corazones —recordó en voz alta Iolar.

Ambos hombres se miraron a los ojos, Iolar se vio reflejado en los azules de Gard, y Gard en los negros de Iolar.

—¿Crees que significa lo que siempre hemos deseado que signifique?

—Es mi mayor deseo, Gard.

—¿Crees que sus iris continuarán siendo uno azul y el otro negro, circundados por una línea malva?

—Eso espero, Gard, porque… ni las argucias a las que tengamos que recurrir para que vuelva ni las promesas que le hagamos una vez esté a nuestro lado servirán para nada si sus ojos son lavanda de nuevo. La habremos perdido para siempre —musitó con aprensión el rey, perdiéndose en la mirada azul y malva de su amigo… el mismo tono malva que circundaba sus propios ojos negros.

El chasquido de un golpe sobre la piel, seguido por el gemido lastimero de una mujer, rompió el silencio de la noche. Un nuevo golpe, esta vez acompañado de un sollozo angustiado, hizo corcovear al semental que esperaba frente a la puerta de la choza el regreso de su amo.

—Maldita estúpida, no te pago para que te quedes quieta y gimotees. Lucha contra mí —ordenó un hombre alto y delgado, vestido con caros ropajes, a la prostituta que vendía sus favores en una casucha destartalada en los arrabales de Sacrificio del Verdugo.

La mujer, de orondas caderas y voluminosos senos, miró calculadora al noble. Los rumores sobre él corrían veloces en la ciudad. No convenía negarle los servicios que demandaba, ya que su furia podía llegar a ser letal. En lugar de eso era mejor seguir el consejo que volaba de boca a oreja de cada puta de la ciudad: «Deja que te azote un poco, muéstrate vulnerable y temerosa, solloza quedamente y espera a que se aburra», y eso era justo lo que ella pensaba hacer. Sabía por su hermana que al muy puerco no se le empalmaba si las mujeres no le atacaban para defenderse… Por tanto, compuso un gesto lastimero en su rostro y comenzó a agitar los hombros a la vez que fingía sollozar acobardada.

—Ramera inútil. Ninguna de vosotras tiene sangre en las venas —bramó el hombre de cabellos oscuros, hastiado de esperar una reacción que no se iba a dar—. No te mereces nada, y nada te voy a pagar —siseó enfurecido antes de abandonar la habitación.

—Perro sarnoso —bufó la mujer cuando él salió de la choza—, así se te pudra la polla y se te caiga a cachos —maldijo besándose la uña del pulgar para después escupir en el suelo.

El hombre, un noble, aunque sus modales no estuvieran a la altura de su cuna, lanzó un cuarto de moneda al zagal al que había encargado vigilar su montura y le despidió con un ademán airado de su mano.

Estaba enfurecido y decepcionado.

Odiaba tener que recurrir a las rameras de los arrabales, eran la más baja estofa de la ciudad, pero no podía acudir a las cortesanas del castillo, y mucho menos a las damas de virtud volátil. Ambas clases de zorras podían irse de la lengua y contar a quien menos debieran sus gustos y preferencias, desmontando la fachada que tanto se molestaba en mantener.

No permitiría que, tan cerca de la consecución de su más ansiado deseo, esas rameras vestidas de oro y seda descubrieran al rey que no era el hombre delicado y cuidadoso con las damas que fingía ser. Y de todas maneras, esas estúpidas damiselas con sus suspiros y caídas de ojos jamás conseguirían excitarle.

Ninguna mujer tenía sangre en las venas. ¡Ninguna!

Había probado con sirvientas, putas y damiselas arruinadas

dispuestas a olvidarse de su fingida virtud a cambio de alguna joya, y ninguna había conseguido empalmarle.

Unas se encogían llorosas a sus pies, sin pelear ni defenderse. Otras se defendían, sí, pero sin fuerza ni mañas. Sus ataques apenas le dejaban un par de arañazos en el cuerpo.

No. Él necesitaba a su guerrera… o, hablando con propiedad, a la hija de su guerrera, ya que Fiàin estaba muerta. Esperaba que Aisling tuviera la mitad de coraje y arrojo que su madre. Apenas podía disimular la ansiedad de apropiarse de ella para que le proporcionara buenas lides en la intimidad de su propio castillo.

—Pronto —susurró para sí a la vez que montaba sobre su semental.

Una sonrisa satisfecha se dibujó en sus labios afeando más todavía su rostro. Levantó la mirada al cielo y buscó la luna entre las nubes. No había ni rastro de la pálida esfera. Esa noche, como en cada ocasión que el rey abandonaba el castillo para ir al bosque a ver a su hija, la luna nueva se ocultaba en el firmamento.

Pronto, volvió a repetir para sus adentros.

El rey se había comprometido en público a acudir al funeral de la duquesa, ahora solo quedaba decidir en qué momento debía fallecer la zorra.

La leyenda del Verdugo - Madriguera de la Víbora

*Y*tras años de lucha oculta y contiendas ganadas y perdidas, el ejército del Verdugo acampó en una aldea al sur del Antiguo Reino, Madriguera de la Víbora.

La batalla final se acercaba.

El Verdugo reunió a sus lugartenientes y les expuso sus planes: en el último amanecer del año, atacarían. Discutieron sobre la información recopilada por sus espías, trazaron planes, tomaron posiciones y, por fin, llegó la noche previa al ataque. Se ocultó a los niños silentes en cuevas guardadas por mujeres y ancianos, escuálidos valientes dispuestos a dar la vida por un reino aún no creado. Cada hombre, armado con su hoz, su espada, su guadaña, su maza o su rudo arco, se despidió de su familia, dispuesto a morir por el sueño de un futuro incierto.

Solo un hombre se mantuvo en soledad esa noche.

El Verdugo aguardó en vigilia observando en el horizonte el contorno arbolado del lejano bosque. Recordando.

Años sin ver a su amada, sin saber el nombre de su vástago, sin haber visto siquiera el rostro de su heredero, le habían convertido en un hombre taciturno con un solo propósito en su mente. Acabar con los Ancianos y el Antiguo Reino.

Morag Dair (An finscéal)

Capítulo 13

Érase una vez la mirada de un hombre en los ojos de su amada.

14 de tinne (julio)

*U*na caricia, tan sutil que era casi etérea, recorrió el costado de Kier. Este se dio la vuelta hasta quedar colocado de lado, apartándose. Un nuevo roce, esta vez sobre la espalda, hizo que el hombre despertara. Una sonrisa perspicaz se reflejó en su rostro, pero continuó con los ojos cerrados, haciéndose el dormido. Un ligero azote cayó sobre sus nalgas desnudas.

Kier abrió los ojos a la vez que apretaba los labios para impedir que una carcajada divertida emergiera de ellos. Aisling dormía a su lado, no quería despertarla. Bostezó silencioso y se desperezó con cuidado, estirando sus extremidades hasta tocar las paredes rugosas que lo rodeaban. En el mismo momento en que las yemas de sus dedos rozaron la madera viva, finos tallos se enredaron en sus manos, saludándole. Lanzó un beso hacia el cielo de ramas que le protegía de la luz del sol y después se sentó sobre el lecho de vestidos en el que dormía.

La fina cortina de flexibles ramas que cada ocaso cubría la entrada de la gruta arbórea se abrió, mostrándole una nueva mañana. Gateó hasta allí con cuidado de no despertar a su preciosa dríade, cogió una cesta tejida con tallos de juncos y comenzó a descender de los árboles gemelos, no sin antes depositar un cariñoso beso en cada uno de los troncos que conformaban el dintel de la cueva.

Se había acostumbrado a la curiosidad mimosa de Milis y Grá. Eran los robles más afables de todos cuantos residían en aquel bosque.

La primera vez que había despertado en la cueva, se había deslizado en silencio hasta la fronda para recoger frutos con los que ofrendar un desayuno a su sorprendida dríade, y ella había recibido el regalo riendo y dando pequeños gritos de alegría, como si fuera lo más maravilloso del mundo... y desde entonces, los robles gemelos le despertaban al rayar el alba. Kier imaginaba que Milis y Grá se complacían en ayudarle a llevar a cabo su ritual de cada amanecer y él, tras los primeros sobresaltos al sentir sus caricias de buena mañana, se había acostumbrado a despertarse con sus roces.

Apenas tardó un minuto en tocar el suelo; subir y bajar por las gemelas era tan sencillo como esperar a que estas bajaran sus ramas o hincharan los nudos de sus cortezas. Palmeó sus troncos en silencioso agradecimiento y se internó en la espesura del bosque. No tardó en encontrar un arbusto enorme colmado de rojas grosellas. Recogió unos cuantos racimos y continuó su búsqueda hasta encontrar un buen puñado de arándanos azules; poco más allá una zarzamora expuso ante su vista sus frutos negros y maduros, tentándole. Depositó en la cesta las moras y los arándanos junto a las grosellas y admiró el colorido salvaje y luminoso de las frutas.

En sus paseos por el bosque, cuando aún no conocía a Aisling, este le había parecido siempre igual, verde y marrón, sin más matices. Ahora comprobaba atónito que era un lugar lleno de color y aromas. Inhaló profundamente el aire que le rodeaba. La esencia de los distintos árboles, matorrales y frutos entró en sus pulmones, expandiendo su torso y llenándolo de una vitalidad imparable. Se sentía más fuerte que nunca en su vida. Más despierto. Más vivo.

La energía recorría su cuerpo cuando regresó a la cabaña entre robles. Trepó hasta ella sin apenas esfuerzo y se coló en su interior. Durante un instante las cortinas ramosas permanecieron abiertas, dejándole contemplar extasiado el cuerpo dormido de su dríade. Luego volvieron a cerrarse, dejando algunos resquicios entre las hojas, permitiendo que la tonalidad dorada de los rayos del sol bañara el interior del lugar.

Dejó la cesta en un extremo y gateó hasta el lecho donde le esperaba, aún dormida, la mujer más especial que había conocido nunca. Se acurrucó junto a ella y la observó con una intensidad rayana en la adoración.

Aisling era la criatura más hermosa del universo, una creación tan exquisita que, estaba seguro, había sido moldeada por el mismo Dios para recrearse con su visión desde el cielo. Pero no eran sus facciones perfectas ni su cuerpo sublime los que le habían hechizado. Era ella. Solo ella. Su manera de ser, de actuar, su sinceridad espontánea, su risa musical, su manera de mirarle, de entenderle, de aceptarle. Con ella se sentía especial, único. Aisling le juzgaba y valoraba por lo que veían sus ojos, no por lo que escuchaba en labios de otras personas ni por la profesión que había elegido para ganarse la vida. Claro que, allí, no había nadie que le fuera contando chismes sobre él, ni tampoco él había sentido la insana necesidad de mostrarle el repertorio de falos de cuero que vendía para sobrevivir, ni mucho menos de enseñarle cómo usarlos a cambio de unas pocas monedas.

En el bosque usaba su capacidad para tallar madera en dar forma a preciosas estatuillas de los lobos y de la mujer a la que no podía dejar de mirar embelesado. Aisling alababa cada una de sus creaciones, sorprendiéndose por cada rasgo cincelado y acariciando cada figura con trémulos y reverentes dedos, como si fuera la mayor obra de arte que se hubiera creado nunca. Y Kier se sentía estallar de dicha al ver la mirada orgullosa que ella le dedicaba.

Pero necesitaba más. Necesitaba que ella le admirase no solo por sus tallas, sino por... todo. Necesitaba igualarse a ella en su pericia al interactuar con el bosque. Necesitaba no depender de ella para conseguir alimentos, para sobrevivir en esa fronda mágica. Necesitaba que la joven le viera como un hombre capaz de cuidar de ella, como a un macho al que admirar y del que sentirse orgullosa. Estaba decidido a demostrarle que él era el único hombre que podía tener el privilegio de entrar en su corazón. Y parecía que los robles habían decidido ayudarle.

Las raíces ya no surgían a su paso haciéndole tropezar y las ramas no se enganchaban en su pelo haciéndole gemir de dolor. Cuando paseaba por el bosque las bayas y frutos salvajes brotaban a su paso, permitiéndole llenar con rapidez la cesta, e incluso los irreverentes sauces llorones de la ribera del río le prestaban su ayuda, hundiendo sus ramas colgantes en el agua y permitiéndole asirse a ellas cuando sentía que no podía seguir flotando. Aunque ya apenas le hacía falta, casi había aprendido a nadar. Una cosa más por la que la mirada orgullosa de Aisling recaía exclusivamente en él.

Suspiró, satisfecho por sus progresos, y se puso de lado para quedar frente a la muchacha. Seguía dormida. Posó una de sus callosas manos sobre el muslo de la joven, lo acarició con suavidad hasta llegar a la corva de la rodilla y luego tiró de ella, acercándola a él.

La muchacha murmuró somnolienta, pero colocó la pierna de manera que le envolviera las caderas, y gimió complacida cuando el endurecido pene se acuñó contra el valle entre sus muslos.

—Hola —susurró abriendo los ojos para mostrarle sus preciosos iris, negros como la noche.

—Hola, princesa —la saludó Kier, perdido en la profundidad de su mirada. Acercó los labios a la tentadora boca de la dríade y depositó en ella un suave beso—. ¿Has soñado conmigo esta noche? —le preguntó como cada mañana desde que, al despertar la primera vez juntos, ella le había contado que había soñado con él.

—Sí. Todas las noches sueño contigo —respondió ella pasando uno de sus brazos por la cintura del hombre y pegándose más a él.

Era extraño. Estaba con él durante el día, dormía junto a él cada noche y, aun así, en el momento en que cerraba los ojos, comenzaba a soñar con él. Como si ni siquiera dormida pudiera alejarse de él.

—Cuéntame qué has soñado —solicitó Kier a la vez que recorría con la mano la espalda de la joven, deteniéndose para solazarse en las suaves nalgas.

—Había un tejo en el claro —dijo Aisling presionando con el talón de su pie el trasero del joven, instándole a moverse contra ella.

Kier obedeció, dobló la rodilla e introdujo uno de los muslos entre las piernas femeninas, abriéndola para él. Posó una de sus fuertes manos sobre el final de su espalda y presionó, acoplándola a él. Unió sus pieles hasta que ni una brizna de hierba pudo pasar entre ellas y, a continuación, comenzó a frotar su erección contra la vulva humedecida.

—¿Un tejo? —jadeó Kier alzando una ceja, confuso. Eso era nuevo. No había tejos en el bosque.

—Sí, un tejo. Enorme y fuerte —explicó ella moviéndose contra él, introduciendo una mano entre sus cuerpos para buscar aquello que la estaba torturando y colocarlo en el lugar que correspondía.

—¿Qué hacía el tejo en nuestro bosque? —preguntó Kier sujetándole la muñeca y tirando de ella hasta retirarla de su ingle, impidiéndole llevar a cabo su propósito. No iba a permitir que la impaciencia de Aisling le hiciera apresurarse.

—Estaba rodeado de niñas. Unas subían a sus ramas y otras jugaban sobre sus raíces —explicó Aisling prodigándole un pellizco en el brazo por haberle vetado tomar lo que era suyo por derecho.

—¿Niñas? ¿Nuestras hijas? —preguntó Kier con una mirada esperanzada que Aisling no llego a ver.

—No lo sé —gimió ella meciéndose contra él.

—Aisling, cuéntame el sueño en el que aparezco yo —le rogó Kier, insólitamente decepcionado por su respuesta.

—Ese es tu sueño. Tú eres tejo —afirmó Aisling besándole. Kier arqueó las cejas interrogante. Él, ¿un tejo?—. Tejo es fuerte —aseveró, acariciándole la espalda y las nalgas—. Cuidas de niñas que te rodean, eres sabio y paciente —jadeó cuando comenzó a penetrarla lentamente—. Eres valiente, resistes el viento y la tormenta, nada puede hacer que te asustes y huyas —afirmó fehaciente, y mientras ella hablaba, Kier continuó introduciéndose en ella.

Presionó con lentitud hasta quedar enterrado por completo, y luego se detuvo, escuchándola ensimismado sin dejar de observarla.

—Ramas de tejo son robustas, como tus brazos —afirmó sintiéndole dentro de ella, y no solo físicamente—. Yo me refugio bajo tus ramas; tú proteges del sol y la lluvia, del peligro y la tristeza —jadeó cerrando los ojos.

—Aisling, abre los ojos. Mírame —suplicó él. No sabía por qué, pero necesitaba perderse en su mirada.

Ella obedeció y Kier parpadeó atónito; los iris de su dríade, un momento antes tan oscuros como una noche sin luna, se iban tiñendo poco a poco del color de la hierba, tornándose verdes, hasta que todo el iris, menos una pequeña línea negra que lo circundaba, cambió de color.

—Tú soñado conmigo, ¿sí? —preguntó Aisling retirando con dedos trémulos un mechón de pelo que había caído sobre la frente de Kier.

—Sí —susurró él meciéndose contra ella, empujando con delicadeza en las profundidades del cuerpo femenino y no solo con su pene—. Te he visto caminando bajo los rayos del sol de la mañana, corriendo feliz entre las brumas que preceden al ocaso, sentada bajo tu roble, junto a mí, durante la noche, con el vientre hinchado y una sonrisa en los labios —afirmó al borde del éxtasis al rememorar el sueño—. Yo estaba a tu lado, bebiendo de tus sonrisas y perdido en tu mirada. Reposaba mi cabeza sobre tus muslos y escuchaba tu risa musical mientras las hojas de tu roble se mecían sobre nosotros. —«Y besaba tu vientre, con el oído pegado a tu ombligo para escuchar el susurro de la nueva vida que se gestaba en tu interior», recordó sin atreverse a decirlo en voz alta—. Después te envolvía entre mis brazos y tú te quedabas dormida sobre mí, acurrucada segura y dichosa sobre mi regazo.

Kier calló, absorto de nuevo en el sueño que había trazado un sendero de esperanza en su futuro. Continuó meciéndose en ella en silencio. Entrando y saliendo de su interior lentamente, haciéndola jadear bajo sus delicadas embestidas. Sin dejar de mirarla.

Cuando el placer llegó a su punto más álgido, mantuvo los ojos abiertos, fijos en los de su dríade. Cuando un orgasmo arrebatador comenzó a forjarse en su cuerpo, continuó mirándola, deleitándose con el verde vital de sus iris, esperando ver en ellos el destello luminoso que le indicaría que el cuerpo de la joven estaba tan al límite como el suyo propio. Y cuando ese destello refulgió en la mirada de su amada, aumentó la fuerza de sus acometidas y la velocidad de sus movimientos, hasta explotar en un orgasmo sobrecogedor que lo llevó a derramarse dentro de ella.

No fue solo su simiente lo que vertió en el interior de su dríade.

Aisling estalló en un intenso éxtasis al sentir la semilla del hombre entrar en ella, un éxtasis arrebatador que recorrió su cuerpo al percibir que no era solo su semilla lo que irrumpía en ella. La propia esencia de Kier, poderosa y espléndida, dulce y tenaz, la penetró por completo, se filtró a través de su sangre e invadió su corazón, acoplándose a él, formando parte de él.

Observó los ojos del hombre que había conquistado su alma. Habían cambiado, ya no eran únicamente del color de las hojas en primavera. Sus iris esmeralda estaban circundados por una línea negra, tan negra como oscuros habían sido sus propios ojos antes de que él entrara en ella.

—Aisling… tus ojos —musitó Kier acariciándole los pómulos con dedos temblorosos.

Estaba frente a ella, aún dentro de ella. La abrazaba, con una mano posada en su espalda mientras con la otra recorría embelesado sus hermosos rasgos.

—¿Son verdes? —le preguntó la joven aunque conocía la respuesta.

—Sí —asintió él contra sus labios, besándola con pasión y reverencia—. Los rodea una delgada línea negra.

—Son iguales que los tuyos —afirmó ella acurrucándose contra él.

Kier parpadeó confuso; nunca había visto sus ojos reflejados en un espejo de bronce bruñido, solo los ricos podían contar con tales lujos, pero su madre siempre le había dicho que eran verdes. Solo verdes. La observó atentamente, tratando de recordar algo que ella le había explicado sobre las dríades hacía más de una semana.

—La mirada del hombre está en los ojos de la dríade y la de la dríade en los del hombre. —Recordó en voz alta—. ¿He entrado en tu corazón, Aisling? —preguntó, temiendo, y a la vez deseando, escuchar su respuesta.

—Sí. Yo entro en el tuyo y tú en el mío —afirmó ella con certera seguridad.

Kier estalló en una alborotada y dichosa risa a la vez que la abrazaba con fuerza.

—Eres mía, Aisling. Solo mía. No te voy a dejar escapar nunca —sentenció besándola.

Aisling sonrió, asustada y feliz, ante el arrebato posesivo del hombre.

Su gesto pasó inadvertido ante la mirada exultante de Kier.

Permanecieron abrazados hasta que la luz del sol de mediodía se coló entre la cortina de ramas entrelazadas que Milis y Grá mantenían cerrada, a pesar de la tardía hora.

Aisling se dejó caer de espaldas sobre el lecho de vestidos y gimió al sentir que el pene, de nuevo erecto, abandonaba su interior.

—Espera, no te alejes todavía. Aún es pronto —suplicó él colocándose sobre ella y volviendo a penetrarla.

—¡Oh! —jadeó atónita llevándose las manos al pubis.

—¿Te he hecho daño? —Kier se retiró asustado.

—No. Es solo que… ¿ya? —inquirió mirando el cielo de ramas que les cubría. Las hojas le respondieron con crujidos alborotados y felices.

—¿Qué te ha pasado, Aisling? Dímelo.

—Yo… —hizo una breve pausa asustada—. Bésame —le suplicó ignorando su ruego.

Kier la contempló pensativo, reparó en que se acariciaba el vientre, y entornó los ojos, sagaz. Posó la palma de su mano sobre la de Aisling y la envolvió entre sus dedos. Ella tragó saliva, temerosa, y Kier escrutó sus iris, ahora verdes, intentando descubrir qué intentaba ocultarle. Un recuerdo atravesó fugaz su mente, el deseo de ver su sueño hecho realidad irrumpió con fuerza en su alma. Lo apartó a un lado. Ella no podía saberlo todavía. Ni siquiera una dríade podía percibir el momento en que concebía. ¿O sí?

—Como desees —susurró Kier y, accediendo al deseo pronunciado por su dríade, la besó en los labios, volcando en ese ósculo todos los sueños y la pasión que crecían en su mente en ese momento.

Aisling atrapó sus labios, aplacado su temor al ver contenida la pregunta en los ojos del hombre, y lo abrazó con fuerza, recibiéndole dichosa en su interior.

Tiempo después, cuando la tarde comenzó a caer para dar lugar a la noche y Kier se alejó del claro para cumplir sus necesidades, Aisling volvió a posar la mano sobre su vientre.

—No se lo digas, aún no —susurró su madre en su mente—. Disfruta de él ahora, antes de que lo sepa y cambie como hizo tu padre. Y mientras saboreas la vida junto a él, prepárate para echarle del claro cuando llegue el momento en que quiera dominarte y convertirte en su esposa. Prepárate para luchar contra él cuando decida llevarte a la ciudad de piedra.

—Kier es distinto a los demás hombres —susurraron a la vez las hojas de las gemelas, Milis y Grá. Eran los únicos árboles del bosque que llamaban al hombre por su nombre—. No te abandonará ni te obligará. Él nos prometió que no te haría daño. Lo juró envuelto en nuestras ramas.

—Todos huyen, todos abandonan, todos obligan. Ninguno distinto —siseó feroz Darach desde su roble retorcido y desnudo de hojas—. Todos entran en nuestro corazón y luego lo rompen en pedazos.

Una imagen penetró en ese momento en la mente de Aisling: ella misma con un bebé en brazos mientras Kier la miraba orgulloso. Desvió la mirada hacia *Dorcha*, la loba se acercó hasta ella y lamió con cariño su cara. Su amiga confiaba en Kier.

Un gruñido de *Blaidd* seguido de una nueva imagen en su mente la hizo jadear sobresaltada: Kier de pie en un extremo del claro. Peleando con Iolar. Las manos de ambos manchadas de sangre. Kier empujando a Iolar fuera del claro y regresando hasta ella, orgulloso y protector. Aisling miró al lobo, asombrada.

Blaidd, que nunca había tenido demasiado aprecio a Kier, le aseguraba que el humano la protegería de las fechorías de su padre, que volvería a ella.

Aisling se levantó y recorrió el claro pensativa. Los susurros de los robles, la pena que destilaba la voz de su madre, la rabia en la de Darach, la seguridad de Milis, Grá y los lobos…

No sabía qué hacer, qué pensar, qué decidir.

Se volvió a su izquierda cuando un ruido llamó su atención, Kier regresaba, sonreía feliz mientras la miraba como si quisiera devorarla a besos. Admiró su fuerte cuerpo, que poco a poco se había ido recuperando de las heridas. Se solazó con la sonrisa depredadora del hombre. Se recreó en su caminar desenfadado y seguro. Adoró lo que había en el interior de su amado.

No. No se lo diría todavía.

Él no intentaría cambiarla como hizo Iolar con Fiàin. Intuía que no la abandonaría como le había pasado a Darach con su amado, pero aun así esperaría para decírselo.

Esperaría hasta tener la certeza de que él la aceptaba como era. Completamente.

Y después… después atesoraría cada momento a su lado, guardaría cada segundo en el interior de su memoria y, cuando él envejeciera y la abandonara, envuelto en los brazos mortales de su humanidad, lloraría por él en el interior de su roble, arropada por sus recuerdos, hasta olvidar que un día fue casi humana.

Que un día amó a un mortal.

La leyenda del Verdugo - El páramo del traidor

Y llegó el último amanecer del año.

Los ejércitos se enfrentaron en el páramo, cientos de soldados contra miles de pastores. Relucientes y afiladas espadas contra oxidadas hoces y guadañas. Certeras y mortales ballestas
contra toscas flechas talladas con premura. Crueldad contra razón.
Fuerza contra valor.

Y prevaleció la fe. La fe del pueblo en un hombre que lo había
dado todo por su amada, por sus semejantes, por un reino futuro.

La mañana dio paso a la tarde y esta a la noche, y el cruento
combate continuó sin pausa.

La llegada del nuevo amanecer mostró la tierra empapada en
sangre y los cuerpos desmembrados de soldados y pastores. Entonces el Verdugo caminó hasta el centro de la masacre y, elevando su voz, exigió el final de la lucha. Los hombres de uno y
otro bando observaron la devastación que les rodeaba y dejaron
caer sus armas.

Los Ancianos escaparon indignados al comprobar que la lucha había llegado a su fin, pero aún quedaba una venganza por
tomar.

El primer atardecer del nuevo año trajo consigo un nuevo futuro, un reino aún por crear, y la desesperación de un hombre.

Un joven malherido irrumpió en la cabaña del Verdugo. Los
lugartenientes se levantaron con las armas prestas para darle
muerte, pero el Verdugo los detuvo. Conocía al mozalbete; era
un antiguo niño silente, uno de los primeros huérfanos de la
guerra.

Y el niño alzó su brazo y señaló al más querido de los lugartenientes del Verdugo. «Los Ancianos saben dónde ocultas a tu
familia. Él es el traidor», dijo el pequeño hablando por vez primera.

El hombre señalado lanzó su daga contra la garganta del niño, silenciándolo para siempre, y volviéndose contra el Verdugo, se arrojó contra él, pero no llegó a tocarle. El Verdugo había abandonado la cabaña y corría a través del ensangrentado páramo en dirección al bosque, dejando atrás soldados y pastores, muertos y vivos, traidores y leales. Ya nada le importaba.

Morag Dair (An finscéal)

Capítulo 14

Érase una vez una traición camuflada en un funeral.

Antes del amanecer, 15 de tinne (julio)

*E*l tañido de las campanas reverberaba contra las lápidas sepulcrales que yacían en el suelo cubierto de hierba del camposanto. En el campanario, dos monjes se afanaban en la labor, seguros de que el constante y potente repiqueteo ahuyentaría a los demonios invisibles que habían acudido a robar el alma de la difunta.

Más allá de los muros graníticos del santo lugar, los gemidos lastimeros de las plañideras estallaban en desacompasados y estremecidos gritos, que ocultaban el hipar quejumbroso de los huérfanos y los rezos monótonos de los monjes que rodeaban el cortejo fúnebre. Y, bajo los ensordecedores lamentos, se podía escuchar el murmullo mercader de los nobles, caballeros y gentilhombres que habían acudido al entierro de la duquesa para presentar al recién enviudado duque de Neidr su pésame, y las propuestas para futuros acuerdos matrimoniales de las féminas de sus casas. Al fin y al cabo, un cortejo funerario era una ocasión igual de buena que cualquier otra para forjar alianzas.

Iolar se alejó de la enlutada comitiva, harto de las mercaderías de los nobles; de sus peticiones soslayadas de rentas, cargos y mercedes a pocos pasos de las parihuelas en las que transportaban a la difunta. Traspasó la entrada del atrio y observó, con apenas interés, el escudo grabado en uno de los muros: representaba a un caballero atravesando con la espada a una bestia informe. Incluso en los cementerios hay bestias a las que matar, pensó. Su mirada se desvió después hacia el desfile de mujeres, hombres y niños; el color de sus harapos, blancos, como dictaba la tradición del duelo entre los pobres, contrastaba con los caros ropajes de luto, negros, que solo podía lucir la nobleza.

—Gard —llamó al capitán de la guardia. Este se acercó hasta quedar junto a él—. Cuando llegue el día de mi funeral, no pagarás a nadie para que llore por mí —susurró. Gard elevó una de sus rubias cejas y miró al rey interrogante—. Hacen tanto ruido —dijo mirando a las plañideras y huérfanos contratados para llorar— que, si sonara mi campanilla,[4] nadie la escucharía —aseveró.

Gard asintió cuadrándose de hombros.

—El día que mueras, haré guardia en el interior de tu cripta hasta que mis huesos se desintegren —afirmó con seriedad.

Iolar, iracundo, fue a responder la afirmación vertida por su amante, cuando la súbita ruptura de la línea de luminarias y los abucheos y gritos de desdén procedentes de los caballeros sin tierras que cerraban el cortejo fúnebre llamó su atención. Al momento se vio rodeado por un muro infranqueable de soldados con los escudos levantados y las espadas prestas a defenderle.

Gard se aseguró de que sus hombres formaran un círculo protector alrededor del rey y luego se dirigió presuroso hacia el origen del alboroto. Probablemente alguien había comenzado a disfrutar del banquete —y del vino— antes de finalizar las exequias, pero aun así, quería asegurarse de que todo estuviera en orden. No era habitual que se dieran ataques en Madriguera de la Víbora, la capital del ducado de Neidr, pero tampoco podía obviar que, aunque tranquila, la frontera sur del reino del Verdugo era un blanco apetecible para los reinos aledaños.

Caminó a grandes zancadas hasta llegar el grupo de vasallos de Rousinol y Neidr que amenazaban al instigador del alboroto: un soldado de enmarañado cabello rojizo que mostraba señales de violencia en el rostro y apretaba una de sus manos contra el hombro izquierdo. De entre sus dedos brotaba la sangre, casi ocultando el emblema grabado en la ajada sobreveste que vestía. Gard se acercó y entornó los ojos, concentrado; el joven portaba el uniforme de los soldados de Sacrificio del Verdugo, y el emblema oculto por el rojo fluido no era otro que el del propio rey.

4. Referencia a una leyenda medieval que cuenta que se ataba un hilo a la muñeca de los fallecidos unido en el otro extremo a una campanilla. Si los fallecidos «despertaban» solo tenían que mover la muñeca para hacer sonar la campana y ser rescatados.

A una señal de su mano, los guardias que le acompañaban se abrieron paso entre los caballeros que acorralaban al muchacho y, prendiendo a este por las axilas, le obligaron a levantarse e ir junto a él.

El joven soldado cayó de rodillas ante el capitán, más por debilidad y dolor que por honrar al hombre al que debía lealtad y obediencia en nombre del rey.

—Te conozco —dijo Gard asiéndole de la barbilla y obligándole a levantar la vista.

—Sí, mi señor —farfulló el pelirrojo entre gemidos—. Fui uno de los que falló al rey en el bosque del Verdugo.

—Te destinaron a la frontera sur, estás lejos del límite que debes guardar —siseó Gard enfadado. Iolar había dado una segunda oportunidad al pelirrojo y el muy inútil la desaprovechaba—. ¿Qué motivo te ha traído hasta aquí?

—Fuimos atacados, señor. He cabalgado sin pausa para poder advertiros…

—¿Problemas con vuestras tierras, Neidr? Creí que habíais asegurado las fronteras para recibir el séquito del rey en el entierro de vuestra esposa —interrumpió el conde de Rousinol desviando la mirada al duque. Ambos se habían acercado al percatarse del alboroto. Uno para cuidar el buen nombre de su feudo, el otro para atacarlo.

—Este zarrapastroso miente. En mis tierras reina la paz, mi mesnada se ocupa de ello —se defendió Neidr—. Quizá vuestros soldados, Rousinol, se han afanado en catar los caldos con los que honraré el banquete y, enaltecidos, han decidido divertirse un poco con este pobre hombre. De todos es bien sabido el carácter batallador de los norteños.

—¿Estáis acusando a mis hombres de algo, Neidr? —le preguntó sibilino el conde.

—Basta —los interrumpió Gard, hastiado de la eterna rencilla entre ambos nobles—. ¿Quién os atacó y dónde? —interrogó al joven.

—No los pude identificar, capitán. Ocurrió poco antes del amanecer, cerca del páramo del Traidor, señor, el páramo que linda con el bosque del Verdugo —se apresuró a explicar el joven haciendo hincapié en el lugar del ataque—. Eran superiores en número y nos atacaron por la espalda. Nada pudimos hacer.

—¿Y solo tú has salvado la vida? —ironizó furioso Neidr mirando al herido.

No permitiría que nadie pusiera en duda la seguridad de sus fronteras, menos aún el día que el rey había acudido al entierro de su difunta duquesa.

—No será que pretendes ocultar alguna tropelía que hayáis realizado tú y tus compañeros…

—No busquéis excusas, duque; es la seguridad de vuestro feudo la que falla, no el ánimo del joven —se inmiscuyó Rousinol, luego alzó la voz y se dirigió a su hombre de confianza—. Lleva a este muchacho a nuestro campamento y ocúpate de sus heridas, es un héroe que ha tratado de defender la frontera de Neidr y a nuestro rey —apuntó socarrón.

—No —rechazó rotundo Gard antes de que Neidr pudiera decir nada—. Irá con el resto de nuestros soldados. —Algo en la mirada del pelirrojo le decía que necesitaba hablar con él, sin testigos.

—Pero, capitán, está herido. Quizá deberíais permitirle curar sus heridas para luego poder interrogarle con más… énfasis —propuso Rousinol con las pálidas cicatrices de su mejilla marcándose por la furia que sentía y no podía mostrar.

Gard no contestó, simplemente indicó con un gesto a sus hombres que levantaran al caído y le siguieran, después giró sobre sus talones y se dirigió presuroso al lugar en que el rey aguardaba.

—¿Y bien? —preguntó Iolar cuando llegaron hasta él.

—Majestad, debo hablar con vos… —jadeó el joven antes de que nadie le diera permiso para hablar.

Gard desenvainó con rapidez la daga que llevaba a la cintura y la colocó sobre la garganta del hombre. No era el lugar ni el momento para que hablase, había demasiados oídos pendientes de la conversación.

—Nadie te ha autorizado a hablar ante el rey —siseó feroz, advirtiéndole con la mirada de que mantuviera silencio.

Los ojos del joven se desviaron a un lado y otro, deteniéndose un instante en cada rostro desconocido que rodeaba al monarca. Sus labios permanecieron cerrados.

—Sé quién eres y dónde fuiste enviado. —Fue lo único que dijo Iolar ante el arranque violento de Gard.

—Majestad, el soldado asegura haber sido atacado en el páramo.

Iolar elevó la mano, ordenando al capitán que callara. La comitiva fúnebre se acercaba a la cripta y su lugar estaba allí, no parado en mitad de un círculo de soldados. Sin mediar palabra, penetró en la oscura gruta labrada por el hombre, se colocó junto al duque y los demás nobles y observó con gesto respetuoso cómo introducían el cuerpo envuelto en un fastuoso sudario en el lugar en que reposaría el resto de sus días. Esperó hasta escuchar el sonido de la piedra contra la piedra que sellaba el féretro y, cuando los llantos de las plañideras se elevaron de nuevo, dirigió la mirada al exterior de la cripta, donde un hombre herido esperaba arrodillado entre hienas con cuerpo de hombre.

—La duquesa está en su tumba. Mi palabra está cumplida —afirmó—. Acompañadme a mis aposentos, Gard, y traedlo con vos —dijo señalando al pelirrojo.

Solo el pulgar del monarca acariciando el anillo de cabellos castaños que siempre llevaba en el dedo anular le indicó a Gard la intranquilidad del rey.

—La dama del bosque está en peligro —susurró el pelirrojo en el mismo momento en que el capitán de la guardia cerró las pesadas puertas de madera de la estancia.

—¿La dama del bosque? —Iolar arqueó una ceja a la vez que se sentaba en un austero taburete de tres patas y se servía una jarra de vino.

—Es como llaman los hombres a la mujer que rescató al forajido en el bosque del Verdugo, majestad —explicó Gard de pie junto al pelirrojo. Iolar asintió con un gesto. Comprendía a quién se estaban refiriendo—. Habla.

—La dama del bosque está en peligro —repitió el muchacho tambaleándose.

La palidez de su rostro, sus marcadas ojeras y el temblor de la mano con que se sujetaba el hombro hablaban del padecimiento que estaba sufriendo. Pero ni el monarca ni el capitán de la guardia mostraron compasión por él.

El joven sacó fuerzas de flaqueza e irguió la espalda.

—Siguiendo las órdenes de Fear, estábamos montando guardia en la frontera sur, cerca de la senda del páramo del Traidor. Uno de mis compañeros se internó en el páramo para aliviar sus necesidades y regresó al poco, informándonos de que se había topado con un grupo de mercenarios que estaban tramando atacar a una mujer en el bosque. Nos dispusimos a detenerlos, pero nos estaban esperando… Nos emboscaron —dijo mirando a Gard—, eran superiores en número y uno a uno fuimos cayendo. Solo quedábamos dos cuando una espada me atravesó el hombro. Caí al suelo al mismo tiempo que la cabeza decapitada de mi compañero. —Miró arrepentido a Gard—. Solo yo salvé la vida, capitán. No me levanté, me hice pasar por muerto —confesó, agachando la testa—, pero no fue cobardía, majestad —afirmó levantando la cabeza y mirando al rey a los ojos—. Mientras nos masacraban, uno de los rufianes habló de darse prisa; debían ir al bosque Prohibido, apresar a la mujer salvaje y entregarla en Olla antes de que el sol se ocultara. No sé cuáles son sus planes ni a quién deben entregarla, majestad, pero allí habita la dama del bosque… —Hizo una pausa, temeroso de continuar—. Y sé que vos tenéis intereses familiares en ella —declaró tragando saliva—. Por eso decidí optar por la cobardía de una muerte falsa, para poder de esa manera escapar e informaros. Mi vida está a vuestro servicio, majestad —finalizó arrodillándose e inclinando la cabeza. Esperando el golpe de gracia de la espada del capitán de la guardia por confesar su cobardía e insinuar que la dama del bosque era hija del rey.

—Gard, reúne a tus hombres y que salgan inmediatamente hacia el bosque del Verdugo —ordenó Iolar levantándose y dirigiéndose hacia la puerta.

—¡Aguarda! —le exigió Gard, sujetándolo por el codo cuando pasó junto a él. Ambos hombres habían olvidado las férreas normas por las que se regían cuando no estaban solos—. ¿Adónde vas? —siseó cuando el rey intentó zafarse de su agarre—. No puedes pretender ir solo al bosque. Maldita sea, Iolar, espera al menos a que mis soldados y yo estemos pertrechados.

—Sois demasiado lentos —aseveró el rey dando un tirón que lo liberó de las garras de su amigo—. Mi hija está sola allí, sin nadie que la defienda. No me voy a quedar cruzado de brazos esperándoos.

—Si montas en tu diabólico semental, no podremos darte alcance; nadie te cubrirá las espaldas hasta que lleguemos. ¿Vas a arriesgar tu vida por unos pocos minutos de espera? —renegó Gard apoyando ambas manos sobre la puerta, impidiendo que Iolar la abriera.

—Si tu semental fuera el más rápido del reino, ¿esperarías a un atajo de pencos para defender a tu hija? —le preguntó a Gard mirándole a los ojos. El capitán de la guardia se apartó de la puerta—. Date prisa en llegar, viejo amigo —se despidió el rey recorriendo a grandes zancadas el pasillo que le llevaría hasta el patio de armas, y de allí a las cuadras, donde le esperaba su salvaje corcel.

—¡D´aois! —gritó Gard desde la puerta. Un segundo después un viejo vestido con la librea roja de Ciudad de Sacrificio acudió corriendo por el pasillo.

—Mi señor, el rey acaba de salir como si llevara el diablo en las botas —comentó—. ¿Ha sucedido algo con el alborotador pelirrojo? —preguntó extrañado. Todo el castillo se hallaba preso de las habladurías por la manera en que el rey se había hecho acompañar por un joven soldado herido.

—Manda un mensajero a Sacrificio del Verdugo, que le diga a Fear que quiero veinte soldados en el bosque Prohibido, solo hombres de confianza. Los quiero allí, ya —ordenó Gard sin dar ninguna explicación. No tenía tiempo que perder—. Mientras reúno a los hombres, asegúrate de que los mozos de cuadra tienen listos a los caballos —concretó abandonando la estancia—. Ah, y que Meddyg atienda las heridas de este soldado. —Se detuvo un instante para observar con ojos entornados al pelirrojo—. ¿Cuál es tu nombre?

—Coch, señor —contestó el interpelado, aún de rodillas y con la mirada fija en el suelo.

—En cuanto pueda mantenerse sobre un caballo, mándalo a Fear; quiero que lo adiestre para que entre a mi servicio. Su lealtad no puede desaprovecharse en las fronteras —afirmó, haciendo un gesto con la cabeza al soldado herido, que lo miraba estupefacto.

Gard no esperó a que D´aois asintiera a sus palabras, abandonó la estancia dirigiéndose con rapidez hacia el cuartel en que estaba alojada su guarnición. Cuando llegó, no le hizo falta ordenar que se pertrecharan; todos los hombres habían visto al rey montar el salvaje semental y cabalgar sobre él, veloz como el diablo que era, mientras abandonaba el patio de armas sin esperar a que se subiera por completo el rastrillo de la entrada al castillo.

Algo pasaba y estaban preparados para cumplir cualquier orden que recibieran.

Capítulo 15

*Érase una vez una caída inmerecida que se convirtió
en un injusto castigo.*

Poco después del amanecer, 15 de tinne (julio)

—No gusta pelo en tu cara —comentó Aisling cuando sintió la áspera mejilla de Kier contra su vientre.

—Si pudiera conseguir una navaja, me rasuraría —aseveró él deslizándose hasta el pubis de la muchacha—. Abre las piernas, Aisling. Estoy sediento.

Ella soltó una risita alborotada y se apresuró a obedecer.

Estaba en la gruta arbórea, tumbada de espaldas sobre el lecho de vestidos; a su lado Kier jugaba con sus labios sobre su vientre, disfrutando de la dulce languidez de su despertar.

—Eres tan hermosa. Tan deliciosa —susurró ensimismado.

Se movió hasta quedar colocado entre las piernas de la muchacha, con la cabeza a la altura del pubis. Colocó las rodillas de Aisling sobre sus hombros y se dispuso a gozar de un sensual desayuno.

Separó con los pulgares los pliegues vaginales y observó la pátina de brillante humedad que los cubría.

—Tan sublime —musitó frotando sus mejillas contra el interior de los muslos femeninos.

El aroma apasionado de la joven penetró en sus fosas nasales, haciéndole jadear de ansiedad. Necesitaba saborear su dulce savia, perderse en las profundidades de su cuerpo y sentir sobre la lengua los estremecimientos de placer que pronto recorrerían a la dríade.

—Tan embriagadora —murmuró mordiendo con sutileza la piel del interior del muslo.

El gemido solazado que emanó de los labios de la joven le

ánimo a continuar su recorrido. Trazó un sendero de húmedos besos hasta la enfebrecida vulva; la lamió volátil, deslizándose sobre la entrada de la vagina sin penetrar en ella, hasta que sus labios se posaron sobre el escaso y suave vello que cubría su pubis. Lo peinó con los pulgares mientras deslizaba la lengua de nuevo hasta su ombligo para a continuación hundirse en él.

—¡Tu barbilla pincha! —exclamó ella divertida.

La risa cristalina de su amada le hizo sonreír. Levantó la mirada y se vio reflejado en los ojos de ella, tan brillantes como la hierba bendecida por el rocío de la mañana.

Tan verdes, como los suyos propios.

¿Qué milagro había acaecido para que ahora los iris de Aisling fueran idénticos a los suyos?

Incapaz de obtener respuesta a su pregunta, bajó de nuevo la cabeza e hizo el recorrido inverso al que le había llevado hasta el tentador ombligo. Besó con cariño su vientre liso y frotó sus ásperas mejillas contra él. Las manos de su dríade se posaron en su coronilla y empujaron, instándole a seguir bajando.

Una sonrisa ladina asomó a sus labios.

—Siempre tan impaciente —se burló complacido.

Descendió hasta su sexo y abrió de nuevo los pliegues con los pulgares. La vulva brillaba, empapada por los exquisitos jugos que brotaban del interior de su vagina. Posó la boca sobre el clítoris enaltecido y succionó. El cuerpo femenino, dúctil y lánguido apenas un momento antes, tembló bajo él, tensándose.

Kier esperó inmóvil, inhalando profundamente el dulce aroma, hasta que los temblores cesaron. Entonces afiló la lengua convirtiéndola en una flecha y la deslizó sobre los separados labios hasta llegar a la entrada de la vagina, y, una vez allí, la endureció hasta dejarla plana. Sin llegar a introducirla, presionó con ella el mojado portal hasta que las caderas de su amada se alzaron, pegándose sus labios torturadores, instándole a cumplir la promesa no pronunciada.

Kier le sujetó los muslos con ambas manos y obligó a su impaciente dríade a volver a posar el trasero sobre el lecho de vestidos.

—No tengas prisa —comentó mirándola malicioso.

—Sí prisa. Te quiero dentro, ahora —exigió ella, jadeante, mientras se llevaba las manos hasta los pechos y comenzaba a jugar con ellos.

Kier sonrió ante su orden, una sonrisa que se convirtió en un ronco gemido al observar como ella apresaba los enhiestos pezones y tiraba de ellos, endureciéndolos, para a continuación jugar con las puntas enrojecidas que asomaban entre sus dedos. Obligándose a dejar de observarla, bajó la cabeza y frotó la nariz contra el clítoris, haciéndola jadear trémula bajo su caricia. La lamió, para luego aguzar la lengua y penetrar por fin en su interior.

Aisling gritó arrebatada, alzando de nuevo las caderas a la vez que colocaba las plantas de los pies sobre los hombros del hombre y se abría más para él.

Kier jadeó cautivado por la dulzura que bañó sus papilas gustativas y libó impetuoso, impregnando su paladar con el sabor de la joven, solazándose con el pensamiento de que la pasión de Aisling era la única con la que se había permitido saciar su sed.

Adoraba su límpida pureza, el dulce rocío que le salpicaba la lengua con cada caricia, los temblores inocentes y sinceros de la muchacha. Su impaciencia franca y espontánea, sus gestos libres de artificios, su mirada clara y las frases ininteligibles y entrecortadas que salían de sus labios en el apogeo del éxtasis.

Aumentó la potencia de sus embates, introduciendo la lengua con firmeza en la cálida estrechez, a la vez que posaba el pulgar sobre el henchido clítoris y comenzaba a frotarlo con movimientos circulares que hicieron arder las entrañas de la dríade. Continuó adorando su sexo hasta que los muslos de la joven se apretaron contra sus sienes y su aterciopelado interior le constriñó con fuerza el húmedo y flexible apéndice. Esperó hasta escuchar el ronco gemido que surgió de sus generosos labios, indicándole que era presa del éxtasis, y, entonces, apartó la boca de ella y se colocó entre sus muslos.

Respiró profundamente para intentar calmarse antes de entrar en ella. Tenía la verga tan dura y sensible que temía correrse al más mínimo roce. Los testículos le ardían, tensos e impacientes por vaciar su preciada carga. Cuando consiguió normalizar un poco la respiración, se aferró el pene con una mano y lo guio hasta el lugar que se moría por invadir.

Entró en ella con una única acometida. Su interior resbaladizo lo recibió gustoso, haciéndole jadear al sentir las paredes de la vagina ciñéndole con fuerza, envolviendo su verga en espasmos de pasión que le instaban a penetrarla más profundamente, hasta casi rozar con el glande la cérvix.

Embistió con rapidez una y otra vez, incapaz de detenerse, con las piernas de su amada sobre los hombros y sus manos ancladas en el pecho, arañándole las tetillas cubiertas de oscuro vello. Bebió la fresca suavidad de los labios de la dríade mientras su cuerpo se estremecía y sus testículos se descargaban, en una larga y deliciosa eyaculación, en el interior de la única mujer que había entrado jamás en su corazón.

Las sacudidas de placer recorrieron su ser durante un largo instante, que deseó no acabara nunca. Un instante durante el que disfrutó sintiendo la agitación del cuerpo femenino bajo el suyo, escuchando los gemidos guturales que escapaban de Aisling mientras saboreaba los besos que ella depositaba en sus labios. Cuando los latidos desbocados de su corazón retornaron a su lentitud habitual, elevó la cabeza y absorbió la claridad enamorada de los iris del color de la hierba de su amada.

Ella sonrió perezosa, haciéndole sentir como el único hombre sobre la tierra.

Él se dejó caer a un lado y cerró los ojos, asustado por la intensidad de sus sentimientos.

—Gusta mucho cuando pones boca en dulzura de Venus —susurró Aisling acurrucándose contra él.

—Adoro saborearte —susurró él cerrando los ojos.

Adoraba posar su boca sobre el sexo de Aisling y succionar cada gota de ambrosía que brotaba de ella. Jamás había pensado que algo que antaño le parecía tan repugnante pudiera ofrecerle ahora tanto placer.

Ella era la primera mujer a la que había saboreado. Y también sería la última. No podía imaginar el néctar íntimo de ninguna otra en sus labios.

Sonrió divertido al recordar la primera vez que la probó, el reparo con que comenzó a lamerla y el gozoso placer que sintió cuando ella estalló sobre su boca.

No era un experto en esa clase de juegos, y se alegraba de ello. Se enorgullecía de pensar que le había ofrecido la única experiencia que no había realizado jamás con nadie. Ese acto íntimo era el último resquicio de pureza que quedaba en su persona.

Aunque el resto del mundo pensara lo contrario.

Chupar el coño de sus clientas era algo a lo que siempre se había negado.

La única degradación en que no había caído.

Le bastaba con oler el pútrido olor alojado bajo las caras faldas de las «inmaculadas damiselas» para sentir náuseas. Necesitaba hacer acopio de toda su fuerza de voluntad para no vomitar sobre los lujosos escarpines cada vez que tocaba con los dedos los sucios coños o mientras las follaba con los falos de cuero…

Pero no siempre había sido así. Él antes era un hombre como otro cualquiera, que disfrutaba de las mujeres, de una buena partida de dados o de un trago de vino en compañía de los amigos. Hasta que un día, esa vida quedó atrás.

Fue una mañana de primavera, en el mercado de Sacrifico del Verdugo. Llevaba toda la mañana tras la vieja manta de lana extendida en el suelo en la que exponía las ollas y tallas que creaba. No había sido una mañana fructífera y mucho se temía que, como venía siendo habitual en los últimos tiempos, regresaría a Olla del Verdugo con la talega vacía. Estaba comenzando a recoger cuando una dama se detuvo frente a él y, tras fijarse en una de sus tallas, le propuso usar su talento para «otras cosas más apetecibles». En ese momento le pareció una buena idea. Por tanto, aceptó de buen grado la nueva vertiente de su negocio.

Al principio fue divertido proporcionar vergas de madera a las damiselas insatisfechas con sus maridos y amantes. Podía contar las compradoras que tenía con los dedos de una mano; no le exigían nada, excepto discreción y un trabajo bien hecho, y las ventas suponían un extra que le permitía darse algún que otro capricho.

Era un trabajo cómodo y rentable.

Pero en poco tiempo los rumores sobre sus servicios corrieron de salón en salón. Las compradoras dejaron de ser únicamente damas deseosas de obtener privada satisfacción, añadiéndose al elenco nobles mujerzuelas, ansiosas por lograr la polla más descomunal o la verga más lujosa. Meses después, comenzaron a hacerle ofertas para instruir a las damas en el uso de los falos. Ofertas que él aceptó de buen grado. Al fin y al cabo, el trabajo era fácil y beneficioso. Lo que nunca imaginó fue que esas mismas mujerzuelas vestidas de seda alardearían de los servicios que él les prestaba, que incluso los inventarían, convirtiéndole en el puto que no era.

Solo una vez se permitió joder con una de ellas, y no cobró por ello; fue un acto fruto de la curiosidad y el orgullo mal entendido, no del negocio ni del placer. Se folló a una condesita hastiada que le había retado a ser capaz de llevarla al orgasmo. Por qué no, pensó. Si ella gozaba con sus vergas de cuero, él tenía derecho a gozar de su caro y prestigioso coño. La llevó al orgasmo, sí, y él gozó al meter la verga donde solo un conde debería meterla. Al terminar, la astuta condesa le entregó una bolsa llena de monedas y le exigió que se mudara a una pequeña casa en el campo que ella le proporcionaría, junto a una buena renta, a cambio de sus servicios exclusivos.

La rechazó con rotundidad.

En sus pensamientos no entraba el privarse de la libertad para convertirse en el juguete de nadie. Nunca volvió a follar con ninguna dama, ni con ninguna mujer que no fuera una profesional del sexo.

El rumor de lo que había ocurrido con la condesa corrió de boca a oreja y pronto comenzaron a solicitarle jodiendas cuando entregaba sus trabajos. Como si fuera un puto. Pero no lo era. Solo que nadie le creía.

Los hombres con los que había compartido charlas y juegos comenzaron a apartar la mirada cuando le veían, dejando de dirigirle la palabra. Cuando entraba en la taberna de Olla, el silencio era tan palpable como la niebla en invierno; nadie quería tener tratos con un advenedizo que se mezclaba con los nobles gracias a sus artes amatorias. Las jóvenes que antes coqueteaban con él ahora se apartaban de su lado para no caer en el escarnio, mientras sus padres y hermanos le amenazaban con apalearle si ponía uno de sus sucios dedos sobre ellas. Las mujeres experimentadas con las que antaño compartía caricias, diversión y cópulas lo dejaron de lado; una cosa era follar con el artesano y otra muy distinta hacerlo con un puto.

Se había convertido en un paria.

Solo las mujeres de vida disipada le acogieron gustosas bajo sus faldas, a cambio de monedas, por supuesto. Y la verdad es que era más sencillo así, pagaba por un servicio y continuaba con su rutina. Hasta que fue torturado en la linde del bosque y le rescató una hermosa dríade de mirada límpida, sonrisa sincera y labios tan suaves como nubes.

Abrió los ojos y observó a la mujer que había traído luz a la oscuridad de su vida.

Estaba tumbada de lado, acurrucada contra su pecho, escuchando silente los latidos de su corazón. Le sonrió feliz y depositó un casto beso sobre su torso velludo.

—Gusta tu pelo aquí —murmuró enredando los dedos en el ensortijado vello de su pecho—, pero no aquí —afirmó de nuevo a la vez que le besaba la barbilla—. Pincha.

—Quejica —musitó él perdido en sus ojos.

—No quejo, solo digo —refunfuñó ella—. Gusta ver tu cara cuando tiemblas y jadeas sobre mí. Gustan tus labios cuando se abren y escapan suspiros de ellos… ¡y con barba no puedo ver bien! —exclamó indignada haciéndole reír—. No rías. Digo en serio —afirmó enfadada.

Kier se movió, la apresó entre sus brazos y la obligó a sentarse a horcajadas sobre él.

—Ah, mi caprichosa dríade, te juro que en cuanto tenga oportunidad me libraré de la barba que no te deja verme cuando tiemblo sobre ti… pero ahora eres tú la que estás sobre mí, y nada me haría más feliz que verte temblar —dijo sujetándola por la cintura para colocarla sobre su pene erecto—. Concédeme ese placer.

Capítulo 16

Érase una vez un rey que cabalgó más veloz que el viento.

Antes del mediodía, 15 de tinne (julio)

—Maldito pelirrojo hijo de mil madres —siseó entre dientes a la vez que tiraba con rabia su espada de gala sobre el lecho.

Se mantuvo inmóvil en mitad de la cámara, respirando profundamente en un intento de contener la furia que anegaba sus pulmones. Su magnífico plan podría fracasar por culpa de un pelirrojo imberbe con un exagerado sentido de la lealtad que no había sabido morir con honor.

No le había resultado difícil enterarse de lo ocurrido.

Una vez que el rey hubo partido como alma en pena, seguido poco después por el sodomita de su capitán y sus soldados, los rumores habían corrido raudos por todas las estancias del castillo. La única persona ignorante de lo ocurrido era la fallecida duquesa. Bufó enfadado, tantos planes para hacerla morir en el día preciso y no había servido de nada. Para el caso, lo mismo podía haberla mandado matar una semana antes.

Unos golpes en la puerta lo sacaron de sus cavilaciones y se dio la vuelta para recibir a Grefftus, su hombre de confianza.

—He mandado a uno de mis hombres tras los pasos del rey. Nos informará sobre lo que acontezca —dijo el coloso cuando cerró la puerta—. Tiene órdenes de matar a Dùr y sus hombres en el caso de que sean apresados, no hay riesgo de que cuenten lo que nadie debe saber.

—Bien —asintió el noble, satisfecho. Grefftus valía cada una de las muchas monedas de oro que le pagaba—. No obstante, ve a Olla del Verdugo; el plan aún puede dar sus frutos si consiguen escapar del rey, o si la guardia llega demasiado tarde. No quiero que Dùr llegue allí con la mujer y se encuentre con que nadie le espera.

—¿Y si no se presenta? —preguntó el coloso.

—Averigua qué ha ocurrido, si la mujer ha logrado escapar y continúa aún en el bosque, o si el Impotente la ha capturado. Y si ese es el caso, quiero saber dónde la oculta —siseó feroz el noble.

El coloso asintió una sola vez con la cabeza y se dio la vuelta en dirección a la puerta, presto a cumplir la voluntad de su amo.

—Grifftus —le llamó con voz acerada—. Si Dùr y sus hombres se presentan en Olla con la mujer, ponla a buen recaudo y, luego, mátalos. No conviene dejar cabos sueltos.

El noble esperó impasible hasta que el coloso abandonó la habitación y, al punto, comenzó a recorrer con grandes zancadas la estancia, observando los tapices que colgaban de las paredes. Mientras se recreaba en las violentas escenas de batallas, fue trazando un nuevo plan. Por mucho que Grifftus asegurara que Dùr y sus hombres morirían en caso de ser apresados, nunca estaba de más prever posibles contingencias.

No regresaría a Sacrificio del Verdugo hasta tener la certeza absoluta de que el rey continuaba ignorante de sus ambiciones. Al fin y al cabo, tenía su propio feudo y un hermoso castillo. No era necesario acudir a la corte inmediatamente. Pero… en cuanto se viera libre de toda sospecha, regresaría. Sacrificio del Verdugo era la ciudad en la que gobernaba el padre de su amada, y él necesitaba obtener toda la información posible para poder secuestrarla.

Iolar tiró de las riendas, deteniendo el veloz galope de su semental. Ante su vista comenzaban a aparecer los primeros serbales que indicaban el final del páramo del Traidor y el comienzo del bosque del Verdugo.

Impuso a su caballo un trote ligero, consciente de que pronto se hallaría inmerso entre la espesura y los sonidos de la floresta, los cuales ocultarían a los malhechores, lo cal le haría imposible prever cualquier ataque. No obstante, el bosque era enorme; tampoco sería fácil toparse con ellos.

Decidió avanzar hacia el claro para, una vez llegara a la muralla de ramas, recorrer su perímetro hasta encontrarlos. Después… simplemente los mataría. Nadie que osara atacar a su hija quedaría libre de su ira.

Detuvo su montura cuando aún faltaba un buen trecho para llegar a la primera hilera de robles. La barrera arbórea, que normalmente no se revelaba hasta que él se encontraba a pocos pasos, se mostraba en ese momento tupida e infranqueable. Observó vigilante su alrededor. El viento apenas mecía las hojas de los árboles y las aves que habitualmente tomaban el cielo estaban ausentes.

Dio unas palmadas en el cuello de su semental y escuchó con atención.

El bosque estaba silente. Asustado.

Sintió un zumbido a su espalda y volvió la cabeza.

Nada pudo ver, excepto negra oscuridad.

—Buen disparo, Dùr —exclamó un hombre zarrapastroso saliendo de detrás de un grueso serbal, cuyos rojizos frutos se hacían eco silencioso de la sangre vertida por la herida del rey—, le has dado en toda la testa.

El aludido sonrió satisfecho y guardó de nuevo la honda en el interior de sus calzones. No hacían falta afiladas espadas ni caros arcos para acabar con los señoritingos, bastaba una buena pedrada en la cabeza.

—Ya os dije que alguno vendría a ver por qué los soldaditos no habían regresado al cruce —indicó escupiendo junto al rostro del noble caído.

—Pero este no es un soldado cualquiera. Por las ropas que lleva parece un tipo importante. Y mira su caballo, no ha huido espantado… —comentó uno aferrando las riendas del semental. El animal se puso de manos, corcoveó hasta verse liberado y luego volvió a colocarse cerca de su amo—. ¿Qué hacemos con él?

—Deja el caballo, no parece que tenga intención de escapar y ahora mismo no tenemos tiempo que perder con jamelgos estúpidos. En cuanto a este —dijo dando una patada al cuerpo desmayado de Iolar—, quizás alguien nos dé algo por él… Quién sabe qué enemigos tiene. Solo es cuestión de averiguarlo y venderlo al mejor postor. Átalo a un árbol y empecemos de una maldita vez —ordenó mirando al cielo—, aún nos falta capturar a la zorra y llevarla hasta Olla.

Capítulo 17

*Érase una vez una mujer que midió la integridad de un hombre
por su conducta, no por su profesión…
aunque este no la creyera.*

Antes del mediodía, 15 de tinne (julio)

Aisling elevó la mirada al cielo y calculó que aún faltaba un buen rato para el mediodía. Colocó el último racimo de grosellas junto a las moras, fresas y melisas que contenía el cesto que llevaba en las manos y comenzó a caminar hacia el claro.

Kier la siguió con el ceño fruncido portando su propia cesta llena de frambuesas silvestres, arándanos, hayucos y brotes de lúpulo. Se estaba cansando de comer siempre lo mismo.

Se sentaron sobre el suelo blando del claro, pero en lugar de comenzar a comer como siempre hacía, Aisling permaneció taciturna, acariciando con ternura su vientre, perdida en sus pensamientos.

—¿En qué piensas? —le preguntó Kier posando su mano sobre la de ella.

La joven parpadeó dubitativa un par de veces antes de centrar su mirada en el rostro del hombre.

—Voy a pedir navaja a padre próxima luna nueva —se decidió a decir. No le mentía; le molestaba la barba, aunque, a decir verdad, este hecho ocupaba una parte muy pequeña de sus pensamientos.

—¿Qué? —Kier entornó los ojos.

Había esperado que ella le dijera la razón por la que a veces se quedaba en silencio, intensamente concentrada en lo que le decían los árboles, en aquellas mágicas conversaciones que él, por alguna extraña razón, podía escuchar aunque no entender, conversaciones que ella se negaba a contarle.

—Padre viene a claro cada luna nueva —explicó—. Le pediré navaja cuando vuelva a verle. Así quitaremos barba de tu cara —afirmó sonriendo.

—De paso podrías pedirle que me afeitara él. Seguro que estaría encantado.

—¿Por qué padre encantado de afeitarte? —le preguntó desconcertada.

—Porque así podría rebanarme la yugular con sus propias manos —auguró Kier en tono sombrío tumbándose bocarriba.

—¡No! —jadeó Aisling aterrada—. Padre no haría eso.

—Por supuesto que sí. En cuanto el rey ponga sus regias zarpas sobre mí, se apresurará a arrancarme los cojones y hacérmelos comer crudos. Nada le dará más placer que eso… —aseveró feroz, repentinamente enfurecido con el bosque, los robles y los lobos que jugaban retozones cerca de ellos.

Todos ellos pertenecían a ese lugar. Todos ellos podían gozar de la amistad desinteresada que Aisling les brindaba. Ninguno de ellos temía ser capturado por los secuaces del rey. Ninguno sabía lo que era vivir en el paraíso con el constante temor de saber que algún día se vería obligado a marcharse.

—¡No! Padre no hace eso. Yo obligo a prometer que no te tocará, que jamás permitirá que se derrame tu sangre —aseveró ella implacable, posando las manos sobre las mejillas rasposas de Kier y obligándole a mirarla—. Yo prometo que padre no te separará de mí. Yo no lo permito. Nunca.

—Mi preciosa niña, no es tan sencillo de prometer —replicó Kier arrepintiéndose de su mal humor al ver la mirada asustada de la muchacha.

—¡No! Tú mira mis ojos. ¡Mira! —exclamó sentándose a horcajadas sobre sus muslos y clavando la mirada en él—. Tú mío aquí —aseveró tocándose el corazón—, y aquí —e llevó los dedos hasta sus propios ojos—. Nadie te separa de mí si tú no quieres. Yo defiendo lo mío —aseguró feroz—. ¿Defenderás tú lo tuyo? —preguntó entornando los ojos.

—Sí. Y tú eres mía. Tus ojos, tu corazón y tu cuerpo entero me pertenecen —respondió él con idéntica ferocidad a la vez que se sentaba erguido y la cobijaba entre sus fuertes brazos.

—Promete, Kier —le exigió—. Promete que no permitirás que nadie te separe de mí si tú no quieres.

—Prometo que nadie me separará de ti —aceptó. Y antes de que ella pudiera hacer nada, añadió su propia promesa—. Prometo que no te dejaré alejarte de mí sin antes luchar hasta perder mi propia vida con tal de mantenerte a mi lado.

Aisling jadeó al escuchar la fiereza de su juramento. Era más de lo que nunca ningún hombre había prometido a una dríade. La promesa de permanecer toda la eternidad a su lado, aun a costa de su propia vida, era algo tan inusitado como imposible, pero no por eso su compromiso era falso. La sinceridad que destilaban las palabras de Kier en ese mágico claro sellaba una promesa que nadie antes se había atrevido a hacer.

—Prometo no alejarme de ti, si tú no quieres, aunque deba luchar por ello con mi propia vida —juró ella a su vez, sellando un pacto que jamás podría romper.

Un pacto fiero y peligroso que podía llevarla a la muerte con rapidez si él la obligaba a vivir entre los muros de piedra de la ciudad. Pero… qué mejor muerte que esa, a su lado, junto a él.

—Dríade estúpida —siseó su madre al leer sus pensamientos—, lo mismo pensé yo. La muerte es demasiado amarga como para tomarla a la ligera. Prometes lo que nunca deberías verte obligada a cumplir.

Aisling levantó la cabeza, herida al escuchar la afirmación de Fiàin. Kier no haría eso, él no era como su padre. Ni siquiera su padre era como su madre pensaba.

—Aisling, ¿qué te ocurre? —preguntó él, alarmado por el fugaz dolor reflejado en los ojos de su amada.

—Madre enfadada por promesa que he hecho —declaró frunciendo el ceño y mirando el roble con el rostro grabado en el tronco—. ¡Yo feliz! —gritó rabiosa al árbol—. Feliz porque sé quién es Kier, sé que sus promesas son sagradas como las mías —afirmó levantándose del regazo masculino—. Fiàin teme por mí —le explicó a su hombre—. Pero yo no temo. Yo segura de ti —sentenció—. Ahora, hambre. Comamos.

Se sentó con las piernas encogidas sobre el suelo y comenzó a sacar de los cestos los frutos que habían recolectado en el bosque.

—¿Tienes hambre? —le preguntó al ver que la miraba asombrado.

—Eh… sí, claro —habló él sin saber bien qué decir.

Su fiera dríade no cesaba de sorprenderle. Acababa de prometerle amor eterno, para, un momento después, enfrentarse a su madre y asegurarle a todo el bosque que creía en él con sinceridad tal que toda su piel se erizó de placer al escucharla. Y ahora estaba tan tranquila, sentada en el suelo, comiendo fresas.

Prorrumpió en estentóreas carcajadas, asombrado de poder reír en el momento más importante de toda su vida. Ella arqueó una ceja y le tendió una fresa.

—¿Fresas te parecen divertidas? —preguntó extrañada.

—Si quieres que te sea sincero, estoy harto de comer bayas —comentó sin dejar de sonreír. Si su dríade podía enfrentarse a su madre y hablarle a él con certera franqueza, él debía hacer lo mismo.

—No solo comes bayas; también raíces, hongos, semillas, bellotas… —comentó confusa—. Bosque provee.

—No soy una ardilla —apuntó con cierto sarcasmo—, aunque como siga con este tipo de peculio, me acabarán creciendo las paletas —dijo tocándose los dientes—. Mataría por un enorme y grasiento jabalí asado —afirmó tendiéndose de espaldas en el suelo y cerrando los ojos.

Solo había comido jabalí una vez, cuando era apenas un niño deslumbrado por el lujo y las sedas durante los esponsales del duque de Neidr. Su madre le había llevado desde Olla del Verdugo hasta Madriguera de la Víbora, con la esperanza de conseguir alguna de las monedas que la nueva duquesa tiraría desde la barbacana para celebrar sus desposorios. Habían permanecido frente a la entrada del castillo junto al resto de los aldeanos, esperando ansiosos. Pero en lugar de eso, el duque había decidido compartir con el pueblo las sobras del banquete. Su paladar aún recordaba el sabor del trozo de jabalí que logró arrebatar de las manos a otro chiquillo.

—Aunque tampoco haría ascos a un conejo o una panzuda perdiz. Incluso pelearía por un buen caldo de gallina y una hogaza de pan de mijo —continuó hablando con los ojos cerrados—. En la taberna de Sacrificio del Verdugo sirven un estofado de cordero con cebollas y nabos que haría levantarse a un muerto, y a veces lo acompañan de…

Aisling le escuchó, asustada por la precisión con que describía cada vianda. No se le había ocurrido pensar que él echara de menos la comida de la ciudad.

—Pronto añorará su lecho de lana, las paredes de piedra, las calles embarradas, la indumentaria con la que cubren sus cuerpos los hombres, la conversación con otros iguales a él… y te apremiará para que cumplas tu promesa y lo acompañes a la ciudad. Te obligará a cubrirte de pies a cabeza, te exigirá que te comportes como si no sintieras ni respiraras, y te convertirá en un adorno con el que destacar ante sus pares. Te recluirá entre muros de piedra y te dejará morir alejándote del bosque —susurró Fiàin con rencor—. Es un hombre, y como todos los machos, te exigirá que te pliegues a sus órdenes. Líbrate de él ahora que puedes, antes de que te encierre entre muros de piedra, antes de que te aleje del bosque y de mí.

—Mientes, Fiàin —murmuraron Milis y Grá con sus voces gemelas—. Kier pertenece al bosque ahora. Es la envidia la que habla por tus hojas. No puedes olvidar a los hombres que no supiste conservar y envidias la suerte de tu hija.

—Soñadoras estúpidas —musitó Darach, el roble retorcido—. Te abandonará horrorizado cuando descubra que su semilla ha germinado en tu interior. Nuestras hijas son para ellos abominaciones de las que deben deshacerse.

—¡No! —gritó Aisling horrorizada.

Las ramas de los robles prorrumpieron en un atronador rumor de crujidos y chasquidos alterando la paz del claro.

—¿No? —Kier abrió los ojos asustado por el grito y el alboroto que se había formado.

Observó a su amada y el corazón se le oprimió aterrorizado. La piel dorada de la joven había palidecido, sus pechos subían y bajaban con espasmódica rapidez, las manos se crispaban abrazando su regazo, y su cuerpo se mecía adelante y atrás, ensimismado por los sonidos que solo ella podía escuchar.

—Aisling, ¿qué ocurre? ¿Qué te están diciendo? —preguntó mirando a su alrededor a la vez que la envolvía entre sus brazos.

Los árboles parecían furiosos; sus ramas se sacudían, acercándose las unas a las otras, como si quisieran pelearse entre ellas. Unos segundos después un atronador ruido silenció la trifulca que se había formado. Máthair Mór, el roble gigante que se alzaba orgulloso en un extremo del claro, había cobrado vida. Sus enormes ramas se extendieron y elevaron, tapando el cielo como si fuera un tejado viviente y muy enfadado. Los robles que rodeaban el claro parecieron encogerse bajo la agitación de sus hojas.

—Al igual que todas mis hijas, solo Aisling puede elegir su destino.

Los demás robles permanecieron en silencio, respetuosos ante sus órdenes.

—¿Qué ha pasado? —susurró Kier bajo las tinieblas en que les había sumergido el gran roble al ocultar con sus ramas el cielo.

—Máthair Mór, Gran Madre, ha hablado.

—¿Qué ha dicho? —preguntó tragando saliva al ver que una de las enormes ramas comenzaba a agitarse sobre su cabeza.

—Que solo yo puedo elegir mi destino —contestó ella mirándole.

—Dile que yo soy tu destino —exigió él—. Diles a tus robles que no me pienso marchar por mucho ruido que hagan —ordenó alzando la cabeza desafiante, al entender por fin qué había causado el alboroto.

El titánico roble sacudió con fuerza sus ramas, dejando caer una lluvia de hojas sobre la pareja, para a continuación replegarlas a su posición inicial alrededor del claro con un quedo susurro.

—¿Qué ha respondido? —preguntó Kier sin dejar de mirar al enorme árbol. Aún esperaba que este alzara de nuevo sus ramas y le arrancara la cabeza de un golpe.

Había sido una estupidez enfrentarse a los protectores habitantes del bosque, pero no estaba dispuesto a dejarse amilanar por ellos.

Aisling era suya.

Nadie le alejaría de ella, ni los robles mágicos ni el rey Impotente.

—Le gustas. Le gusta tu carácter. Dice que eres como Iolar, pero que donde padre no supo entender, tú sí sabrás —afirmó mirándole con intensidad.

—Le gusto —repitió Kier satisfecho. Inclinó la cabeza, agradeciéndole con ese gesto al anciano roble su inesperada aprobación. Luego entornó los ojos, pensativo—. ¿Soy como tu padre? ¿A Gran Madre le gustaba el rey?

—Máthair Mór asegura que padre recuperará cordura y entenderá. Madre no la cree. Pero Máthair Mór posee sabiduría de siglos. Nunca equivoca.

Kier arqueó las cejas, incrédulo. Por lo que él sabía, el rey Impotente no era de los que cambiaba de opinión, ni aunque estuviera equivocado.

—¿Por qué no cazas con *Blaidd* y *Dorcha*? —le preguntó Aisling de repente.

—¿Qué? —La miró aturdido por el cambio en la conversación.

Aisling nunca se molestaba en hablar con subterfugios o en buscar la manera de llevar una conversación hacia donde quería, simplemente lo decía sin más. Y eso era algo que adoraba de ella.

—Quieres comer otra cosa, dices jabalí y conejo. Esos animales viven en bosque. *Blaidd* y *Dorcha* los cazan, tú puedes hacer igual —afirmó la joven con una radiante sonrisa en los labios. Si lo que él echaba de menos era comer carne, no necesitaba ir a la ciudad para conseguirla; el bosque estaba plagado de jabalís, liebres, ciervos…

—¿No te molesta que cace? —inquirió incrédulo—. Pensé que… Bueno, tú no comes más que frutas y hojas… y las leyendas dicen que no te gusta que cacen en tu bosque…

—Hombres a veces cazan animales y los dejan pudrirse en bosque. Los odio cuando matan por placer —siseó furiosa—. Cuando cazan para comer, es ley de bosque. Lobo mata a ciervo y se lo come. Ciervo arranca bayas y se las come. No malo. Si quieres comer carne, caza con *Blaidd* y *Dorcha*. Ellos enseñan a ti.

—No necesito que me enseñen a cazar —apuntó con orgullo, entusiasmado ante la idea de poder demostrar a Aisling su pericia—, soy muy diestro con el arco y las flechas. Ningún lobito puede superarme.

—Pero no tienes arco y flechas —rebatió Aisling divertida al ver como Kier hinchaba el pecho como una perdiz.

—El bosque proveerá —afirmó él guiñándole un ojo.

Estaba rodeado de árboles, sobre todo de robles. Y a falta de tejos, la del roble era la mejor madera para hacer un arco flexible y resistente. Solo tenía que dar con la rama adecuada y darle forma. Y tallar madera era el trabajo que mejor sabía hacer.

Sin dejar de elucubrar sobre las medidas de su futuro arco, tomó una fresa del cesto y la hizo saltar sobre su mano para a continuación recogerla con pericia y volverla a lanzar hacia el cielo. Necesitaba un cordel. La fresa volvió a caer y de nuevo la lanzó, esta vez mucho más alto. Un fino cordón de cuero. Conseguir la cuerda iba a ser más complicado, aunque quizá podría convencer a *Blaidd* de que le dejara desollar alguna de sus presas antes de que la devorara. La fresa trazó una parábola perfecta antes de volver a caer en la palma de su mano. Estaba a punto de volver a lanzarla al aire cuando Aisling se la arrebató.

—No se juega con comida —le regañó divertida llevándose el fruto a la boca. Lo succionó muy lentamente, y después le dio un pequeño mordisco para a continuación frotar los labios de Kier con ella.

Kier se apresuró a arrebatárselo de entre los dedos con los dientes. El sabor de la fresa, dulce y ácido a la vez, inundó sus papilas gustativas a la vez que el sonido claro y fresco de la risa de Aisling le llenaba los oídos.

La joven posó las manos sobre sus hombros y le obligó a tumbarse de espaldas sobre el suelo, a continuación se inclinó sobre las cestas y eligió una encarnada frambuesa.

—¿No gustan los frutos del bosque? —le preguntó burlona—. A mí me encantan.

Aisling jugó con la frambuesa sobre la boca del hombre, hasta que él abrió los labios y se la comió divertido. Luego cogió otra, esta vez negra, y la hizo rodar sobre el torso masculino hasta que, de repente, la aplastó sobre uno de los pequeños pezones. Se inclinó despacio hacia él y lo lamió con fruición.

Kier inspiró profundamente cuando la sintió apresar entre los dientes su tetilla y tirar de ella. El placer estalló en cada una de sus terminaciones nerviosas. Fijó su mirada en el rostro cautivador de la joven dríade y esta le sonrió cómplice mientras cogía una mora.

—Es una pena que no te gusten frutos de bosque. Son muy sabrosos —afirmó aplastando la mora entre los dedos, para a continuación pintar con su jugo el vientre del hombre.

Aplastó una mora tras otra, y jugueteó con ellas hasta que el abdomen masculino estuvo cubierto de néctar azulado. Luego se llevó un arándano a la boca, lo sujetó entre los dientes y le dio vueltas con la lengua, empapándolo en saliva. Bajó la cabeza con lentitud y lo insertó en el ombligo del hombre. Cada uno de los músculos masculinos se tensó trémulo, expectante.

Aisling se incorporó perezosa y admiró su obra.

Kier se mantenía tumbado de espaldas en aparente languidez, pero su respiración acelerada, las manos crispadas en puños, el sudor que le cubría las sienes y la imponente erección que se elevaba ávida en su ingle daban buena muestra de que no estaba tan tranquilo como quería aparentar.

Aisling arqueó una ceja, envolvió con una mano el rígido pene y posó el pulgar sobre el glande, brillante por las gotas de líquido preseminal que escapaban con timidez de la uretra. Sin dudarlo un segundo, comenzó a frotarlo en lentos y sutiles círculos que hicieron jadear al hombre. Y mientras él abría las piernas y elevaba las caderas entre gemidos, ella se inclinó de nuevo y comenzó a lamer con la punta de la lengua el jugo de las moras sin dejar de masturbarlo con provocadora lentitud.

Kier apretó los puños, aferrando manojos de hierba, y gruñó enfadado al pensar que estaba a punto de derramarse sobre su mano sin haber sido capaz de proporcionarle siquiera un poco de placer. Intentó incorporarse, dispuesto a obligarla a tumbarse sobre el suelo y devorarle el sexo hasta que la escuchara gritar, pero ella ejerció más presión sobre su pene y el ramalazo de placer que le recorrió el cuerpo convirtió sus músculos en temblorosa gelatina incapaz de acatar sus propias órdenes. Aisling solo necesitaba tocarle para que él se volviera loco y perdiera por completo el control de su cuerpo.

La observó buscar en los cestos hasta encontrar una pequeña grosella roja. Contempló excitado cómo se la metía en la boca y comenzaba a jugar con ella con la lengua. Cerró los ojos, rendido, cuando ella bajó la cabeza y le besó la corona del pene, y volvió a abrirlos, asombrado y confuso, cuando sintió algo jugar con la abertura del glande. Algo muy suave y terso, pequeño y redondo, que presionaba contra la uretra, introduciéndose un poco en ella para a continuación ser absorbido por los labios insaciables de la dríade. Sintió la lengua de Aisling aletear sobre la sensible piel del frenillo mientras «eso» seguía sobre su uretra y ella lo acariciaba con el pulgar, presionándolo y soltándolo sin pausa.

Se incorporó sobre los codos e intentó averiguar qué estaba haciéndole, pero en ese momento ella abrió los labios y le devoró la polla frotándola con «eso» duro y suave que mantenía sobre su lengua.

Kier echó la cabeza hacia atrás y gritó de placer. Y en ese momento fue consciente de dónde estaban. En el claro del bosque. Rodeado de los robles que componían la familia de la dríade.

—¡Aisling, para! ¡Detente! —rogó avergonzado sujetándole la cabeza con las manos y obligándola a separarse de él, aunque casi le costó la cordura hacerlo. Estaba al borde del éxtasis.

—¿Por qué? —preguntó ella sacándole la lengua juguetona. Sobre ella estaba la pequeña grosella, brillante por la saliva que la bañaba.

—¡Por el amor de Dios! Estamos en mitad del claro, todos los robles nos están viendo.

—No tienen ojos. No ven —afirmó ella volviendo a bajar la cabeza.

—¡Aisling! —exclamó sujetándola de nuevo.

Ella se zafó de su agarre, se colocó a horcajadas sobre él, acomodando la enorme y dolorida verga entre sus labios vaginales, y le sujetó las muñecas contra el suelo.

—Hacer el amor no es malo. Es natural —dijo mirándole fijamente—. Me gusta sentir el sol sobre la cara cuando estás dentro de mí —afirmó meciéndose sobre él—. No quiero esconder en cueva lo que hacemos. No es una afrenta. Es bueno. Mira mis ojos y siente mi orgullo. Hacer el amor es especial. No te avergüences de nosotros —musitó besándole para a continuación deslizarle la lengua por el torso.

Kier asintió y centró su mirada en ella. Comenzaba a entender lo que ella sentía. Para su amada dríade el sexo era tan natural como la vida en el bosque. No se avergonzaba de ello, y que él sí lo hiciera para ella significaba que lo consideraba algo malo, sucio. Y no lo era. Ni lo sería nunca. No allí. Ese claro era el único territorio verdaderamente libre que aún existía sobre la tierra. El único lugar donde los sentimientos podían expresarse sin tapujos ni engaños, un paraje mágico donde podían gozar del amor sin los muros de convenciones en las que lo sepultaban las normas de la sociedad. El único lugar en el que Aisling podría vivir siendo ella misma, como por fin había logrado entender. Si alguna vez se veía obligada a abandonar aquel bosque mágico y vivir entre los muros de la ciudad, las reglas la asfixiarían, ahogando poco a poco su vitalidad sincera y espontánea hasta convertirla en un fantasma. Como había pasado con su madre.

Cerró los párpados y negó con la cabeza. Había encontrado el paraíso allí, con ella. ¿Por qué iba a abandonarlo? Ni el rey ni sus soldados podían entrar en el bosque, la arbórea familia de su dríade lo impedía.

Abrió los ojos, miró a su alrededor y sonrió a los robles.

«Debéis acostumbraros a mí —pensó con fuerza—. No voy a irme jamás.»

Milis y Grá agitaron sus hojas felices, Fiàin hizo crujir sus ramas y el resto de los robles le ignoraron.

Kier no pudo evitar reír sonoramente al pensar que estaba hablando con los árboles.

La risa murió en el mismo instante en que sintió la lengua de Aisling recorrerle lentamente la polla, llegar a los testículos y albergarlos en el interior de la boca. La pequeña grosella seguía allí, otorgando cierta dureza a la suavidad con que lo lamía y succionaba.

Abrió más las piernas y elevó las caderas a la vez que un jadeo escapaba de entre sus labios. Un jadeo que se convirtió en gruñido al sentir uno de los dedos de Aisling adentrarse en la grieta entre sus nalgas y tentar el fruncido orificio que se ocultaba entre ellas.

Tensó los glúteos e intentó alejarse, turbado. Pero ella succionó con más fuerza sus testículos y presionó en el ano hasta introducir la yema del dedo en él.

—¡Para! —ordenó entre sorprendido y enfadado—. ¿Qué puñetas haces?

—El amor —respondió ella, mirándole confusa.

—¡Esto no es hacer el amor! Esto es… —Hizo una pausa sin saber bien como continuar—. ¡No soy un jodido sodomita como tu padre! —estalló indignado.

—Tú juegas con el trasero de mujeres. Metes pollas de madera en sus culos, como si estuvieras haciendo el amor —rebatió confundida. No entendía por qué Kier se había enfadado tanto.

—¿Cómo sabes tú eso? —siseó él poniéndose en pie.

—Te vi cuando jugabas con ellas —respondió ella levantándose a su vez.

—Me observabas cuando las follaba con… —Se calló a la vez que daba un paso atrás, alejándose de ella. Estaba atónito. Aisling no debería saber eso. ¡No podía saberlo!

—Con pollas raras, sí —completó ella la frase—. Me gustaba mirarte. Yo conté a ti.

—Pensé… Pensé que la primera vez que me viste fue el día que me apresaron —dijo buscando algo con lo que cubrir su desnudez. De repente se sentía muy expuesto. Vulnerable.

—No. Primera vez que te vi fue hace muchas lunas. Estaba jugando con *Blaidd* y *Dorcha* bajo serbales y escuché ruido. Me acerqué a ver qué ocurría, y eras tú. Jugabas con mujer de pelo color paja bajo eucalipto. Sentí curiosidad, trepé al árbol y observé —confesó extrañada por el nerviosismo que mostraba él—. Cuando acabaste, ella se llevó la polla de madera y te dio… —entornó los ojos, intentando recordar la palabra que había dicho su padre— … monedas.

—Me viste —susurró humillado. Ella no debería haber visto eso.

—Sí —respondió Aisling sin entender por qué su amigo le daba tanta importancia a eso.

Kier dio un nuevo paso atrás sin dejar de mirar a su alrededor. Necesitaba desesperadamente encontrar algo con lo que cubrirse, algo que impidiera que Aisling le viera como realmente era, pero ninguna prenda podría lograr eso. Ella había descubierto lo que era, lo que hacía para ganarse la vida. Y le había elegido justo por eso.

Se sujetó el estómago con ambas manos, estaba a punto de vomitar.

—Por eso me escogiste a mí en vez de a cualquier otro. Porque me viste follar a las damas y darles placer —siseó con rabia—. Por eso me salvaste. Hubiera sido un desperdicio que perdiera la polla a manos de los soldados de tu padre, cuando tú podías disfrutar mucho con ella —apuntó con ironía.

—No entiendo lo que dices —musitó Aisling—. Yo no te escogí, lo hizo mi corazón. Y sí, te vi follar a damas y me intrigó. ¿Es malo sentir curiosidad? —preguntó confundida—. Y te salvé, sí, igual que a cualquier persona o animal; nadie debe sufrir para que otros se diviertan. Y sí, disfruto de tu polla. Ya lo sabes —afirmó extrañada. Kier se estaba comportando de un modo muy raro.

—¡Qué gran corazón el tuyo! Arriesgar tu preciada vida por un pobre hombre. Claro que, si ese hombre es un puto que sabe hacer muy bien su trabajo, la cosa cambia, y merece la pena el riesgo —le reprochó dolido porque no había negado sus acusaciones.

—¿Un puto? No sé qué es eso, Kier. ¿Por qué tan enfadado? No entiendo. Explica qué he hecho para que tú tan disgustado —suplicó ella confundida. No comprendía qué había pasado para que él se sintiera tan ofendido.

Kier la miró sorprendido al escuchar sus palabras, no podía ser tan ingenua.

Giró sobre sus talones y caminó con rapidez hacia un extremo del claro. No quería oír nada más. Necesitaba alejarse de allí, serenarse y pensar en lo que había sucedido. Aisling no podía haberle elegido por su habilidad para el sexo… Ella no era así, pero… Negó con la cabeza. Necesitaba pensar.

—¡Kier! —le llamó ella, siguiéndole.

—Déjame, Aisling. Apártate de mí, ahora no puedo seguir a tu lado, necesito estar solo —dijo sin volverse a mirarla.

Escuchó el sonido de un cuerpo cayendo al suelo y volvió la cabeza, asustado. Aisling estaba en el centro del claro, de rodillas, observándole con los ojos llenos de lágrimas. Kier dejó caer los párpados y negó de nuevo a la vez que reanudaba su huida.

El ruido de las hojas agitándose y las ramas entrechocando le hizo detenerse de nuevo. Sentía la furia de los robles, su indignación. Un aullido lejano le indicó que también los lobos estaban furiosos con él y que regresaban al claro para estar con su amiga. Se encogió de hombros y siguió caminando. Al llegar a la primera línea de árboles se encontró con *Blaidd* y *Dorcha*. Le miraron en silencio, con las orejas pegadas a la cabeza, el lomo arqueado y el pelaje erizado. Kier los ignoró.

Una imagen se coló de improviso en su cabeza: él atravesando el anillo de robles del bosque. En el instante en que dejaba atrás el último de los mágicos árboles, una muralla de ramas cayó tras él y le impidió volver a entrar. Se vio a sí mismo golpeando el enrejado, pero este no se abrió.

—¿Me estás amenazando, chucho? —siseó mirando a *Blaidd* con los puños cerrados. Si el lobo quería pelea, por Dios que la iba a tener.

—No te amenaza, te advierte —susurraron las hojas de Máthair Mór sobre su cabeza.

Kier alzó la mirada, asustado al escuchar con claridad el susurro de Gran Madre. Pero el enorme roble permanecía inmóvil, era el único de los árboles que rodeaban el claro que no hacía crujir sus ramas. Respiró profundamente y buscó con la mirada a Aisling.

La joven ya no estaba de rodillas en el suelo, sino abrazada al delgado tronco del roble al que estaba hermanada.

Kier sintió que la sangre se le helaba en las venas cuando ella comenzó a fundirse con el árbol.

—¡Aisling! ¡No voy a permitir que me olvides! —gritó furioso, inmóvil en el extremo del claro—. No se te ocurra pensar que me marcho, porque no pienso abandonar el anillo de robles —la advirtió—. Estoy enfadado. Muy enfadado. Pero no sé si contigo o conmigo —confesó, dándose cuenta de que era totalmente sincero—. Estoy muy confundido, necesito pensar. Volveré antes de que se ponga el sol —prometió, suplicando sin palabras que le diera ese tiempo que tanto necesitaba—. No rompas tu promesa —solicitó bajando la voz—, porque te buscaré en cada rincón del mundo hasta encontrarte.

—No necesitarás buscarme —le aseguró ella apartándose del tronco del roble para trepar a su copa y acurrucarse sobre una de las ramas.

Capítulo 18

Érase una vez un hombre sin nada con lo que defenderse,
excepto el coraje.

Mediodía, 15 de tinne (julio)

—*S*i pensáis que un par de crujidos me van a asustar, estáis
equivocados. No os libraréis de mí tan fácilmente —advirtió Kier
a los robles que le rodeaban.

Habían permanecido silentes durante la hora que llevaba
deambulando. Y ahora, de repente, habían comenzado a hacer
crujir las ramas y agitar las hojas. Sabía por los paseos que había
dado junto a Aisling que la barrera mágica estaba cercana, así que
detuvo sus pasos. No pensaba traspasarla y darles la oportunidad
de mantenerle alejado de la dríade.

Se llevó una mano a la sien y se clavó los dedos en ella. Estaba
seguro de que había cometido un error. Un tremendo error.

Había juzgado equivocadamente a Aisling.

Por supuesto que ella no entendía los motivos de su enfado.

Aisling no entendía que era ser un puto, o tal vez sí. Ella sabía
que él recibía monedas a cambio de proporcionar placer, lo había
visto. Pero lo que no comprendía era qué había de malo en eso. Su
amada dríade se regía por las reglas de la naturaleza, su visión de
la vida no estaba corrompida por las normas de la sociedad. Para
ella, dar y obtener placer era algo bueno, natural, y lo que había
visto era un simple intercambio consensuado, nada más. Eran las
reglas que los hombres se imponían a sí mismos las que hacían
que ese intercambio fuera degradante.

Se sentó sobre un tocón y cerró los ojos. No le gustaba esa
parte de su vida, pero… ¿Qué había de malo en lo que había hecho? Era un hombre libre, no hacía daño a nadie; al contrario,
daba placer a las damas y, si ellas querían poner los cuernos a sus

maridos con los falos que él tallaba, en fin, no era asunto suyo. Él no era el villano de la historia. Lo eran ellas.

Ahora sería incapaz de dar placer a otra mujer que no fuera Aisling. Y eso era lo único que importaba. Por otro lado, si la joven se había fijado en él gracias a esa cualidad, en fin, ahora los iris de su dríade eran del color de la hierba, como sus propios ojos. Lo que significaba que ella estaba en su corazón y él en el de ella.

Pero... por mucho que se repitiera una y otra vez esas palabras, seguía sintiéndose herido y humillado. Engañado y traicionado. Ella no debería haberlo sabido. No debería haberse fijado en él por esos motivos. Apoyó los codos en las rodillas y dejó caer la cabeza entre los brazos. Tenía que librarse de esa horrible sensación de vulnerabilidad y vergüenza antes de regresar al claro.

El rumor cada vez más fuerte de los árboles hizo que levantara la mirada. Las ramas y hojas de los robles parecían temblar... como si estuvieran aterradas. Una tenue advertencia se filtró en sus fosas nasales. Un olor que no debía estar presente en el bosque.

El olor del humo.

Se levantó y se apresuró a caminar en dirección al origen de la emanación. Poco después, vio algo que solo había visto una vez en su vida. La pared de ramas se manifestaba frente a él. Tupida, inquebrantable, ¿indestructible?

Era la primera vez que veía la muralla en su apogeo desde que estaba en el bosque. Normalmente los robles mantenían las ramas alzadas y el camino libre. ¿Por qué la habían formado ahora? Se suponía que las ramas bajarían cuando él estuviera fuera, para impedirle entrar, no estando dentro e impidiéndole salir. Se aproximó con cautela. El ruido de las hojas era cada vez más intenso, más aterrador. Las ramas se agitaban temblorosas y caían a su paso, enredándose en su largo cabello, como si buscaran decirle algo.

Llegó por fin a la barrera y posó las palmas de las manos sobre ella.

—Dejadme ver —solicitó a los robles.

Estos se abrieron apenas, permitiéndole presenciar una escena desoladora.

Alejados del alcance de las ramas y las raíces de los robles mágicos, había una docena de hombres rodeando una pequeña hoguera. Junto al fuego, había una pequeña cuba de la que asomaban astas de flechas. Uno de los hombres cogió una de las flechas y, al sacarla del recipiente, Kier pudo comprobar que la punta estaba cubierta por un lienzo untado en manteca. El miserable la hundió en el fuego, esperó a que prendiera, la montó en su arco y disparó.

Kier sintió el alarido aterrado de los robles en el interior de su cerebro, la flecha se había clavado a pocos pasos de la muralla. El suelo comenzó a moverse guiado por las puntas de las raíces de los robles hasta que la tierra cubrió la flecha y apagó el fuego.

—¡Deteneos, bastardos! —Kier escuchó el grito de un hombre en el que no se había fijado.

Estaba sentado en el suelo, atado a un árbol. Uno de los bandidos le golpeó con el puño en la cabeza. Era el rey.

—¡Por los clavos de Cristo! —jadeó Kier asustado. Respiró profundamente y habló a los robles—. Llamad a *Blaidd* y a *Dorcha*, avisadles. E impedid que Aisling llegue hasta aquí y traspase vuestros muros.

El rumor de las hojas cesó durante un segundo, luego se hizo más potente y, un instante después, le llegó el aullido lejano de los lobos. Kier asintió desesperanzado. Los escuchaba muy lejos, tardarían demasiado en llegar. Miró a su alrededor, intentando dar con una solución, suspiró profundamente y corrió hacia su izquierda. Se detuvo pocos metros después y volvió a apoyar las manos en la muralla.

—Permitidme ver. —Los robles obedecieron.

Comprobó que los malhechores estaban pendientes de las flechas y dio una nueva orden

—Dejadme salir.

Iolar sacudió la cabeza, intentando despejarse. El dolor que sintió casi le hizo perder la consciencia de nuevo. Sentía como si una roca le hubiera triturado los sesos dentro del cráneo. Intentó mover los brazos, pero las cuerdas que le ataban al tronco del serbal le impidieron moverse... y escapar.

Miró a su alrededor. Los hideputas que le habían capturado continuaban prendiendo fuego a las flechas y lanzándolas contra la barrera arbórea. Gracias a Dios que ni la puntería de los bastardos ni la pésima calidad de los arcos eran adecuadas para la distancia a la que disparaban. Pero aun así, solo era cuestión de tiempo que reunieran el valor para acercarse más a la muralla y, entonces, nada evitaría que prendieran fuego a los robles o que incen-

diaran algún serbal con la esperanza de que las llamas se conta-
giaran a las de la barrera.

¡Y él no podía hacer nada! Atado como estaba, solo podía rezar para que Gard y sus hombres llegaran pronto.

Un movimiento frente a él llamó su atención. Creyó percibir
una sombra medio oculta tras un grueso tronco. Entrecerró los
ojos, intentando dilucidar si era uno de sus hombres u otro
malhechor al que no había visto. De repente la sombra se movió,
acercándose a uno de los malcarados, el que estaba más alejado del
fuego y separado del resto. Le aferró por el cuello con un brazo y
con la mano libre le golpeó con una piedra en la cabeza. El ban-
dido se tambaleó y cayó al suelo con la sien ensangrentada. Nadie
se percató de lo ocurrido.

Iolar observó asombrado que un hombre, moreno, de largos
cabellos oscuros, poblada barba y completamente desnudo aferraba uno de los brazos del caído y lo llevaba hasta su escondite.

Un segundo después, una piedra voló hasta la cabeza de otro
hombre y le hizo caer. En esta ocasión el bastardo gritó, pero con
la algarabía formada por el resto de los villanos, ninguno oyó su
alarido. El hombre desnudo gateó hasta el hombre, le golpeó de
nuevo en la cabeza y lo llevó junto al caído.

Iolar esperó impaciente el siguiente movimiento de su inesperado salvador mientras los demás hideputas seguían en su empeño. Con el furor del ataque, los bandidos habían ido perdiendo
el miedo y cada vez estaban más cerca de la muralla de ramas.
Solo era cuestión de tiempo que alguna flecha diera en un lugar
vulnerable del enramado.

—No os mováis —susurró una voz a sus espaldas.

Un instante después, Iolar sintió que las cuerdas que le mantenían atado eran cortadas.

—He tenido que matar a dos hombres para conseguir esta
daga —siseó la misma voz. Parecía aterrorizada, pesarosa. Como
si fuera la primera vez que el hombre se viera obligado a realizar
tal fechoría y buscara su aprobación. Su absolución.

—Habéis hecho bien —aprobó Iolar abriendo y cerrando las
manos, recuperando la circulación sanguínea que las cuerdas casi
habían cortado.

—Vuestra hija está en peligro. Ayudadme —susurró su salvador—. Los lobos están a punto de llegar, pero no podemos esperar más —le advirtió el hombre, poniéndole la daga en la palma
de la mano—. Esos hijos de mil madres han clavado una flecha en

la muralla y los robles sienten el fuego quemando sus ramas. Están aterrorizados. Aisling los ha oído, viene hacia aquí, está ordenándoles que abran la muralla y la dejen salir para enfrentarse a los bandidos. Puedo escuchar su canción. Ayudadme —suplicó antes de desaparecer de nuevo.

Iolar apretó la empuñadura del arma en su puño, se levantó sigiloso y buscó con la mirada a su primera víctima. No buscó al más cercano, sino al que tenía mejor puntería con el arco. Apuntó y lanzó la daga. El malhechor cayó con el cuello atravesado. El resto de los asaltantes se percataron de lo ocurrido. Se volvieron sin dilación y fueron a por él.

Pero esta vez no le pillaron desprevenido. Ni solo.

El hombre desnudo les atacó en el mismo momento en que se dieron la vuelta. Y aunque no tenía la misma pericia que el rey en los combates cuerpo a cuerpo, tampoco podía decirse que estuviera indefenso.

Las enormes piedras que portaba en cada mano así lo demostraron.

La pelea se tornó desfavorable durante los primeros instantes hasta que, de repente, y como salidos de la nada, dos lobos, uno gris como la bruma y otro negro como la noche, salieron de entre los árboles y se enfrentaron a los criminales, ignorando en sus ataques al hombre desnudo y al rey.

—¡Ordénales que cierren la barrera, Aisling!

Iolar escuchó el grito de su desnudo compañero y desvió la mirada hacia el lugar mencionado. Su hija estaba junto a los robles. Las llamas que momentos antes habían prendido en las ramas, eran solo resquicios humeantes caídos en el suelo que ella apagaba con las manos. Los robles, como si fueran seres con inteligencia propia, habían apartado de sus propios troncos las ramas afectadas por el fuego, obligándolas a caer al suelo para alejarlas de las demás.

Iolar no tuvo tiempo de ver más, ya que los bastardos volvieron a atacarle. Le sacudían con los puños en el estómago y en la cara y a punto estuvo de caer bajo la oleada de golpes.

—Esa es la mujer —gritó el cabecilla de los maleantes—. Ella es quien ordena a los lobos que nos ataquen —advirtió a sus hombres, aunque no hacía falta. Todos conocían las leyendas que corrían sobre la dama del bosque.

—¡Hazla callar, Dùr! —bramó un hombre a la vez que se defendía con su espada de los ataques del lobo negro.

—¡Sal de aquí, Aisling! ¡Vete! —volvió a gritar el hombre desnudo.

—¡Obedécele, Aisling! —la ordenó Iolar sin alejar la vista de su atacante, cayendo de repente en la cuenta de quién era el hombre que le ayudaba.

Aisling negó con la cabeza y continuó cantando para mantener la barrera abierta, a la vez que estiraba los brazos, rogando a su padre y a su amante que se escabulleran bajo la protección de los robles, con ella.

—¡No! ¡Fiàin, sácala de aquí! —gritó en ese momento Kier echando a correr.

Iolar desvió la mirada hacia algo que se movía detrás de su hija al escuchar la impotencia en la voz de su compañero. Todo lo que sucedió después ocurrió en un solo instante, el más largo de la vida del rey.

Kier corría con desespero hacia el lugar que ocupaba la muralla de ramas.

Aisling estaba de pie frente a la muralla. Tras ella, una mujer de extraordinaria belleza, la más hermosa de cuantas había sobre la faz de la tierra, la abrazaba por la cintura y tiraba de ella hacia el interior del anillo de robles. Y mientras lo hacía, entonaba una canción de singular fuerza.

Las ramas de los robles temblaban, incapaces de ignorar la voz que les instaba a permanecer alzadas, e incapaces, a su vez, de desobedecer la voz que les ordenaba bajar la muralla. Y, mientras los robles dudaban a cuál de las dos dríades obedecer, Dúr, el líder de los maleantes, encajó una flecha de punta afilada en su arco, apuntó y disparó a la mujer que hablaba con los lobos.

En ese mismo instante, Kier empujó a las dríades hacia el interior del anillo de robles y la flecha que iba destinada al corazón de la más joven se hundió en su espalda.

El grito que reverberó en el bosque en ese momento tal vez perteneciera a una hermosa joven de ojos verdes como la hierba al ver caer al dueño de su corazón. O quizá se originara en los labios de un rey al darse cuenta de hasta qué punto había juzgado mal a un hombre, o puede que fuera el ruido ensordecedor de cientos de robles aullando su rabia. Nadie lo supo nunca, ya que ese grito fue silenciado por los cascos de una veintena de caballos.

Kier, de rodillas en el suelo, elevó la mirada y observó complacido como Fiàin conseguía por fin que la barrera volviera a caer, alejando a Aisling del peligro. Luego, aferrándose al tronco de un roble, se levantó aturdido. Caminó tambaleante hacia el lugar donde el rey y los lobos todavía luchaban contra los bandidos.

No llegó hasta ellos.

—¡Gard, a mí no, a él! —gritó en ese momento Iolar señalándole con una mano.

Kier se detuvo e intentó centrar la mirada.

El imponente capitán de la guardia cabalgaba veloz en su dirección, empuñando su temible espada en la mano derecha, presto para el ataque.

Kier desvió la mirada hacia los robles. La muralla continuaba cerrada. Nadie podría entrar en el claro. Nadie podría acercarse a su dríade. Se dio la vuelta, miró al rey y sonrió.

«Aisling no me verá caer —pensó—. Los robles la mantienen alejada, la protegen del horror de esta encerrona.»

Su sonrisa se hizo más amplia.

En el mismo instante en que ella le dijo de quién era hija supo que perdería la cabeza.

La hora había llegado.

—¡Gard, líbrate de él! —volvió a gritar Iolar sin dejar de señalarle a la vez que corría hacía él esquivando a los bandidos que ahora luchaban contra los soldados.

Kier cerró los ojos y escuchó los cascos del enorme caballo del capitán cerniéndose sobre él. Alzó la barbilla, presentándole mansamente el cuello. Ya que iba a morir, al menos se lo pondría fácil; no era cuestión de bajar la cabeza y que su verdugo tuviera que dar más de un golpe.

Esperó en esa posición, atento al silbido del aire que le indicaría el golpe final.

Un fuerte golpe en la cabeza le hizo postrarse de rodillas. Abrió los ojos y apenas vislumbró el resplandor metálico de una espada antes de que la inconsciencia cayera sobre él.

Capítulo 19

Érase una vez un rey asombrado que escuchó llorar
a un bosque por la caída de un hombre.

Mediodía, 15 de tinne (julio)

—¡*G*ard! Creí que no llegarías a tiempo —jadeó Iolar llegando
hasta el lugar donde se encontraba su amigo.

—¡Por todos los demonios, Iolar! Hemos estado a punto de
perderte por culpa de tu maldita impaciencia, y cuando por fin llego
hasta ti me ordenas que te deje de lado para... —Gard se calló al
ver que el rey se dejaba caer de rodillas junto al hombre desnudo.

—Es el amante de Aisling —reveló Iolar poniendo las yemas
de sus dedos sobre la boca de Kier, buscando su respiración—. La
flecha que está clavada en su espalda iba dirigida al corazón de mi
hija, él lo impidió. Por propia voluntad —afirmó levantando la
mirada y fijándola en el capitán.

—¡Por los clavos de Cristo! —siseó Gard desmontando del
caballo—. ¿Está vivo?

—Gracias a ti —declaró Iolar mirando a su alrededor.

El cuerpo sin vida de uno de los proscritos estaba junto a ellos.
Aún sujetaba en su mano la maza con la que había golpeado al
hombre que les había salvado la vida a él, a su hija... y a su mujer. El resto de los asaltantes que aún seguían vivos estaban
siendo cercados por los soldados y los lobos. *Blaidd* y *Dorcha* no
dudaban en arrancar las gargantas de los caídos, quizás en venganza por lo que había estado a punto de ocurrir, quizá llevados
por la rabia. El ruido de la lucha, el entrechocar de las espadas y
las maldiciones proferidas por unos y otros se fueron apagando,
permitiendo que escucharan el llanto del bosque.

Porque solo ese nombre se le podía dar al sonido que provenía
de los robles.

Las hojas susurraban contritas, las ramas crujían angustiadas, y, por encima de ese murmullo, se escuchaba la voz cristalina de la que un día fue la mujer del rey, Fiàin, cantando a los robles en su extraño idioma, ordenándoles que no levantaran la muralla.

Y tras la arbórea barrera, entremezclado con la mágica tonada, el llanto desesperado con el que una joven dríade llamaba al dueño de su mirada penetraba en el corazón de cada uno de los hombres presentes en el bosque.

Fiàin cerró los ojos y abrazó con fuerza a su hija, ignorando sus ruegos de que la dejara traspasar la barrera, para poder comprobar si su padre y su amante seguían vivos. No lo haría. No mientras hubiera hombres en el bosque. No dejaría que su hija se expusiera a más peligros.

Los lobos terminaron su macabra empresa y se acercaron hasta el lugar donde Kier permanecía inconsciente. Ignoraron al rey y al capitán y se agazaparon junto al cuerpo del que se había convertido en su amigo. El lobo permaneció alerta, con el lomo erizado, las orejas echadas hacia atrás y la cola paralela al suelo, preparado para atacar, mientras la loba lamía con cariño la cara del hombre.

Cuando *Dorcha* sintió la respiración de Kier contra sus fauces alzó la cabeza y aulló. *Blaidd* se unió a ella y, un segundo después, los gritos de Aisling cesaron.

—Déjame ir, madre. —Se escuchó la voz aplacada de la joven dríade tras la muralla de ramas—. Kier está herido. Yo puedo curarle.

La respuesta de Fiàin fue aumentar el vigor de su canto, tornándolo si cabe más exigente, más severo. Negándose a conceder esa merced a su hija.

—No puedes curarle, Aisling. Sus heridas están fuera de tu alcance —gritó Iolar para hacerse oír a través del enramado que le separaba de su hija—. Lo llevaré conmigo a Sacrificio del Verdugo. En menos de una semana estará curado y regresará a ti —aseveró sin dudar.

—Promete que no le harás daño, padre. ¡Promete! —exigió Aisling tras la muralla, recordando las dudas que Kier mostraba ante las intenciones de su progenitor.

—No puedo prometer que no le causaré dolor al curarle las heridas, Aisling. Pero te juro que no le causaré más sufrimiento del necesario.

—Confío en ti, padre.

—Espera una semana, Aisling; solo una semana —repitió Iolar. La joven no respondió.

Iolar asintió para sí y miró una última vez la barrera arbórea, intentando vislumbrar a las dos mujeres a las que protegían. Nada vio.

Juró en silencio que algún día la traspasaría.

—¿Habéis dejado a alguno con vida, Gard? —preguntó. El interpelado negó con la cabeza. Iolar asintió decepcionado, habría disfrutado interrogándolos—. Preparad unas parihuelas para este hombre y disponeos a partir —ordenó a sus hombres—. Regresamos a Sacrificio.

Gard asintió y dio las órdenes pertinentes sin dejar de observar al monarca con el ceño fruncido.

—¿Qué estás tramando? —susurró acercando su caballo al del rey una vez salieron del bosque y tomaron la cañada Real.

—¿Yo?

—No me ignores, Iolar. Sabes de sobra que las heridas del hombre no sanarán en una sola semana —aseveró aferrando las riendas del semental del soberano y obligándole a reducir su trote—. Has prometido a Aisling algo que no puedes cumplir.

—He prometido no causarle más daño del necesario. Nada más.

—Has afirmado que su hombre regresaría al bosque en una semana, y ni siquiera estoy seguro de que pueda despertar tras ese golpe en la cabeza. Ni que la herida de la flecha no se le emponzoñe y le mate. Lo sabes igual que lo sé yo. ¿Qué tramas, Iolar?

—Vendrá a buscarle. Si pasada una semana él no vuelve, ella vendrá a buscarle.

—¡Por Dios, Iolar! ¿Acaso no aprendes de tus errores? ¿Pretendes encerrarla en Sacrificio del Verdugo al igual que hiciste con Fiàin? —Gard detuvo por completo ambos caballos y observó furioso a su amante—. No lo permitiré.

—No la voy a encerrar. La voy a invitar a permanecer junto a su amante mientras este acaba de curarse. Será libre de irse cuando así lo decida. —Gard miró interrogante a su rey—. Por supuesto, ofreceré al hombre un tesoro digno de un rey como pago por arriesgar su vida por mi hija. Un tesoro que imagino que querrá disfrutar en el único sitio donde se puede disfrutar de la riqueza. En Sacrificio del Verdugo. No creo que resulte difícil convencer a un puto de que su lugar está en mi ciudad. Si él se queda,

Aisling le acompañará. Y Fiàin vendrá a buscarla. Sabes que jamás permitirá que la separen de su hija. Una vez que ellas estén en Sacrificio, deberemos esforzarnos para que decidan quedarse —afirmó con la mirada perdida en sus maquinaciones.

—Das demasiadas cosas por sentadas, Iolar —replicó Gard—. Ese hombre no es un puto normal. No se folla a las damas y, créeme, según lo que he oído, podría sacar mucho dinero haciéndolo. No podrás tentarle fácilmente —pronosticó. No sabía bien por qué, pero estaba seguro de que Kier no era el hombre que el rey ni él habían creído que era.

—Todos los hombres tienen un precio, solo es cuestión de averiguar a cuánto asciende el suyo.

—No viste la expresión de su cara cuando galopaba hacia él para matar al hideputa que iba a golpearle —dijo Gard sin venir a cuento. Iolar desvió la mirada del camino y la fijó en su amante, confundido—. Sonreía, Iolar. Él pensaba que tú me habías ordenado matarle, y sonreía. Levantó la cabeza y cerró los ojos, mostrándome el pescuezo para que le cortara la cabeza. Estaba dispuesto a recibir una flecha por tu hija y estaba preparado para que tú ordenaras su muerte por ser su amante. No podrás comprar su lealtad.

Capítulo 20

Érase una vez un hombre perdido en un lugar
desconocido e indeseado.

Amanecer, 16 de tinne (julio)

*D*espertó ahogado en dolor.

Un dolor que recorría inclemente cada centímetro de su cabeza y se derramaba ardiente en su espalda, convirtiendo el simple acto de respirar en el mayor de los tormentos.

Intentó gritar, abrir los ojos, rebelarse, pelear por conseguir la libertad, pero todo ello le fue vetado, inmovilizado como estaba por las manos inconmovibles de sus torturadores.

—Ha despertado. Hubiera sido mejor que continuara dormido —se lamentó Meddyg, el galeno del castillo, asintiendo con la cabeza cuando Gard se apresuró a sujetar los brazos del joven con más fuerza. No convenía que se moviera en ese instante—. Aguanta un poco más, muchacho; casi he terminado.

—Aisling… —susurró Kier en su agonía, sabía que algo había pasado, pero la confusión reinaba en su mente, impidiéndole razonar o ser consciente de por qué estaba tan asustado, de por qué necesitaba tanto saber que ella estaba bien, que estaba a salvo en su claro.

—Está bien, se encuentra en el bosque. No corre ningún peligro —afirmó Gard mirando a sus hombres.

Había elegido a aquellos en los que más confiaba y que más fuerza tenían para inmovilizar al herido mientras Meddyg ejecutaba sus artes. Hasta ese momento había sido fácil; el hombre había permanecido inconsciente. Pero por desgracia había despertado en el momento en que Meddyg había comenzado a extraerle la flecha.

La paz invadió la mente de Kier al escuchar al desconocido. Intentó abrir los ojos de nuevo y agradecerle el sosiego que sus palabras le habían trasmitido, pero un rayo de dolor le recorrió la espalda en ese instante. Sintió que los músculos del costado derecho comenzaban a arder mientras alguien intentaba arrancarle los huesos de su sitio. Jadeó incapaz de encontrar las fuerzas necesarias para gritar, para resistirse. Un fuego implacable ardió en su espalda cuando un poderoso tirón le envolvió en un sufrimiento tan atroz que le mandó de nuevo al plácido mundo de la inconsciencia.

—Es mejor así —musitó para sí Meddyg—. La punta de la flecha ha salido por completo, solo falta limpiar de la herida las astillas que puedan haber quedado. Y rezar porque la ponzoña no invada su cuerpo.

Anochecer, 18 de tinne (julio)

Dolor. ¿No se alejaría nunca ese tremendo dolor?

Frío. Tanto que su cuerpo parecía a punto de romperse en pedazos debido a los violentos temblores que lo recorrían.

Intentó abrir los ojos, pero los párpados no le obedecieron.

Intentó moverse, escapar de ese gélido río en que estaba siendo sumergido, pero sus extremidades no le obedecieron.

—Impedid que salga de la cuba. Tiene demasiada fiebre, debemos bajársela o no respondo de su vida —ordenó Meddyg instando a los criados a sujetar al hombre que luchaba débilmente por salir de la tina de agua helada en que estaba sumergido—. Aguanta un poco más, muchacho; pronto pasará todo —musitó el galeno con afabilidad—. Para bien o para mal, ahora está en manos de Dios. Más no puedo hacer —aseveró el viejo médico mirando a su rey. Este cabeceó, comprendiendo. Nada más podía hacerse, solo esperaba que su hija lo entendiera.

20 de tinne (julio)

Una fría y húmeda caricia sobre las mejillas le hizo despertar. Intentó abrir los ojos, pero tenía los párpados pegados. La tela empapada que recorría su rostro se posó sobre sus labios y Kier se apresuró a abrirlos para chuparla y obtener algo de la bendita agua que tanto necesitaba. Sentía la lengua estropajosa e hinchada; trató de tragar saliva, pero tenía la boca tan seca que le fue imposible. Un gruñido gutural escapó de su garganta. La tela mojada se alejó de sus labios y fue a posarse sobre sus párpados, limpiando las pegajosas legañas que los cubrían y le impedían abrirlos. Tras esto, volvió a retirarse.

Kier escuchó unas ligeras pisadas alejándose, el sonido de la puerta al abrirse y un quedo susurro femenino:

—Está despertando.

Intentó de nuevo abrir los ojos y, aunque esta vez lo consiguió, a su alrededor todo se tornó borroso.

Estaba tumbado sobre un lecho blando, demasiado blando. Sentía cómo se hundía en él, atrapado en la esponjosa suavidad que le apresaba impidiéndole levantarse. No era su cómoda cama hecha de ramas entrelazadas y vestidos arrugados.

Parpadeó con fuerza, intentando escapar de las brumas de la confusión.

Una tela áspera le cubría el cuerpo, impidiendo que los rayos del sol y la brisa del bosque le acariciaran la piel. No le gustó. Quería estar desnudo de nuevo, quería sentir las caricias de Milis y Grá instándole a despertarse para ir a buscar el desayuno. Aguzó el oído, pero no escuchó el susurro de las hojas de los robles, ni el piar de los pájaros o los gruñidos juguetones de los lobos. El bosque se mostraba inusitadamente silencioso. Alzó los párpados, alerta, e intentó moverse. El dolor recorrió su cuerpo, comenzando en el costado derecho y enterrándose feroz en la nuca. Lo ignoró con un gruñido de protesta y entornó los ojos hasta que las difusas imágenes que estos le mostraban se tornaron precisas. «¿Dónde estoy?», pensó aturdido al comprobar que no se encontraba en la arbórea cueva del bosque. Miró a su alrededor y vio a una joven criada de pie junto a una ornamentada puerta de madera.

—Habéis despertado —susurró la mujer; luego dirigió la mirada hacia el pasillo, se mordió los labios asustada y caminó despacio hasta el enfermo.

Kier apenas se fijó en ella, sus ojos volaban de una esquina a otra de la estancia. Estaba en un lujoso dormitorio, tumbado sobre una cama con dosel y tapado con sábanas bordadas.

«¿Qué demonios?»

Miró a su alrededor, confundido. El aire estaba cargado de olores, pero no eran los aromas a los que él estaba acostumbrado; no era el frescor del eucalipto ni la esencia intensa del roble o la retama, sino que olía a humanidad. Humanidad hacinada y sudorosa, humo de chimeneas, comida grasienta y chamuscada… No tenía ni idea de dónde estaba o de cómo o por qué había ido a parar allí, pero desestimó impaciente esas cuestiones; había algo de suma importancia que se le escapaba. Sus ojos volaron inquietos buscando…

«Aisling.»

Ella no estaba a su lado, algo había pasado; no lograba recordar qué, pero era algo horrible, algo que…

Intentó pronunciar su nombre, pero nada salió de sus labios resecos. Se removió inquieto, ignorando el dolor que hacía mella en él, decidido a marcharse de esa estancia y encontrar a la mujer que se había convertido en el centro de su existencia.

—Tranquilizaos, he avisado a los guardias. El capitán está a punto de llegar. —La sirvienta se acercó a él, preocupada porque los agitados movimientos del hombre pudieran abrir sus heridas.

Kier la miró e intentó hablar, pero su estúpida y reseca garganta se negó de nuevo a emitir sonido alguno.

—Calmaos, señor. Enseguida vendrá alguien y os ayudará… —comenzó a decir la asustada mujer a la vez que colocaba bien las sábanas sobre su cuerpo, intentando calmarle.

Kier se revolvió frustrado, la sujetó por los brazos y, atrayéndola hacia él, intentó hablar de nuevo.

—¿Qué está pasando aquí? —tronó en la estancia la voz grave de un hombre.

Un instante después unas fuertes manos se posaron sobre las muñecas de Kier, obligándole a soltar a su presa.

—Márchate, mujer; yo me ocupo del enfermo —ordenó la misma voz soltando al herido.

La mujer suspiró aliviada, hizo una rápida reverencia y abandonó la estancia presurosa.

Kier elevó la mirada y se encontró con los fríos ojos azules del capitán fijos en él, y todos los recuerdos volvieron a su mente: la hoguera en el bosque, el rey atado a un árbol, Aisling en peligro, los lobos atacando, la espada del hombre que ahora estaba frente a él dirigiéndose hacia su gaznate… Aterrorizado, cerró casi sin fuerzas los puños y atacó con desesperada lentitud a su verdugo, en un inútil intento de escapar de él y partir en busca de su dríade.

La reacción del soldado no se hizo esperar: rechazó con una mano los torpes golpes, llevó la otra hasta las vendas que cubrían la herida del joven y la presionó con los dedos.

Kier lanzó un estrangulado alarido, apenas audible, y se aferró al fuerte brazo del capitán de la guardia, luchando entre espasmos de dolor para que alejara de su costado los férreos dedos que le torturaban.

—Parece que tienes la cabeza más dura que la maza con la que te golpearon —comentó Gard recorriéndole con la mirada e ignorando sus gemidos de dolor—. ¿No te han dicho que no es buena idea atacarme?

Kier le miró jadeante, incapaz de encontrar la respuesta correcta a esa pregunta.

—¿Vas a calmarte de una buena vez o tal vez prefieres que te calme yo? —siseó Gard entornando los ojos, divertido ante la mirada de terror del joven—. Mucho mejor así —afirmó al comprobar que el joven se rendía y le soltaba la muñeca para, a continuación, posar sus trémulas manos sobre la sábana.

Kier observó con alarma que el capitán de la guardia se alejaba del lecho y se encaminaba hacia la puerta, en la que una aterrorizada sirvienta esperaba con una bandeja en las manos. Le vio tomar una jarra y una escudilla y dirigirse de nuevo hacia él.

—Bebe —le exhortó Gard acercándole el recipiente—. Meddyg ordenó que tomaras esto en cuanto despertaras, te ayudará a bajar la calentura.

Kier observó el mejunje denso y oscuro que contenía la escudilla, lo olfateó y se dio cuenta de que olía similar a aquel que le había hecho beber Aisling mientras curaba sus heridas en el claro. Dio un breve sorbo.

—Conoces este remedio… Sí, supongo que sí —comentó Gard sentándose en el lecho, sin dejar de sostener la escudilla frente a Kier—. Fiàin conocía cada uno de los remedios que se podían elaborar con las plantas del bosque, imagino que enseñó a su hija esas artes y ella las usó para curar tus heridas. —Miró con dureza al joven, este le devolvió la mirada durante unos segundos antes de rendirse y continuar bebiendo con avidez—. No bebas demasiado rápido o te sentará mal —le advirtió alejando la escudilla de su alcance.

—¿Aisling? —preguntó Kier con voz ronca antes de que la tos hiciera acto de presencia en su garganta reseca.

Gard le ignoró, giró la cabeza y exigió a la sirvienta, que esperaba en la puerta, que trajera un caldo de gallina templado. Luego volvió a mirar a aquel por el que Aisling había abandonado la seguridad de su claro, poniéndose en peligro, cinco ocasos atrás. Le observó, intentando averiguar el tipo de hombre que era. ¿Un cobarde? No. Ningún cobarde se habría arriesgado como él lo hizo. ¿Un intrigante? El puto sabía quién era Aisling, lo que significaba para el rey y lo que podía conseguir haciéndole creer que era su amigo. ¿Un estúpido ignorante que no sabía que se arriesgaba a la ira del rey?

Tomó la barbilla de Kier con una mano y le obligó a alzar el rostro. El joven fijó la mirada en él, devolviéndole el escrutinio al que era sometido, y, entonces, Gard vio sus ojos, verdes como la hierba y circundados por una línea negra, tan negra como antaño fueron los iris de Aisling.

No era un intrigante ni un estúpido. Era un loco enamorado de una dríade.

—¿Dónde está Aisling? ¿Qué le ha pasado? —exigió saber Kier zafándose de la mano que le sujetaba con un brusco movimiento de cabeza que le hizo jadear de dolor.

—Está en su bosque. A salvo —le informó Gard ofreciéndole de nuevo el bebedizo.

Kier respiró aliviado al comprender que ella estaba segura, y dio un nuevo trago. Esta vez el líquido resbaló ligero por su garganta, humedeciéndola.

—¿Tienes miedo, Kier? —preguntó de repente Gard, sonriendo feroz.

Kier tragó saliva y negó con la cabeza. No tenía miedo, el rey sabía que su hija había sido atacada en el bosque y haría lo imposible por mantenerla a salvo. En cuanto a él mismo, en fin, desde el momento en que la poseyó supo que su cabeza tenía los días contados. Lo extraño era que aún siguiera con vida.

—Imagino que es solo cuestión de tiempo que el rey ordene mi muerte, solo espero que tenga la clemencia de no torturarme... no demasiado al menos —contestó Kier con serenidad. De nada valía desear lo imposible.

—Pensaste que iba a matarte —afirmó Gard obviando las palabras del joven—. Y te preguntas por qué no lo hice... —Kier asintió con la cabeza—. Cuando el rey te señaló, no me ordenó tu muerte, sino tu protección —explicó Gard mirándole con seriedad.

—No le deis falsas esperanzas, Gard. Aún estoy tentado de decretar su muerte —informó Iolar entrando en la estancia—. Eres el amante de mi hija y, solo por eso, mereces la castración —afirmó con la mirada fija en Kier—. Pero también salvaste su vida en el bosque —comentó con ligereza—. Me hallo en un terrible dilema. ¿Qué creéis que debo hacer, Gard? ¿Seguir mis instintos de padre y arrancarle los huevos, o ser compasivo y dejar que siga manteniendo su insolente polla pegada al cuerpo?

—Con el trabajo que nos ha dado arrebatarle de las ávidas manos de la señora de la guadaña, sería un desperdicio darle muerte, sire —apuntó Gard con sorna.

Kier miró a ambos hombres y tragó saliva.

—Dejaos de juegos. Si queréis matarme, hacedlo y, si no es ese vuestro propósito, dejadme en paz —exigió. Sabía con ineludible certeza que iba a morir, en su mano estaba enfadar al rey y conseguir que lo hiciera rápido... o dejarle seguir sus planes y sufrir tormento.

Gard entornó los ojos, enfadado por la deslenguada insolencia del hombre, y desenfundó su daga con vertiginosa rapidez.

—No voy a ordenar tu muerte —sentenció Iolar alzando una mano para detener a su amante, que en ese momento empuñaba la daga en dirección al cuello del hombre—. Se lo he prometido a Aisling —explicó con una sonrisa en los labios—. Gard, ¿crees que mi hija se tomará a mal que le devuelva a su amante tuerto?

El interpelado posó la daga bajo la cuenca de uno de los ojos del enfermo y la mantuvo allí, inmóvil.

—No. —Iolar negó con la cabeza—. Te permitiré mantener tus ojos intactos, y dejaré que tu virilidad se mantenga pegada a tu cuerpo. Un hombre que ha luchado con valor por la vida de mi hija y que me ha sacado a mí del molesto aprieto en que me encontraba en el bosque merece cierta... recompensa.

215

Capítulo 21

*Érase una vez una pugna inesperada, una solución codiciada,
una respuesta desdeñada, la verdad de una leyenda.*

Atardecer, 20 de tinne (julio)

—¿*Q*uieres provocar la ira de los nobles, Iolar? —El rey alzó
una de sus oscuras cejas ante la pregunta de su amigo—. Ten por
seguro que eso es exactamente lo que sucederá si das orden de
ajusticiar a Neidr.

—Él está detrás del asalto a mi hija. Me da igual cómo lo hagas, Gard,. Lo quiero muerto —exigió implacable Iolar.

El rey y su capitán estaban en una estancia contigua al Salón
del Trono, discutiendo sobre el ataque del bosque, inmersos en un
mar de dudas que los pocos datos obtenidos hasta el momento
apenas servían para dilucidar.

—Como quieras —aceptó Gard con voz queda.

Iolar observó con atención a su amigo. El ceño fruncido, los
ojos entornados, la mandíbula tensa… todos los músculos de su
apuesto rostro denotaban tenacidad e inquietud.

—¿Qué es lo que no quieres decirme, Gard?

El soldado elevó la cabeza y miró al rey a los ojos con inusitada ferocidad.

—Te estás equivocando, Iolar. La rabia te ha cegado hasta tal
extremo que te impide pensar con claridad. Vas a provocar una
guerra por tu afán de matar al que crees culpable.

Iolar se levantó colérico del sitial en el que estaba sentado,
volcándolo. Tiró la mesa que se interponía entre él y su amigo de
una patada, y, enfrentándose a Gard, lo acorraló contra la pared a
la vez que le apretaba el cuello con una mano.

—No te atrevas a insinuar que le deje escapar, Gard. —Tras
días de espera sin obtener ninguna solución, la paciencia del rey

había dado paso a una iracunda frustración—. Neidr ha estado a punto de matar a mi hija, merece la muerte más dolorosa que puedas darle.

—La persona que ordenó el ataque merece tal muerte —corroboró el capitán—. Pero ¿sabes con certera seguridad que fue Neidr? —susurró con aparente sumisión antes de envolver la muñeca del soberano con sus férreos dedos y apretarla con fuerza hasta que este le soltó emitiendo un gruñido de dolor—. ¿Quieres su cabeza? Yo mismo se la cercenaré, pero solo si puedo demostrar que es culpable de traición —siseó con ferocidad a la vez que daba un fuerte empujón al rey que le hizo chocar contra un atril—. No me arriesgaré a airar a los nobles y sufrir una nueva guerra en el reino por culpa de tu impaciencia —aseveró—. Mientras tanto, modera tu ira y mantén la cabeza fría.

—Han pasado cinco ocasos desde el ataque y no tienes nada. ¡Nada! —rugió Iolar frustrado, elevando los puños con intención de volcar la furia que sentía contra el cuerpo de su amante.

—Qué entretenida escena para mostrar a los nobles que escuchan atentos al otro lado de esta puerta. Estoy seguro de que estarán encantados de saber que el sensato Rey Verdugo y su inalterable capitán de la guardia están enzarzados en el infantil juego de golpearse mutuamente.

Escucharon la voz mordaz de Luch desde el otro extremo de la estancia.

El hombrecillo permanecía inmóvil frente a la puerta que acababa de traspasar. Mantenía las manos pulcramente cruzadas sobre su curvado abdomen mientras les observaba con gesto aburrido.

—¿Os habéis cansado ya de hacer estupideces? Porque, si no es así, os emplazo a que subáis a vuestra alcoba y os liberéis de la rabia que os corroe de maneras menos ruidosas —dijo en tono irritado.

—Nos guardarás el debido respeto, viejo, si no quieres que te arranque la lengua —siseó Iolar con voz furiosa al líder de sus espías y antiguo mentor.

—Asegúrate de merecer tal respeto antes de exigirlo, mocoso —replicó el hombrecillo irguiéndose y elevando la barbilla—. Tras esa puerta están reunidas muchas de las alimañas del reino, escuchando cómo el rey al que deben obediencia se pelea con el capitán de su propia guardia.

Los mencionados se enfrentaron silentes al pequeño anciano,

probando sus fuerzas con la mirada. En la mandíbula apretada del rey palpitó un único músculo. El hombrecillo alzó una ceja y se cruzó de brazos. Gard emitió una sonora carcajada.

—Luch tiene razón, Iolar.

—Siempre la tengo, Gard —resopló el aludido—. Y ahora, si habéis conseguido atemperar el ánimo, quizá os interesaría escuchar lo que he venido a decir.

El dirigente de los espías de Sacrificio del Verdugo, con inalterable serenidad, desplazó la mesa hasta el banco corrido que aún se mantenía en pie. A continuación, se sentó tras ella con parsimoniosa lentitud, sin dejar de mirar a los dos hombres que le observaban estupefactos.

—Habla, Luch —ordenó Iolar levantando el sitial que él mismo había volcado, para colocarlo junto a la mesa y dejarse caer en él. Gard se sentó al lado del viejo.

—Pocas jornadas antes de que la duquesa de Neidr sufriera la desgraciada caída que la llevó a la muerte, ella y Neidr discutieron. Por lo que ha podido averiguar mi hombre, la difunta sufrió el accidente cuando cabalgaba por la Cañada Real en dirección al bosque, a encontrarse con... alguien. Era una excelente amazona, y no solo de caballos —apuntó con premeditada lentitud.

—Neidr mató a su esposa —siseó Iolar entornando los ojos—, y luego me arrancó con falsedades el juramento de que asistiría a su entierro, para mantenerme alejado del bosque y poder raptar a mi hija. Ahí tienes tu maldita prueba, Gard —aseveró levantándose y cogiendo su espada.

—No hay indicios que sugieran que Neidr mató a su esposa, mucho menos que él fuera el instigador del ataque —dijo con paciencia Luch—. Todos los matrimonios discuten, Iolar; no puedes basar la ejecución de un duque en una discusión conyugal.

—Mi paciencia tiene un límite y está llegando a su fin. Estoy harto de esperar. Aisling sigue en el bosque, a merced de un nuevo ataque, y, mientras tanto, tú te dedicas a contarme habladurías de taberna que de nada me sirven —bramó Iolar tirando la espada sobre la mesa.

—No obstante, el mozo de cuadras le confesó cierto hecho a mi hombre —continuó Luch, haciendo caso omiso del irascible monarca—. El duque ordenó sacrificar al caballo de la duquesa ese mismo día. Por lo visto, el animal tenía una herida en un anca, provocada tal vez por una flecha «perdida». Lo que no quiere decir —Luch alzó la voz al comprobar que el rey se ponía en pie de nuevo— que la caída de la duquesa esté relacionada en modo alguno con el ataque en el bosque. Al fin y al cabo, a ningún hombre le entusiasma enterarse de que su esposa gusta de cabalgar sobre verga ajena, aunque esta sea de cuero y madera. Sí —asintió al ver la mirada estupefacta de los dos amantes—, la duquesa era compradora habitual del puto que en estos momentos se aloja en el aposento contiguo al del rey en la Torre del Homenaje —afirmó mirando al soberano.

—Y una vez muerta su esposa, qué mejor opción que secuestrar a mi hija y obligarla a matrimoniar con él —declaró furioso Iolar.

—No —rechazó Gard con semblante reflexivo, concentrado en algo que se le escapaba—. Neidr es demasiado cobarde como para pensar siquiera en enfrentarse a ti, y eso sería lo que pasaría si se desposara con Aisling sin tu permiso.

—Estábamos en sus tierras, distraídos en el entierro de su esposa, acompañados por apenas una docena de soldados. Además, Madriguera de la Víbora es, de todo el reino del Verdugo, la ciudad más alejada del bosque prohibido —declaró furioso Iolar—. No fue por casualidad que el ataque se perpetrara cuando estábamos allí.

Gard negó con la cabeza, pensativo.

—La duquesa se debatió entre la vida y la muerte durante más de un ciclo completo de luna y falleció la primera noche de cuarto creciente de este mes —apuntó Luch mirando sonriente al soldado.

Gard elevó la cabeza de repente, a la vez que sus puños golpeaban la mesa.

—No puede haber sido Neidr —afirmó el rubio capitán con seguridad—. El duque, además de cobarde, es estúpido. No sería capaz de idear un plan tan complicado. Matar a su esposa, sí, sin problemas. Pero dejarla al borde de la muerte, arrancarte la promesa de asistir a su entierro y mantenerla con vida hasta la primera noche de cuarto creciente… Carece de cerebro para planear eso —aseveró levantándose de la silla y comenzando a caminar de un extremo a otro de la estancia.

—¿Qué tiene que ver el ataque con la luna? —inquirió Iolar confundido.

—Muy bien, capitán, por fin habéis usado esa cabeza llena de paja que tenéis sobre los hombros —le felicitó Luch burlón.

Gard desvió durante unos segundos su mirada hacia el anciano, gruñó una maldición y siguió recorriendo la habitación sin dejar de hablar.

—Quien lo hizo calculó estratégicamente el ataque. El plan iba más allá del tiempo que tardaras en llegar al bosque o la cantidad de soldados que te acompañaran, Iolar —musitó Gard entornando los ojos—. Quien ideó el asalto sabía que, si lo ejecutaba el primer día de luna creciente del mes, no te darías cuenta de lo sucedido hasta tu siguiente visita al bosque, la noche de luna nueva, más de veinte días después del ataque.

—Puede que Neidr haya sido el instigador, Iolar, pero no es la cabeza pensante. Su estúpido cerebro no va más allá de recordar cómo debe lamerte el culo para enseñarte lo servil que puede llegar a ser —apostilló Luch.

—Desde que ordené que acudiera a Sacrificio se ha mostrado temeroso. Eso demuestra culpabilidad —alegó dudoso Iolar; comenzaba a ver con claridad todos los detalles que antes se le habían escapado y, ciertamente, Neidr jamás había brillado por su inteligencia.

—Desde que exigiste a todos los nobles presentes en el entierro de la duquesa acudir a la ciudad, ninguno de ellos ha dejado de mirar a su alrededor alerta. Todos esperan ser el destinatario del golpe de tu espada que los dejará sin cabeza, Iolar —apuntó Gard con sorna—. Más aún cuando te paseas por el castillo con el ánimo tan alegre como el de un oso herido.

—Siempre he pensado que es mejor reunir a todas las ratas en el mismo granero antes que permitir que correteen a su antojo por el reino —replicó Iolar, ganándose la mirada aprobadora de Luch—. Averigua quién fue, viejo; hazlo antes de que pierda la paciencia y comience a interrogar a los que estaban en Madriguera aquel día —advirtió el rey con voz acerada a sus amigos. Acto seguido, abandonó la estancia y entró en el salón donde se reunían los nobles, decidido a sumergirse en el mar de habladurías que allí había.

—No ha sido Neidr —declaró Gard una vez solos.

—No. No ha sido él, pero deja que Iolar dirija su ira hacia el duque. Es preferible a que empiece a hostigar al resto de los nobles, algunos más despiertos que Neidr, y que, sin pretenderlo, levante los ánimos contra sí mismo.

Y

Iolar caminó entre quienes atestaban el salón del trono, atento a cualquier silencio que hicieran a su paso, buscando al culpable entre ellos.

Alguien había osado atacar a su hija, e iba a pagarlo.

Algunos nobles dirigían miradas desconcertadas al monarca, otros evitaban su presencia al ser conscientes de la rabia que subyacía en sus ademanes. Pero unos pocos, quizá los más valientes, tal vez los más ineptos, se acercaban al soberano en busca de conversación. Una conversación que, por supuesto, dirigían hacia sus personas, las necesidades de sus feudos o sus hermosas hijas en edad casadera, preparadas para asumir las tareas de una reina. Iolar los escuchaba a todos con la mirada irritada y la mandíbula apretada. Desconfiaba de unos y de otros, pero no era capaz de esclarecer quién era el traidor.

En el centro del salón, acompañado por un grupo de hombres a los que no prestaba atención, se encontraba Neidr. Pálido y sudoroso, compuso su sonrisa más servil cuando observó al rey dirigirse hacia él. Las manos comenzaron a temblarle y se obligó a sujetar con fuerza la copa de plata que tenía entre ellas. El soberano no podía averiguar que estaba aterrado o todas las sospechas recaerían sobre él.

Los nobles que acompañaban al duque en el salón se apresuraron a elevar sus aristocráticas barbillas y componer un amistoso e inocente gesto en su rostro. Ninguno quería despertar la susceptible ira del monarca.

Iolar llegó hasta el círculo de hombres y les dirigió un altivo gesto con su real testa.

—Majestad —saludó Rousinol—, es un honor estar en Sacrificio del Verdugo, pero no acierto a alcanzar el porqué de vuestro requerimiento. Al fin y al cabo, si este tuviera que ver con los desgraciados sucesos acaecidos, estos ocurrieron en las tierras de Neidr. Solo él es culpable de su negligencia —comentó haciendo una reverencia con la que paliar la insolencia de sus palabras.

El silencio tomó posesión del salón. Los nobles allí reunidos mantuvieron las bocas cerradas y las orejas abiertas, en espera de la respuesta del rey. Una respuesta que todos ansiaban conocer. Una respuesta que podría convertirse en desgraciada sentencia para uno de ellos.

—¿Me estáis interrogando, Rousinol? —preguntó Iolar con voz afilada.

El conde tragó saliva y desvió la mirada, consciente de que sus palabras no habían sido las más acertadas dado el irritado carácter que mostraba el rey.

Dos ocasos atrás, un mensajero real había trasmitido la orden, disfrazada de invitación, de acudir a la capital del reino. Desde entonces, él y el resto de los convocados no cesaban de elucubrar el porqué de tal extraña exigencia, aunque todos creían conocer los motivos de esta.

—Majestad —acertó a decir Rousinol—, nada más lejos de mi intención que interesarme sobre motivos que solo a vos competen. Mi atrevimiento al hablar ha sido fruto de la curiosidad más inocente, sire —se disculpó con rapidez doblando la cerviz en una humilde y sumisa reverencia—. No obstante, espero que no consideréis osadía el comentaros que mis soldados han escuchado rumores de descontento en las aldeas pertenecientes al ducado, debido a los altos impuestos con los que les grava el duque. ¿Quizá vuestro tesoro escasea, Neidr? —preguntó sibilino mirando al duque. Este parpadeó aturdido y abrió y cerró la boca, como si fuera un pez, antes de conseguir dar una respuesta.

—¡Cómo osáis verter tamañas falacias sobre mi persona!

—Incluso me atrevo a sugerir que el ataque al bosque se produjo en el mejor momento para el duque, cuando por fin había quedado viudo. ¿Tal vez buscáis una nueva esposa, Neidr? Una que pueda llenar vuestras arcas vacías —insinuó Rousinol, pero no dirigió la mirada al duque, sino al rey.

—¡Rousinol, cómo osáis haceros eco de esas malintencionadas habladurías! En las aldeas que están bajo mi cuidado no reina el descontento. Y el ataque al bosque no ha tenido que ver, en modo alguno, con el estado de mis arcas. ¡Por todos los santos! ¡Fue solo el asalto incontrolado de unos torpes cazadores furtivos! —Neidr rechazó aterrorizado la hipótesis mirando alternativamente al rey, a los nobles y al astuto conde que le estaba tendiendo tan sibilina y misteriosa trampa—. No alcanzo a comprender qué tiene que ver el desgraciado óbito de mi esposa con los falaces rumores que tan aviesamente estáis esparciendo en este salón. ¡Decid con claridad de qué me estáis acusando para que pueda defenderme!

—Solo refiero lo que mis hombres escuchan, Neidr. En ningún momento os acuso, eso solo le compete a su majestad —se defendió Rousinol haciendo una reverencia al rey.

Iolar entornó los ojos y observó con atención el gesto ladino del conde, las miradas aterradas de los nobles que le rodeaban y el nerviosismo grabado en el rostro del duque. ¿Estaba Rousinol dando a entender lo que parecía? Miró de nuevo a Neidr; el sudor bañaba su rostro, sus manos temblaban y tenía los ojos desenfocados. Estaba aterrorizado.

Iolar respiró profundamente, decidido a enterrar la profunda ira que le carcomía para así poder dialogar con ellos. Si quería averiguar la verdad, no podía dejarse llevar por la cólera y asustarlos o alertarlos con sus sospechas. Eso solo les haría desconfiar.

Abrió la boca, con la intención de dejar caer algún comentario que aletargara la tensión que mostraban, pero no llegó a decir nada. El soldado pelirrojo que les había puesto sobre aviso del ataque acababa de entrar en el salón y se dirigía hacia él con paso imperturbable.

El jovenzuelo aún no se había recuperado de sus heridas, pero estaba empeñado en no continuar tumbado en el lecho. Gard, complacido, le había ordenado acudir a los aposentos privados de Luch para que este le enseñara a leer. Ningún espía que se preciara de serlo podía ignorar la fuerza de la palabra escrita. Iolar sonrió al recordar la cara del muchacho cuando Gard le indicó su nueva tarea. Al joven no le había hecho gracia su repentino cambio de oficio, pero no se había quejado; solo había fruncido el ceño. Era un buen soldado y todavía sería mejor cuando Fear y Luch acabaran de instruirle.

—Majestad. —El pelirrojo se cuadró de hombros y esperó inmóvil hasta que el rey asintió con la cabeza—. El capitán ha encontrado aquello que solicitasteis y aguarda vuestras órdenes.

—Decidle que me reuniré con él en la Sala del Rey. —El soldado asintió con la cabeza y, haciendo una reverencia, dio media vuelta y abandonó el salón.

Iolar se entretuvo unos instantes conversando con los allí reunidos, comprobando sus reacciones ante el críptico mensaje, esperando encontrar algún gesto que delatase al traidor, pero fue en vano. Todos se mostraron atentos y, a la vez, desinteresados.

—Majestad —saludó la anciana sentada tras la mesa de la sala privada del rey, sin molestarse en levantarse y hacer la reverencia de rigor.

Gard bufó indignado ante los modales de la bruja, pero no se molestó en recriminarla. Ella, al igual que Luch, pertenecía a una extraña estirpe de personas que no mostraban jamás su respeto por el rey. Y este, a su vez, no se molestaba en ordenarles lo contrario.

—Morag. —Iolar cabeceó, manteniéndose de pie frente a ella. Desvió la mirada hacia el hombrecillo que estaba sentado en un taburete junto a la vieja—. Luch, has tardado en encontrarla —le recriminó.

—Morag Dair se esconde bien cuando no quiere ser encontrada, mas yo soy conocido por mi tenacidad —sonrió Luch mirando de refilón a su antigua amiga. La mujer puso los ojos en blanco y se arrellanó en el sitial que correspondía al rey ocupar.

—¿Por qué me habéis mandado llamar, majestad? —le preguntó la anciana mirándole con arrogancia.

—Habladme de las dríades, Morag —ordenó el rey sentándose frente a ella en un banco corrido, asiento mucho más incómodo que el que la anciana ocupaba.

La bruja se irguió sobre el sitial, apoyó los codos en la mesa, cruzó sus delgados y engarfiados dedos y apoyó su afilada barbilla en ellos. Sus exangües labios esbozaron una tétrica sonrisa que mostró sus dientes aguzados y sucios, una sonrisa que no se manifestó en sus oscuros ojos saltones.

—¿Pensáis escucharme esta vez, sire, o me volveréis a ignorar cuando lo que os diga no os guste? —le retó insolente.

Iolar se apresuró en hacer un gesto con la mano para detener las palabras que en ese momento pugnaban por abandonar la garganta de Gard. Su leal capitán había posado la mano sobre la empuñadura de su daga y su mirada colérica evidenciaba que no estaba dispuesto a permitir que la vieja bruja se mostrase irrespetuosa.

Morag, consciente del cruce de miradas entre el rey y su capitán, se limitó a mirar al soldado y sonreír socarrona.

—Hablad de una buena vez, Morag —le exigió Iolar. La bruja se mantuvo callada, retándole en silencio—. Os escucharé con atención, aunque no me guste lo que digáis —claudicó. Morag era la única persona del reino que conocía la verdad oculta en la leyenda del Verdugo. La única que sabía qué eran realmente las dríades—. Dad respuesta a mis cuitas y seréis recompensada.

La bruja cabeceó satisfecha, volvió a arrellanarse en su sitial y comenzó a hablar:

—La primera dríade fue engendrada por la semilla del Ver-

dugo en el vientre de una humana. Fue la promesa del Verdugo lo
que la convirtió en dríade. —La voz de Morag Dair se tornó ronca
y melancólica, hechizante—. Hace muchos, muchos años…

Antes de la llegada del Verdugo, los Ancianos dominaban el reino
con leyes ancestrales destinadas a dominar a los hombres y mujeres, temerosos de Dios.

Leyes para las que el perdón era señal de debilidad y la compasión una aberración.

Leyes para las que la magia era la más depravada de las perversiones y las mujeres que la practicaban, brujas corrompidas por el
demonio.

Antes de la llegada del Verdugo, el silencio era una necesidad, la
obediencia una imposición y el terror una realidad.

En el patio de armas, un hombre de pensamientos oscuros y
mirada sombría observaba los tapices que cubrían las ventanas de
la sala privada del rey en la Torre del Homenaje, deseando ser capaz de descubrir lo que allí se hablaba.

El rey sodomita y su capitán mariol se traían algo entre manos, algo que él no era capaz siquiera de intuir. Habían convocado
en Sacrificio del Verdugo a todos los nobles que estuvieron presentes durante el entierro de la difunta duquesa, reuniéndolos
bajo las murallas de la ciudad, encerrándolos en estancias lujosas
que no eran otra cosa que celdas de las que no podrían escapar en
caso de ser descubierta su implicación en el asalto al bosque.

El hombre se llevó la mano al cuello y acarició con dedos trémulos su garganta. Casi podía sentir el gélido filo de la espada
del rey acariciándole la nuez de Adán. Pero no, no sería descubierto, había cuidado en extremo sus pasos, nadie podría averiguar nada jamás.

Desvió la mirada hacia un extremo del patio, a las escaleras
que ascendían al adarve, y dirigió sus pasos hacia allí. Subiría a la
muralla, caminaría entre las almenas y, desde el camino de ronda,
observaría en el horizonte el perfil del bosque prohibido.

La hija de Fiàin le esperaba allí.

Estaba impaciente por hacerla suya y dominar su cuerpo y
su alma.

La leyenda del Verdugo - El sacrificio del Verdugo

Despuntaba el amanecer del segundo día del año cuando el Verdugo penetró en el bosque en el que había ocultado a su familia.

Agotado y jadeante tras la noche de angustia, caminó entre los serbales y eucaliptos, atento al lastimero entrechocar de sus ramas, al lúgubre lamento de sus hojas.

Y al cabo, una enloquecedora escena se mostró ante sus ojos, atravesando con certera puntería las profundidades de su alma.

Caído en el suelo, inerte, con el tronco lacerado por atroces hachazos y las ramas desmembradas y quemadas, se hallaba el roble que había jurado proteger a su familia.

Su amada esposa yacía junto al árbol, sobre un lecho de raíces, dormida exánime en un sueño eterno, las crueles heridas de su pecho cubiertas por una sábana de pardas y entristecidas hojas de serbal.

Acercándose temeroso, el Verdugo se arrodilló a su lado y retiró con dedos trémulos y ojos anegados en lágrimas la pátina de hojarasca que la vestía. Un lamento infinito abandonó sus labios al comprobar que el corazón de su esposa yacía sobre sus senos, fuera de su cuerpo.

Maldijo la guerra y a los hombres. A los Ancianos y al poder. A las leyes humanas y las divinas. Se maldijo a sí mismo por haber permanecido lejos, por haberla abandonado por mor de una guerra que la había matado. Y mientras lloraba sobre el cuerpo sin vida de su amada, escuchó una voz infantil que le llamaba.

«¿Padre?»

El Verdugo alzó la cabeza y buscó el origen de esa voz.

Oculto entre los gruesos troncos de los serbales encontró un joven roble.

Posó su acuosa mirada en él, y la corteza del árbol comenzó a difuminarse hasta que se escindió y del delgado tronco emergió una niña pequeña, de no más de cinco años.

Tenía el cabello castaño de su madre y los ojos oscuros del Verdugo.

Las ramas del joven roble se agitaron amenazantes, protectoras, cuando la niña dio un paso hacia el hombre arrodillado, pero ella susurró una canción y el delgado árbol se quedó inmóvil, al acecho.

El Verdugo abrió sus fuertes brazos y la niña se lanzó a ellos. Se abrazaron y besaron entre llantos de alegría por el encuentro y de pena por la pérdida de la amada madre. Hablaron hasta que sus voces enronquecieron.

El Verdugo acarició el rostro de su hija hasta que las yemas de sus dedos aprendieron sus rasgos.

La niña se acurrucó sobre el regazo del enorme hombre hasta que su piel aprehendió su esencia.

Juraron no separarse nunca, olvidarse del mundo y de los hombres, y crear una nueva familia junto al roble al que la niña estaba hermanada.

Pero tuvieron que romper su juramento.

Al atardecer del tercer día del nuevo año, un desconocido entró en el bosque portando un terrible mensaje. Los Ancianos se estaban reagrupando, los lugartenientes del Verdugo luchaban entre ellos para hacerse con el poder y el desaliento había hecho presa en los hombres y mujeres que habían luchado con ímpetu y valor.

El Verdugo cerró los ojos, desolado. De nada había servido su sacrificio.

La niña acarició la frente de su padre, y este la miró desamparado.

«Ve con él, padre. Los humanos te necesitan más que yo», susurró dándole un último beso e internándose de nuevo en su roble.

El Verdugo asintió y, sin mirar atrás, abandonó el bosque.

Reagrupó sus huestes, ajustició a aquellos que habían roto sus leyes para hacerse con un poder que no les correspondía, batalló de nuevo contra los Ancianos y, cuando por fin el antiguo reino dejó de existir, mandó construir una ciudad de murallas de piedra coronada por un imponente castillo orientado hacia el bosque que jamás habría de volver a pisar.

Un castillo desde el que gobernar su nuevo reino.

El reino del Verdugo.

El pueblo, espectador ingenuo e ignorante del dolor de su rey, dio un nombre a la ciudad, un nombre acorde con el hombre que los gobernaba: Sacrificio del Verdugo.

El rey Verdugo dotó su reino de nuevas leyes, y las hizo cumplir, ganándose el afecto del pueblo. Y cuando hubo instaurado el orden, creó una guardia cuya única encomienda era proteger el bosque prohibido, aislarlo del resto del mundo, impedir que nadie entrara en él y descubriera y atacara el secreto que allí se ocultaba: que el corazón del reino lo guardaba un joven roble hermanado con una dríade.

La ciudad recién creada absorbió cada segundo de la vida del soberano. Se sucedieron los problemas, las disputas entre nobles y populacho, y las hambrunas y las plagas asolaron el reino; las conspiraciones contra él y los atentados a su persona se convirtieron en el hábito de los nobles despechados. Y el Verdugo tuvo que posponer eternamente su deseo de regresar al bosque, junto a su hija.

Las estaciones dieron paso a los años y estos a las décadas, y el bosque prohibido adquirió un halo de magia y misterio. Los pastores, comerciantes y labriegos que atravesaban la cañada decían escuchar canciones susurradas que emanaban del bosque. A su vez, el pueblo, temeroso, convirtió a la mujer que habitaba el bosque en una bruja sedienta de sangre, en una doncella cantora que hechizaba a los hombres, en una guerrera sanguinaria que protegía a los animales cuando los hombres se internaban en el bosque e intentaban darles caza. Incluso dieron un nombre a la doncella embrujada: Máthair Mór na Foraoise, Gran Madre del Bosque.

Y el devenir del tiempo dio paso a la leyenda.

De taberna en posada, de plaza en molino, de boca a oreja, un susurró atravesó imparable el reino.

En el bosque prohibido, uno de los guardias había roto el misterioso edicto real y penetrado en la fronda, fascinado por el canto de la bruja que habitaba en el bosque. Ella lo había hechizado con su belleza.

Y a través de los siglos, en el bosque del Verdugo, las dríades continuaron prendándose de los hombres, de valientes guardias reales, de hoscos campesinos, de asustadizos comerciantes. Algunas tuvieron suerte y compartieron su existencia y su muerte con aquellos a los que amaban, y dieron vida a nuevos robles y dríades que colmaron de vitalidad un mágico claro en mitad de un bosque prohibido. Pero otras… otras fueron desgraciadas al mostrar el secreto de los robles a sus amantes.

Morag Dair (An finscéal)

Capítulo 22

*Érase una vez un rey que no quería escuchar, una joven
dispuesta a buscar, una mujer que habla con la verdad.*

Anochecer, 20 de tinne (julio)

—Otras fueron desgraciadas al mostrar el secreto de los robles
a sus amantes —finalizó Morag.

—Hermosa leyenda, bruja, pero no veo qué tiene que ver con
la respuesta que anhelo —gruñó Iolar antes de tomar una jarra
de vino de la mesa y bebérsela de un solo trago. Notaba la boca
extrañamente seca, su lengua se tornaba estropajosa entre sus
dientes apretados. Un músculo palpitó en su mejilla. El rey estaba
furioso.

—¿No lo veis o no queréis verlo, majestad? —Iolar alzó la
mirada, furioso por la respuesta de la bruja—. Fiàin es una dríade,
amó a un hombre, o a dos —apostilló mordaz observando el ceño
fruncido de Gard—, y cuando se quedó embarazada, fue obligada
a convertirse en lo que no era. Intentasteis domarla, convertirla
en la esposa dócil que nunca sería. La encerrasteis entre muros de
piedra, alejándola de sus hermanos los robles. Casi la matasteis. Y,
ahora, acudís a mí para que os dé respuestas. ¿Respuestas a qué,
majestad? ¿Qué es lo que queréis saber? Hablad claro y os res-
ponderé con claridad.

Iolar se levantó airado del banco corrido, empujó la mesa
con ambas manos, alejándola de la bruja, eliminando la escasa
protección que esta le proporcionaba, y, colocándose frente a la
anciana, se encaró a ella con los puños cerrados apretados contra los muslos.

Gard hizo intención de levantarse y apoyar a su airado rey,
pero la inflexible mano de Luch se posó sobre su hombro, instándole a mantenerse quieto. Ambos conocían el temperamento

de Iolar, y también la obstinación de Morag. La bruja no daría su brazo a torcer. Si el rey no atemperaba su ira y aceptaba su mordaz reprimenda, ella abandonaría la estancia sin pronunciar ninguna palabra más. Y ellos necesitaban su sabiduría, sus incisivos consejos y sus respuestas veraces, aunque les doliera escucharla. Morag jamás mentiría ni adornaría la verdad, ni siquiera por compasión hacia dos hombres enamorados que lo habían perdido todo.

—Fiàin está viva —dijo en ese momento Iolar, la cólera bullía feroz en su rostro, pero parecía dispuesto a contenerla.

—Lo sé. —Morag extendió su explicación ante la mirada interrogante de los hombres allí reunidos—. El bosque me lo dijo. Sí, el bosque nos habla; solo tenemos que saber escuchar —apuntó sonriendo—. Fiàin ha intentado olvidar su amor por vosotros ocultándose en las entrañas de su roble. Su memoria ha permanecido adormecida durante estos años, mas la inesperada presencia del amante de vuestra hija y los juegos a que ambos se dedican ha despertado su pasión, obligándola a recordar lo que tanto ansiaba olvidar.

—¿Cómo podemos recuperarla? —preguntó Gard, la mandíbula tensa, las manos apretadas en puños sobre la mesa.

—Respetando y aceptando sus deseos —respondió críptica Morag.

—Si persuado a Aisling de regresar a la ciudad y vivir en el castillo, junto a su amante… ¿morirá? —Los labios del rey temblaron al formular la pregunta, en sus ojos se leía la desesperación al intuir que conocía de antemano la respuesta de la anciana.

—Jamás la persuadirás. Y si convences a su amante para que abandone el bosque, ella se ocultará en su roble, tal y como hicieron Fiàin y cientos de dríades enamoradas y abandonadas antes que ella. Cada una de ellas es un roble. Cada uno de esos robles narra en su corteza una historia de tristeza y desolación por el amor perdido. ¿Queréis ese final para vuestra hija, majestad?

—Aisling no es una dríade. Es mi hija —musitó Iolar cerrando los ojos al escuchar su propia mentira salir de sus labios.

—Las dríades son hijas del bosque. —Morag recitó la verdad que hacía tantos años le había contado en esa misma sala. La verdad por la que fue expulsada del castillo por orden del atormentado rey—. Cada una de ellas pertenece a un roble, y no pueden alejarse de él o perecerán lentamente. Cuando la tristeza las abate, penetran en su árbol y forman parte de él. Su sangre se convierte en savia, sus cabellos en hojas, sus pies en raíces. Si su roble es golpeado, sienten su dolor. Si su roble arde, la dríade se quema. Si el roble muere, ella muere.

Atardecer, 24 de tinne (julio)

Aisling estaba acurrucada sobre una maraña de ramas en la copa de su delgado roble. Mantenía la cabeza recostada sobre el fino tronco de su arbóreo hermano, mientras sus cariñosas hojas le acariciaban las mejillas. *Blaidd* y *Dorcha* merodeaban nerviosos por el claro, atentos, al igual que su amiga, al rumor de los árboles.

El plazo dado por el padre de la dríade había cumplido dos días atrás, y el amante humano de Aisling no había regresado al bosque.

Los serbales y eucaliptos se mantenían silentes, ningún murmullo recorría la fronda, ninguna hoja susurrante advertía de la presencia del humano en la linde del bosque. Cada roble del mágico claro se mantenía alerta, esperando en vehemente silencio el desenlace de aquella desventurada historia.

Los robles se mostraban compasivos ante la tristeza de Aisling, pero solo Milis y Grá se atrevían a susurrar melodías de esperanza al oído de la joven, y, mientras lo hacían, los árboles en los que habitaban Darach y Fiàin entrechocaban furiosos sus ramas, mostrando su indignación hacia el humano que había traicionado a su hermana dríade.

La mágica muchacha se limpió con el dorso de la mano una lágrima que resbalaba por su mejilla y, acto seguido, se puso en pie, trepó hasta la más alta de las ramas de su roble y desde allí saltó a Máthair Mór.

Gran Madre elevó la rama sobre la que Aisling había caído, hasta que la joven ascendió más allá del techo del bosque.

Montada a horcajadas sobre el enorme tronco de su antepasada, la dríade oteó el horizonte, y la desesperanza hizo presa en ella. Ninguna nube polvorienta manchaba la cañada Real. Nadie se acercaba al bosque, excepto los soldados que su padre había dejado allí.

Se derrumbó sobre la áspera corteza de su antepasada, sin importarle rasparse las mejillas y lloró amargamente mientras de la gruesa rama emergían verdes brotes que la envolvieron y arroparon.

—Se ha olvidado de ti —susurraron las hojas de Darach.

—¡No! —negaron Milis y Grá—. Quizá sus heridas sean más importantes de lo que pensaba tu padre, Aisling. Kier no te olvidará, nos lo juró. Él es tu destino.

La joven dríade se abrazó con más fuerza a Máthair Mór al escuchar los susurros de los árboles. No quería que él la olvidara, pero lo prefería a que estuviera a las puertas de la muerte.

Incapaz de mantenerse al margen siquiera un momento más, bajó del enorme roble y se encaminó a su arbórea cueva. Cuando instantes después salió de allí, vestía una enorme camisa de algodón y unos oscuros calzones del mismo tejido que ocultaban su cuerpo. Había recogido sus cabellos con un pedazo de tela que había arrancado de un vestido y portaba, arrugada entre las manos, una capa de lana que su padre le había regalado hacía años y que ella usaba de manta.

—¿Adónde te diriges? —preguntó Fiàin en la mente de Aisling, a la vez que emergía del tronco de su roble.

Desde que había acudido en su ayuda durante el asalto, Fiàin había comenzado a ausentarse de su roble. Al principio durante apenas unos momentos, los suficientes para acariciar a su hija con manos humanas, pero con el transcurrir de los ocasos, los momentos en que se tornaba mujer se hacían más largos en el tiempo. Se acurrucaba hasta el anochecer junto a Aisling, abrazándola en silencio, compartiendo la tristeza y la rabia, el desamparo y la esperanza.

—Voy a buscarle, madre —contestó la joven dríade alzando la barbilla, mostrando lo irrevocable de su decisión.

—¿Y qué harás si lo encuentras? —susurró Fiàin en la mente de su hija, sorprendiéndola—. ¿Qué harás si él no quiere regresar? ¿Rogarás? ¿Le suplicarás que vuelva? Y si no le convences, ¿permanecerás a su lado en la ciudad de piedra, marchitándote hasta morir?

—Madre…

—Espera aquí, Aisling, en la seguridad de tu bosque, arropada y protegida por tu familia. Nada bueno puede ocurrirte en la ciudad. Los hombres son malvados, te harán daño; sufrirás. Si él te quiere, volverá. Y si no lo hace, no merecerá la pena que lo arriesgues todo por él. Estará muerto o te habrá olvidado. No sé cuál de las dos opciones es mejor.

—Kier no muerto, padre prometió…

—¡Tu padre ha roto todas las promesas que alguna vez hizo!

No debes confiar en él. Prometieron amarme, y su amor por poco me mata. Prometieron protegerme y me abandonaron en el castillo de piedra, a merced de quien quisiera herirme.

—Padre ha cambiado, es más sabio. Él entiende qué somos, qué necesitamos. Juró curar a Kier. No fallará —afirmó Aisling con una seguridad que no sentía—. Iré a ciudad, madre. No podrás retenerme aquí, soy tan fuerte como tú, mi canto es tan poderoso como el tuyo, los robles me obedecerán aunque tú ordenes lo contrario. —La retó con la mirada.

Fiàin miró a su hija, y deseó por primera vez en su vida poder gritar con palabras, y no con pensamientos, la frustración que hacía mella en su interior. Su pequeña estaba a punto de abandonarla para adentrarse en la peligrosa ciudad en busca de un hombre que seguramente la habría olvidado.

Suspiró afligida, nada podía hacer por evitarlo, ella misma había caído antaño bajo el influjo del amor por culpa de dos humanos que la traicionaron. Ella misma había esperado, estación tras estación, a que sus hombres comprendieran que les pertenecía y que jamás les abandonaría aunque regresara una y otra vez al bosque. Sin embargo, ellos se habían mantenido ignorantes, la habían torturado alejándola de sus hermanos robles. Aun así, ella había seguido esperando que comprendieran sus necesidades, hasta que la espera estuvo a punto de costarle la vida. Y luego, cuando por fin le habían permitido regresar al bosque, habían cometido la mayor de las traiciones. Habían intentado separarla del fruto de su vientre.

No.

Iolar y Gard no ayudarían a su hija.

Kier no recordaría su promesa de amor eterno.

Pero Aisling tenía que descubrirlo por sí misma. Y necesitaría toda la ayuda que ella pudiera ofrecerle para escapar ilesa de la ciudad de piedra.

Sorprendió a su hija al bajar la cabeza y asentir, claudicando ante sus deseos. Luego se acercó hasta su pequeña y, abrazándola con fuerza, entonó una triste melodía trenzada con recuerdos. Aisling cerró los ojos para poder atesorar en toda su intensidad las remembranzas que esta le otorgaba.

Observó a través de los pensamientos de su madre la enorme ciudad amurallada que apenas recordaba, el patio arenoso en el que los soldados practicaban con sus armas, los salones de altísimos techos, la fría y oscura estancia en la que dormían por la noche y el pequeño jardín rodeado de murallas en el que ella y Fiàin habían buscado aliento y refugio. Su nariz se llenó con el hedor del humo de las chimeneas, el agrio olor del sudor añejo que emanaba de los humanos y la intensa pestilencia de los afeites de aquellos que poblaban los salones del castillo. Sintió en el paladar el sabor amargo de la comida quemada y especiada, y el insípido gusto de las verduras almacenadas en graneros.

Intentó alejarse del abrazo de su madre, no quería recordar aquello que tanto las había herido durante su vida en la ciudad de piedra. Pero Fiàin la abrazó con más fuerza y le mostró un nuevo recuerdo. Uno que Aisling no había visto nunca.

La evocación mostraba a Fiàin con un sencillo vestido del color del cielo en verano. Aisling no recordaba ese vestido, nunca se lo había visto puesto a su madre.

La dríade bajaba unas estrechas y retorcidas escaleras de caracol, que apenas eran iluminadas por el resplandor de las viejas antorchas colocadas sobre oxidadas almenaras. Se dirigiría al pequeño jardín en el que hallaba consuelo cuando sus hombres no estaban con ella. Una mano emergió de entre las tinieblas que la rodeaban, aferrándola del brazo. Al instante siguiente, un hombre alto y delgado, con el rostro picado de viruela, estaba sobre ella, abrazándola con violencia, chupándole la cara con su lengua áspera mientras musitaba insultantes palabras. Fiàin se defendió como una loba hasta que consiguió zafarse de su agarre y descender veloz por las escaleras. Él la siguió, lanzándose contra ella, haciéndole chocar contra la dura pared para iniciar un nuevo combate; la agarró, lamió y mordió mientras la golpeaba y a la vez era golpeado. Rompió eufórico su vestido mientras ella, con los dedos formando garras, hundía sus uñas en una de las rugosas mejillas del hombre, desgarrándola. Ambos pelearon sin pausa, uno con excitada demencia, la otra con furia aterrada, hasta que el sonido de unos pasos cercanos hizo huir al hombre.

Aisling jadeó asombrada al contemplar la escena. Conocía a ese hombre; le había visto en más de una ocasión acechándolas desde el adarve cuando estaban en su jardín, incluso lo había descubierto, oculto por las sombras, en los pasillos y las escaleras que recorrían la Torre del Homenaje donde ellas vivían. Nunca se había sentido segura en su presencia, quizá porque había notado el temor de su madre cuando él estaba cerca. De hecho, Fiàin nunca caminaba sola por el castillo, ni permitía que su hija lo hiciera.

Desde que era capaz de recordar, ambas se encerraban en su jardín privado cuando Iolar y Gard no estaban junto a ellas.

—Mantente alejada de los habitantes de la ciudad de piedra, no dejes que sepan quién eres o te apresarán y te entregarán a Iolar, y él no te dejará regresar al bosque —le advirtió Fiàin grabando las palabras en su mente a la vez que la tomaba por los hombros—. Cuídate de los hombres y, si ves al que te he mostrado, huye, huye lo más rápido que puedas.

Con las palabras de su madre repitiéndose con angustiosa perseverancia en su mente, Aisling asintió con la cabeza, aferró con fuerza la capa entre sus dedos y caminó en dirección a la linde del bosque.

Nada le haría desistir de su propósito.

Sus lobos, fieles amigos, la acompañaron.

Capítulo 23

Érase una vez un hombre que se atrevió a despreciar
el favor de un rey.

Antes del mediodía, 25 de tinne (julio)

*K*ier se llevó con disimulo la mano hasta la nuca y se rascó el
lugar donde el jubón le rozaba el cuello, luego tiró de la prenda
hasta que la separó de sus hombros. Suspiró agradecido, pero en
cuanto soltó la tela, esta volvió a posarse sobre su piel, molestándole con su peso. Bufó irritado sin dejar de frotarse los muslos; la
lana de las calzas le hacía sentir como si cientos de hormigas corrieran por sus piernas. Se apoyó en una de las almenas que circundaban el adarve y encogió los dedos de los pies dentro de las
flexibles botas que el rey le había regalado. Sentía la presión del
cuero en los talones y los tobillos. El caro calzado inmovilizaba
sus músculos y tendones, sujetándolos con fuerza. Le impedía
sentir el roce de la fría y dura roca en la planta de los pies y la caricia del viento y el calor del sol en el empeine.

Un carraspeo delante de él le hizo levantar la cabeza; el rey y
su capitán se habían detenido y le miraban con fijeza mientras esperaban a que se decidiera a continuar el obligado paseo por el
adarve.

Kier se irguió de nuevo y caminó tras ellos, no sin antes colocar con disimulo la pesada cadena de oro que colgaba de su cuello
por encima de la tela de la túnica.

El rey le había colmado de presentes en recompensa por su
valor durante el ataque, y Kier se veía obligado a llevarlos sobre
su persona para no desairar al irritable monarca, pero la verdad
era que estaba harto. Los sellos de oro en los dedos y las cadenas
en el cuello le pesaban como si fueran piedras. Las anchas mangas
de la camisola de seda se enredaban en cada cosa que tocaba; el ju-

bón, forrado de lana y cubierto de satén, largo hasta casi tocar sus rodillas, era un verdadero incordio, y las calzas, demasiado ajustadas, le rozaban molestas la ingle y los testículos mientras las cintas con las que se ataban a su cintura y pantorrillas se clavaban en su carne. Y eso por no hablar del olor.

El castillo no olía como recordaba. El tufo a sudor de los soldados que se ejercitaban en el patio de armas se combinaba con el hedor a madera quemada y carne asada que ascendía por las chimeneas del castillo, asqueándole. Las esencias con las que las sirvientas habían impregnado su ropa le mareaban al mezclarse con el pestilente olor que llegaba de la ciudad cuando el viento soplaba. Ni siquiera la comida sabía como recordaba, los asados nadaban en grasa y especias, la fruta era insípida, la costra que cubría la leche le repugnaba, el agua de tono parduzco apenas si guardaba un grotesco parecido con la límpida claridad de aquella que bebía en el bosque, junto a Aisling.

Se detuvo de nuevo, sin apenas fuerzas para caminar; el costado le ardía y cada músculo de su cuerpo temblaba extenuado por la falta de aire. Posó la mano sobre la piedra que conformaba la almena y sus dedos sintieron el pinchazo de la fría roca. Añoraba la suavidad del tacto de las hojas de roble. Intentó enfocar la mirada hacia el exterior, pero a sus ojos solo acudió el contorno borroso de la pétrea desolación que le rodeaba. Bajó los párpados y respiró despacio, con cuidado, intentando llevar a sus pulmones el aire pútrido y asfixiante que le rodeaba. Jadeó, deseando inhalar la fresca fragancia de los robles.

Esperó interminables segundos hasta que el control de su cuerpo regresó a él, y luego se giró, apoyado todavía en la fría almena, y dirigió su mirada al horizonte, al lugar en que la línea difuminada de las copas de los árboles marcaba el inicio del bosque prohibido. Quería volver a sentir la caricia del sol sobre su piel desnuda, el áspero roce de la tierra bajo las plantas de los pies, el tacto de los árboles en la yema de los dedos. Anhelaba respirar el fresco aroma de los eucaliptos, la intensa fragancia de los serbales, el familiar perfume de los robles. Se sentía un extraño en la ciudad, aborrecía cada momento que pasaba en el castillo.

Necesitaba retornar a su hogar. Sentirse de nuevo en paz, rodeado por su arbórea familia.

Deseaba estar con Aisling, ver su ceño fruncido y escuchar sus quejas cuando ella comprobara que habían vuelto a herirle. Anhelaba sentir el roce de sus dedos sobre el cuerpo, el suave tacto de su cabello acariciándole mientras la abrazaba sobre su lecho de ramas. Añoraba su cálida sonrisa, el sonido de su voz cuando cantaba a los robles, el fuego de su mirada recorriéndole mientras él devoraba cada centímetro de su deliciosa y tersa piel.

Quería regresar junto a ella; la extrañaba tanto que la impaciencia por estar de nuevo a su lado le consumía, le dolía, le atormentaba.

Pero el rey no se lo permitía. Le mantenía preso en una cárcel de oro de la que no podía escapar por mucho que lo intentara. Los guardias que se apostaban en la puerta de su dormitorio y vigilaban cada uno de sus pasos cuando lo abandonaba eran buena prueba de ello.

—Es demasiado pronto para obligarle a recorrer el adarve —comentó Gard observando al joven que se había detenido, por enésima vez, varios metros detrás de ellos—. Sus heridas son recientes y apenas tiene fuerzas para soportar las acometidas del viento.

—Memeces, hace días que no tiene fiebre —replicó el rey—. El aire fresco le vendrá bien para recuperarse.

—No es su mejoría lo que buscas, Iolar —rebatió el capitán.

—Prometí a Aisling que le cuidaría, y eso estoy haciendo.

—¿Obligarle a pasear durante horas, al borde de la extenuación, bajo el fuerte viento que azota las murallas, es cuidarle? —inquirió irónico Gard—. Permítele descansar —susurró al ver la lividez en la cara del joven y escuchar su respiración jadeante—. De nada te sirve agotado.

Iolar se giró sobre sus talones y observó al fatigado amante de su hija. Sus heridas no se curaban tan rápido como debieran. Parecía perdido, derrotado, exhausto, lo que era perfecto para sus planes.

—Ya tendrá tiempo de descansar esta noche, ahora debemos continuar —declaró con una sonrisa en los labios a la vez que se dirigía hacia el joven.

—Iolar… —Gard lo detuvo tomándole del brazo—. Detén esta locura.

—¿Locura? Es nuestra única oportunidad —siseó el rey enfrentándose a su leal capitán—. Han pasado diez días desde el ataque, el plazo que le di a Aisling para que regresara su amante se ha cumplido. Estará impaciente y asustada al ver que él no vuelve al bosque. Solo necesita un último empujón para decidirse y venir a Sacrificio. No podemos detenernos ahora.

—Maldita sea, Iolar, la obsesión por recuperarla te ha cegado —juró Gard fijando la mirada en su amigo—. ¡Mírale! No es precisamente la estampa de un hombre herido lo que tienes ante tus ojos, es la imagen de un moribundo.

—¡Su herida acabará por curarse, solo es cuestión de tiempo! —rugió el rey evitando mirar a Kier.

—¡No es la herida lo que me preocupa! ¿Es que no lo ves? Camina dando tumbos, mira a su alrededor aturdido, le cuesta respirar… ¿No te recuerda a Fiàin en sus últimos días con nosotros?

—¿Estás inquieto por lo que pueda pasarle? —Iolar arqueó una ceja en gesto burlón—. Te recuerdo que estabas más que dispuesto a matarle cuando te enteraste de que era el amante de mi hija.

—No es la vida del hombre lo que me preocupa, sino la reacción de Aisling si le pierde —afirmó el capitán irguiendo la espalda—. Muestra los mismos síntomas que Fiàin, morirá si le retienes aquí.

—No seas necio, Gard; es un hombre, no una dríade.

—Tú eres el necio, el bosque ha entrado en él y no quieres verlo.

—Aunque así fuera. Fiàin tardó años en apagarse, el puto aguantará unas semanas más antes de comenzar a agonizar, hasta entonces debe continuar mostrándose.

—¿Mostrarme? ¿Ante quién? —preguntó Kier llegando hasta los dos hombres. Les había visto discutir y la curiosidad había conseguido vencer su abatimiento.

Ante la inoportuna llegada del hombre, Iolar desvió los ojos hacia los escasos árboles que poblaban la loma sobre la que estaba situado el castillo.

Kier siguió su mirada, palideciendo al comprender el significado de esta.

—¿Qué pretendéis? —La angustia era palpable en su voz—. ¿Aisling? Ella no vendrá a la ciudad, ni siquiera se acercará —jadeó aterrorizado, intuyendo cuál era el plan de sus captores.

—¿De veras lo crees? —Iolar se acercó a Kier y le pasó un brazo sobre el hombro, obligándole a girarse hacia el exterior—. Yo opino lo contrario, Aisling se mostró muy protectora contigo durante el ataque. ¿Quién sabe qué hará cuando descubra que continúas malherido, que tu vida pende de un hilo?

—Jamás lo averiguará —siseó Kier con inusitada ferocidad—. Aunque me paseéis por las murallas como a un perro durante cada hora del día, ella no lo sabrá nunca. Fiàin le impedirá venir a la ciudad.

—Sus amigos los árboles se lo harán saber —aseveró Iolar impasible sin dejar de mirar los escasos árboles que jalonaban la Cañada Real desde su comienzo, en el castillo del Verdugo.

—No... —jadeó Kier liberándose del fuerte brazo del rey—, su magia no funciona así. Esos árboles no hablan, no sienten, no pertenecen a nuestra familia —intentó explicarles, sin ser consciente de que sus palabras revelaban hasta qué punto habían entrado los mágicos robles en él.

—Puede ser. —Iolar observó con atención al hombre que resollaba aturdido frente a él.

Quizá Gard tuviera razón y estuviera poseído por la magia del bosque prohibido. Tendría que investigar ese asunto, podría serles de ayuda en un futuro no muy lejano

—Pero no está de más intentarlo. Al fin y al cabo, no tienes nada mejor que hacer aquí —declaró pasándole de nuevo el brazo sobre los hombros con fingida cordialidad e instándole a continuar su recorrido por el adarve.

Gard cerró los ojos y negó con la cabeza. Su amigo estaba equivocado, y mucho se temía que no lo descubriría hasta que fuera demasiado tarde.

Aisling desvió la mirada del carro que la precedía, entristecida. Estaba cargado de árboles asesinados. Elevó una mano y acarició con las yemas de los dedos la corteza seca e inerte de uno de ellos. La vida que antaño habitara en su interior se había extinguido, su susurro había sido apagado por los humanos. En vez de conformarse con recoger las ramas caídas que los árboles les proporcionaban, los hombres segaban la vida de pinos, hayas, fresnos y robles, devastando la montaña al desnudar el bosque.

La joven dríade apretó los puños, furiosa, a la vez que dejaba caer hacia delante la cabeza, para que la capa de lana bajo la que se ocultaba la tapara completamente. Inspiró profundamente y continuó caminando. El castillo estaba a unos pocos pasos; podía olfatear el corrompido aroma que emanaba de él, la mezcla de esencias humanas, el hedor del estercolero ubicado en un lateral de las murallas y el olor picante del humo de las chimeneas que manchaba el cielo. Se encogió aterrada cuando al traspasar la primera muralla observó las puntas afiladas del rastrillo que guardaba la entrada, pero se obligó a seguir caminando; Kier estaba allí, en el interior de esa horrenda mole de piedra. Herido, quizá agonizante. La necesitaba, no podía dejarse vencer por antiguos miedos y recelos injustificados.

Su padre no la retendría allí contra su voluntad, se repetía una y otra vez para sus adentros, y si lo intentaba, Gard se lo impediría; el rubio amante de su madre era más cabal que su progenitor. Él la apoyaría. Pero aun así, entraría en la fortificación manteniéndose oculta hasta averiguar dónde estaba el dueño de su mirada, y cuando lo descubriera, lo sacaría de allí y lo llevaría al bosque, al lugar al que ambos pertenecían.

El carro al que seguía penetró por la estrecha abertura de la segunda muralla. Lo siguió hasta que sin previo aviso este giró a la izquierda, dirigiéndose parsimonioso hacia lo que Aisling creía recordar que era la entrada a las cocinas. Lo acompañó con la mirada durante unos segundos y, cuando volvió a centrar la vista, se quedó sin respiración. Ante sus ojos el inmenso castillo había tomado vida.

A su alrededor hombres y mujeres cargados con hatos, toneles y cántaros caminaban presurosos hacia una u otra entrada, esquivándola algunos, empujándola otros. Un poco más allá, los soldados se ejercitaban con sus armas, llenando el ambiente con ruidos metálicos de batallas fingidas. Frente a las caballerizas, enormes y barrigudos hombres golpeaban yunques y, junto al aljibe, reducidos grupos de pomposos nobles conversaban ajenos a lo que les rodeaba.

El castillo estaba invadido por oleadas de frenética actividad y ella estaba en el mismísimo centro del infierno.

Se arrebujó más aún bajo la capa y elevó la vista hacia las altas paredes de piedra salpicadas por pequeños ventanucos. Su mirada se detuvo en la Torre del Homenaje, en la tercera planta, allí donde había vivido junto a su madre, su padre y su amante. Parpadeó con fuerza para eliminar los recuerdos que comenzaban a asediarla y observó con atención lo que le rodeaba. Kier estaba en algún lado, herido, y su padre le estaría cuidando, tal y como había prometido, pero… ¿Y si Fiàin tenía razón? Iolar podría estar reteniéndolo contra su voluntad, esperando a que ella acudiera al castillo para atraparla.

No, su padre había prometido que jamás volvería a encerrarla allí; tenía que creerle. Necesitaba creerle. Pero ¿por qué Kier no había regresado? ¿Estaría gravemente herido, quizá muerto? Fiàin le había impedido acercarse a él en el bosque, ni siquiera había podido ver sus lesiones, no sabía cómo eran de importantes. Ni si podrían curarse.

Se llevó el dorso de la mano a los labios y lo mordió con fuerza para acallar un sollozo. No, él estaría bien; Iolar lo había jurado. Entonces, ¿cuál era el motivo de su tardanza? ¿Se había olvidado de ella?

Recorrió con la mirada el patio de armas, las murallas, la gente que la rodeaba. Kier pertenecía a ese mundo. Añoraba sus comidas, sus ropas, sus olores. Iolar le habría tentado, estaba segura. Le habría recompensado por su arrojo otorgándole regalos dignos de un rey, tesoros que ella no podía darle y que él anhelaba. Las riquezas que su padre poseía no podían compararse con la belleza del bosque, con la singular perfección del cristalino río ni el esplendoroso hechizo de los árboles que allí habitaban. Pero ¿lo sabría Kier? ¿O se habría dejado deslumbrar de nuevo por el poderoso influjo de la ciudad de piedra?

Negó con la cabeza, mortificada por sus pensamientos. Tenía que encontrarle, hablar con él. Pero ¿por dónde debía comenzar a buscar? ¿En qué lugar estaría confinado?

Su mirada volvió a posarse en la Torre del Homenaje, en la ventana que daba a las estancias reales. Iolar querría tenerle cerca, estaba segura; conocía a su padre. No se fiaría de nadie, a excepción de Gard. Custodiaría a Kier en el lugar más seguro del castillo, junto a él.

Entornó los ojos, intentando ver más allá de los tupidos tapices a medio descorrer que tapaban las ventanas y, al no conseguirlo, dio un paso atrás buscando un ángulo que le permitiera observar mejor.

—Presta más atención, puta. Has estado a punto de pisarme —bramó una voz tras ella a la vez que unas rudas manos la empujaban con fuerza, lo que le hizo perder el equilibrio y casi caer.

Aisling se giró, con una disculpa en los labios, consciente de que debía evitar llamar la atención, pero las palabras murieron antes de salir de su boca.

El hombre que estaba frente a ella tenía tres pálidas y alargadas cicatrices en una mejilla. Unas cicatrices provocadas por las uñas de su madre. Una rabia ciega, mezcla de terror e ira, la poseyó. Apretó las mandíbulas hasta que sus dientes rechinaron y cerró las manos en sendos puños, dispuesta a lanzarse sobre el infame y vengarse en nombre de su madre, pero las palabras que esta había pronunciado resonaron en su cabeza, apaciguándola, alertándola.

—¡Vaya! Tal parece que la puta tiene redaños —se burló el hombre al ver la reacción de la joven. Pero no era burla lo que reflejaba su mirada, sino excitación—. ¿Crees que puedes revolverte contra mí y salir ilesa? —preguntó aferrándola por los brazos—. Atrévete —susurró con lasciva sonrisa.

Aisling intentó zafarse de su agarre, él respondió apretando más todavía sus fuertes dedos sobre la suave piel de la joven. Se produjo entre ellos una indisimulada lucha, la dríade intentó escapar, y él, a su vez, la zarandeó con fuerza para luego pegar su cuerpo al de ella, haciéndole sentir la fulminante erección que su respuesta le provocaba. Aisling se echó hacia atrás, intentando separarse de él para golpearle. El hombre intuyó su ataque y, soltando uno de los brazos de la muchacha, llevó la mano libre hasta la capucha de la capa, decidido a retirársela del rostro para atraparla por el cabello e inmovilizarla.

Pero fue él quien quedó paralizado durante unos segundos.

—¡Tú! Eres la viva imagen de tu madre —susurró asombrado, oprimiendo con fuerza el brazo que todavía apresaba y llevando la mano libre hasta el cuello de la dríade.

Aisling dio un tirón, intentando escabullirse de su captor, pero solo consiguió que él envolviera con más fuerza su fino cuello y comenzara a apretar, dejándola sin respiración.

—Esta vez no escaparás, mi salvaje dríade —jadeó el hombre aprisionándola contra su cuerpo en una obscena parodia de abrazo. Ella se revolvió, aterrada—. No luches contra mí, pequeña. No puedes huir. Ya ordené una vez quemar tu estúpido bosque, no dudaré en hacerlo de nuevo si es necesario. Compórtate bien, fierecilla, y todo será mucho más fácil —le advirtió antes de chuparle la cara en un lengüetazo repulsivo que le hizo sentir arcadas.

Capítulo 24

Érase una vez… el deseo de un padre, el temor
de un amante, la decepción de una mujer.

—No lo entendéis, morirá si la obligáis a permanecer aquí
—resolló Kier, agotado de discutir.

Desde que había intuido los planes del monarca estaba intentando convencerlo de su error, pero todas sus palabras eran en vano.

—Ah, pero no pienso obligarla a permanecer aquí; solo quiero que me visite —afirmó imperturbable Iolar. Gard gruñó su desagrado—. Piénsalo, muchacho. ¿De verdad quieres volver a ese bosque inhóspito cuando tienes al alcance de la mano todo lo que siempre has deseado? Poder, riquezas, joyas, incluso una lujosa morada en la que residir. Puedo ser muy generoso si ese es mi deseo —susurró sibilino—. A cambio, solo tendrás que establecerte en Sacrificio del Verdugo. Aisling vendrá a menudo y ambos veremos recompensados nuestros afectos.

—Nada de lo que me ofrecéis merece el sacrificio de ver la tristeza en sus ojos cuando vea traicionada la promesa que le hice —rehusó Kier.

—¿Ni siquiera tu propia vida? —amenazó Iolar, harto del rechazo del joven.

—Ni siquiera eso.

—Permanecerás aquí —declaró el rey con voz furiosa—. Ella vendrá a buscarte, hablaremos, y comprenderá qué es lo mejor para ti, para ella y para nosotros. Y tú me ayudarás a conseguirlo.

—Huirá si se ve atrapada, y si no le permitís escapar, morirá de pena. No seré vuestro cómplice —rechazó Kier sosteniéndose sobre una almena.

Ambos hombres se miraron sin parpadear, probando sus fuerzas. El rey fue el primero en retirar la mirada.

—Gard, asegúrate de que sigue recorriendo el adarve hasta que caiga la noche. Luego, enciérralo —ordenó mirando el horizonte.

—¿Por qué? —preguntó Kier desesperado—. ¿Por qué os empeñáis en atraerla a la ciudad cuando podéis acudir al bosque cuando lo deseéis?

—Deseo hablar con ella frente a frente, no separado por una muralla de ramas —accedió a contestar el rey, deseando ganarse la confianza y el apoyo del joven con su respuesta.

—Os habéis ganado su confianza salvándola del ataque y curando mis heridas —musitó Kier tendiendo sus manos hacia el monarca—. Si me lleváis de regreso al bosque, Aisling ordenará a sus robles que os dejen entrar en el claro; os lo aseguro. Le suplicaré que lo haga y ella atenderá mi ruego. No es necesario que la engañéis para que acuda a la ciudad. Ella os quiere, os acogerá ilusionada en el bosque.

—¡Aisling debe venir a la ciudad! —rugió Iolar empujando a Kier contra el parapeto interior de la muralla.

—¿Por qué? ¿Qué oculto motivo tenéis para desear este desatino? —musitó Kier abatido.

Gard miró al soberano alzando una ceja, pero la única respuesta de Iolar fue girarse de nuevo en dirección al bosque prohibido y otear el horizonte.

—Creéis que Fiàin vendrá a buscar a Aisling si la encerráis aquí —murmuró Kier estremecido, comprendiendo al fin.

—No lo entiendes —siseó el rey—. No voy a encerrar a Aisling, jamás lo haría; solo quiero hablar con ella, que convenza a Fiàin para que nos deje verla. ¿Qué harías tú si te separaran para siempre de la mujer que amas? ¿Esperarías de brazos cruzados a que ocurriera un milagro o lucharías con todas las armas a tu alcance para recuperarla?

Kier negó con la cabeza mirando ofuscado el patio de armas del castillo. Tenía que avisar a Aisling, impedir esa locura. Y mientras buscaba desesperado la manera de escapar de allí, un movimiento en un extremo del patio captó su atención: un noble abrazaba y besaba a una criada a pesar de que esta forcejeaba, molesta por sus atenciones. De improviso, la muchacha propinó al hombre un certero rodillazo en sus partes bajas que le hizo caer de rodillas, momento en que aprovechó para escapar.

Kier se inclinó sobre la almena y jadeó aterrado. La sirvienta se había apartado con brusquedad los cabellos que hasta ese instante habían ocultado su rostro y reconoció al instante la perfección de sus rasgos.

Los rasgos de su dríade.

—¡Aisling! —jadeó agónico por culpa del escaso e irrespirable aire que contenían sus pulmones.

Iolar y Gard se giraron hacia él al escuchar su aterrado lamento y, al seguir la dirección de su mirada, observaron a una joven que atravesaba el patio de armas a la carrera, chocando aturdida con las personas que pululaban por allí.

Una joven sorprendentemente parecida a Aisling.

—¡Zorra! —aulló el hombre con la cabeza baja y el cuerpo encogido por el feroz golpe recibido—. Ya veo que al final has decidido rebelarte —gruñó con una lujuriosa y aterradora sonrisa—. Tienes agallas, tantas como tu madre —musitó levantándose, dispuesto a perseguirla y obtener su recompensa.

La observó recorrer veloz el patio de armas, chocar con unas criadas, esquivarlas e ir a parar frente a los hombres que practicaban con sus armas. Estaba desorientada. Sería presa fácil.

—¡Bajad el rastrillo! ¡Impedid que salga del castillo! —Se escuchó desde las alturas la potente voz del rey Verdugo.

Aisling detuvo su loca carrera y elevó la vista al adarve. Allí, de pie sobre una almena, su padre daba la orden que le impediría abandonar el castillo. Junto a él, Kier, su amante, su amigo, el dueño de su mirada, permanecía inmóvil, vestido con lujosos ropajes. Gard se mantenía tras este, mirándola asombrado a través de la distancia.

El atronador silencio que se hizo tras la orden del rey llamó su atención, haciéndole centrar la vista en lo que la rodeaba. El hombre que la había atacado entraba con disimulo en la capilla contigua al patio de armas, decidido a ocultarse y evitar ser descubierto. Los nobles que conversaban cerca del aljibe se habían trasladado raudos a la seguridad que otorgaban las escaleras de entrada al salón de recepciones y, desde allí, observaban atentos la escena. Los siervos y criadas que colmaban el patio corrían en dirección a las cocinas o las cuadras. Y frente a ella, imponentes con sus cotas de malla, sus sobrevestes y sus espadas, los soldados la rodeaban suspicaces, dispuestos a obedecer la orden de su rey.

Aisling elevó de nuevo la mirada hacia la entrada del castillo.

El rastrillo había sido bajado, impidiéndole la huida. Sobre este, en el camino de ronda, dos hombres la observaban impertérritos, mientras el tercero, Kier, apoyado en el parapeto con medio cuerpo fuera, gritaba algo que ella no conseguía escuchar. Un fugaz destello en su torso, sobre el jubón que vestía, le hizo entornar los ojos. Algo refulgía balanceándose al final de una cadena que llevaba al cuello: un pesado medallón dorado.

Observó de nuevo a su amado; su cabello recortado, peinado con brillantes afeites y sujeto con una extraña cinta que despejaba su frente; su rostro afeitado, adornado con una cuidada barba que solo tapaba su barbilla y mostraba sus afilados pómulos; las ostentosas prendas con las que cubría su hermoso cuerpo, el medallón que colgaba de su cuello y los enormes anillos que destellaban en sus dedos. Todo en él indicaba que la recompensa por salvarla había sido abundante… y que él la había aceptado gustoso.

—Fiàin y Darach tenían razón —musitó limpiándose con los dedos las lágrimas que comenzaban a recorrer su rostro—. Me ha olvidado.

—Vamos, bella muchacha, ven con nosotros; el rey te reclama —susurró un hombre tras ella, sujetándola por el brazo.

Aisling hundió el codo que tenía libre en el estómago del incauto soldado y se libró de su agarre. Después giró sobre sus talones, buscando una brecha en la muralla de soldados que la rodeaba. No la había.

—¡Puta! —resolló el guerrero sin apenas aire—. ¡Atrapadla, puñeta!

El cielo pareció oscurecerse sobre la cabeza de la joven cuando los hombres que la rodeaban se arrojaron sobre ella. Se quitó la capa de un zarpazo y la lanzó sobre la cara de uno de ellos, cegándole momentáneamente, instante que ella aprovechó para saltar sobre él y escapar de los soldados que la acechaban, pero tras estos había más, muchos más.

—¡Deteneos, maldita sea! —oyeron la voz del rey—. ¡Si alguien osa tocarle siquiera un cabello, morirá bajo mi espada!

Los soldados se detuvieron, confusos por las incoherentes órdenes del monarca.

Aisling retrocedió, elevando de nuevo la mirada.

Sobre la muralla, Gard y su padre corrían por el camino de ronda en dirección a las escaleras que les permitirían acceder al patio. Kier caminaba tras ellos, despacio, sin prisa alguna, apoyando las manos en las pétreas almenas que delimitaban el muro exterior del adarve.

En el exterior del castillo, los lobos comenzaron a aullar.

—Hermosa dama del bosque —dijo un joven pelirrojo, vestido con la librea del reino del Verdugo, que caminaba presuroso hacia ella.

Aisling entornó los ojos, reconociendo en su rostro el de aquel soldado que intentó convencerla para entregar a Kier de nuevo a sus torturadores.

—Hermosa dama del bosque —reiteró el joven, deteniéndose a pocos metros de ella cuando Aisling hizo amago de escapar—. No tengáis en cuenta a estos zafios soldados, han malinterpretado las órdenes de nuestro rey. No pretende haceros ningún daño, ya lo habéis oído; solo quiere… deleitarse con vuestra belleza —continuó tras una pausa—. Vuestro lugar está aquí, junto a vuestro padre —susurró Coch, intentando hacerla desistir en su intento de fuga. Vio como ella desviaba la mirada una y otra vez hacia arriba, hacia el lugar donde se encontraba el prisionero al que el rey había cubierto de lujos—. Él pertenece al castillo, igual que vos —dijo con voz suave—. No debéis encerrarle en el inhóspito bosque, ni apartarle de los lujos y comodidades con que vuestro padre le ha colmado y de los que ahora disfruta —declaró señalando al hombre sobre el adarve—. Vuestro lugar está aquí, rodeada del esplendor que merecéis.

Aisling observó por el rabillo del ojo que los soldados se movían a su alrededor, tomando posiciones, mientras que su padre y Gard descendían veloces las escaleras. Buscó a su amado con la mirada; estaba apoyado en una almena, indiferente a si la apresaban o lograba escapar.

Algo se rompió en su interior.

El alarido de rabia y pesar que mantenía encarcelado en su garganta escapó, reverberando contra los muros de piedra que enclaustraban el patio de armas.

Iolar detuvo sus pasos al escuchar el lamento de su hija. Tras él, Gard soltó un juramento.

Sobre las murallas, jadeante, con la herida del costado abierta por el esfuerzo de la carrera y la camisa empapada en sangre bajo el ornamentado jubón, Kier observó sobrecogido cómo su amada corría en dirección opuesta al lugar en el que se encontraban el rey y su capitán. La vio arrojarse sobre los confundidos soldados y atacarles con pies, manos y dientes, sin que ellos se atrevieran a reaccionar, debido a las órdenes de no atacarla que el monarca seguía gritando.

Dejando atrás a los soldados, Aisling llegó hasta uno de los imponentes muros que rodeaban el patio de armas y, sin pararse a pensarlo, se lanzó contra él y comenzó a escalarlo. Sus pies desnudos, acostumbrados, al igual que sus manos, a aferrarse a los troncos de los árboles, y los músculos ágiles y vigorosos que conformaban su cuerpo le facilitaron la tarea. Antes de que los hombres que colmaban el patio pudieran reaccionar, había alcanzado el camino de ronda.

—¡No te quedes ahí parado! —escuchó Iolar la voz del capitán de su guardia, solapada entre la algarabía producida por los gritos de los soldados que resonaban en el patio.

Se dio la vuelta y le vio ascender presuroso las mismas escaleras que hacía un instante habían descendido. Se apresuró a seguirlo.

Kier observó, presa de un desconcertante mareo, como su amada recorría asustada el adarve, buscando la manera de llegar al exterior del castillo. Apoyado sobre una almena, intentó erguirse y llamarla, hacerle saber que nada de lo acontecido había ocurrido por su voluntad, que estaba atrapado allí, al igual que ella. Quería avisarla de los errados planes que Iolar tenía, instarla a que huyera al bosque y jamás lo abandonara... pero ninguna palabra escapó de sus entumecidos labios. El aire que respiraba no era suficiente para hacer valer su agotado cuerpo.

Aisling vislumbró a Kier sobre el adarve, apoyado cómodamente sobre la dentada muralla, contemplando impávido su lucha por escapar, mientras que Gard y su traicionero padre corrían hacia ella, dispuestos a encarcelarla en esa jaula de piedra. Miró hacia abajo. A ras de suelo, junto a las murallas, *Blaidd* y *Dorcha* aullaban con violento vigor, llamándola.

Iolar se detuvo aterrorizado tras el capitán de la guardia al contemplar como su hija los miraba desafiante y luego saltaba tras la muralla. Se asomó cuanto pudo tras las almenas y la vio descender presurosa, asida a los salientes del muro como una ardilla se aferra al tronco de un árbol, hasta que, a pocos metros del suelo, se dejó caer junto a sus lobos, para emprender rápida huida por la cañada Real en dirección al bosque prohibido.

—¡Subid el rastrillo! ¡Id tras ella! —rugió Iolar a los hombres que lo miraban estupefactos en el patio de armas—. ¡Prendedla!

—¿Qué harás ahora, Iolar? ¿Ordenar que arrojen una red y la capturen como si fuera un animal salvaje? —le increpó Gard para luego volverse hacia los soldados que en ese momento se agolpaban junto al rastrillo—. ¡Deteneos! —ordenó alzando su potente voz—. Dejadla ir.

Los soldados detuvieron su avance y observaron a su rey, buscando la confirmación a la contradictoria orden del capitán.

Iolar asintió con la cabeza, aceptando su error.

—Aisling me odia —murmuró Kier acercándose tambaleante a ellos, haciéndoles desviar la vista del punto lejano en que se había convertido la dríade—. Habéis conseguido que piense que la he olvidado por esto —dijo con desprecio a la vez que asía con manos temblorosas sus caros ropajes—. No volveré a verla. —Se asomó, apenas sin fuerzas, sobre el adarve y miró al horizonte, grabando en su retina la imagen de la dueña de su corazón corriendo junto a los lobos, escapando de él—. Os felicito, majestad. Esta es la muerte más dolorosa que me podríais dar. Considerad cumplida vuestra venganza.

Iolar gruñó, irritado por el dramatismo teatral que impregnaba las palabras del puto. Tenía otras cosas más importantes de las que ocuparse que los sollozos de un amante despechado.

El capitán de la guardia se acercó al hombre, alarmado por el tono agotado de su voz. Se fijó en las manos trémulas con las que se apoyaba en la almena, en sus piernas temblorosas y en la errática cadencia de su respiración. Alzó un brazo con la intención de agarrarle y alejarle del parapeto y, en ese instante, fallaron las fuerzas del joven.

Kier, incapaz de enfocar la vista, sintió que el suelo oscilaba bajo sus pies y que la almena sobre la que se había apoyado perdía consistencia. No le importó. Cerró los ojos y se dejó vencer por la amargura y el desaliento. Cayó al vacío.

El capitán consiguió atraparle y, agarrándole con fuerza, lo alzó hasta el adarve.

—¡Llamad a Meddyg! —ordenó a quienes contemplaban la escena desde el patio de armas.

Y después, sin perder un instante, se arrodilló junto al joven y le desgarró la ropa, intuyendo que bajo ella hallaría la respuesta a su extraña debilidad.

Lo que encontró, le dejó aturdido.

—Es imposible que haya sangrado tanto —musitó Iolar a su espalda—. La herida estaba casi cerrada.

—¿Estáis satisfecho, mi rey? —susurró Gard levantándose. Y con la mirada fija en los ojos de su amigo, se enfrentó furioso a él—. Vuestro espléndido plan ha dado sus frutos —ironizó con la rabia impregnando cada una de sus palabras—. Vuestra hija ha huido de vos, aterrorizada y humillada —dijo en voz tan baja que Iolar apenas podía escucharle—. Su amante, el hombre que os rescató de una muerte segura, yace en el suelo, desangrándose. ¿Estáis complacido, sire? ¿Es esto lo que deseabais, lo que buscabais con tanto empeño?

—Gard...

—¿Qué será lo siguiente, majestad? —El capitán le ignoró, presa de la rabia—. Si sobrevive, ¿lo colgaréis en lo alto de la torre para que Aisling lo vea e intente rescatarlo? ¿Mandaréis vuestras mesnadas al bosque para secuestrar a Fiàin?

—¡Basta, Gard! —gritó Iolar.

—No. Deteneos los dos —exigió la voz de Luch junto a ellos—. Todos los habitantes del castillo están presentes en el patio, observándoos. Doy gracias a la misericordia del Señor porque no puedan oír vuestras voces.

Capítulo 25

Érase una vez un alma perdida sin su bosque encantado.

Atardecer, 26 de tinne (julio)

—Os equivocáis al intentar curarle, Meddyg. No está enfermo —aseguró Morag Dair observando como el galeno se preparaba para sangrar al herido.

—¿No lo está? Yo diría que sí. Padece alguna rara enfermedad provocada por un humor maligno, otra explicación no cabe para tanta debilidad. Sus heridas tendrían que estar casi cerradas y, muy al contrario, parecen hechas hoy mismo. Su respiración agitada no mejora con friegas de eucalipto, tiene la piel apergaminada y las extremidades flojas, y no hay modo de hacerle despertar.

—Está fingiendo, hace tiempo que ha despertado —replicó la bruja tomando una vela encendida y acercándose al lecho del enfermo—. Aleja tus navajas de barbero, que nada vas a conseguir sangrándole. Bastante sangre ha perdido ya, ¿verdad, muchacho? —preguntó, a la vez que posaba el pulgar sobre el párpado de Kier, alzándoselo, para a continuación acercar la vela a su rostro.

La reacción de Kier no se hizo esperar; golpeó con escasa fuerza la mano de la anciana a la vez que abría los ojos, enfadado.

—Maldita sea, bruja, ¿pretendes quemarme? —jadeó falto de aire.

—En absoluto, solo quería ver de cerca el color de tus ojos —declaró Morag con gesto satisfecho para luego mirar a los dos hombres que la observaban con atención desde el otro extremo de la estancia—. La enfermedad que padece no está en su cuerpo, sino en su alma. Ya no pertenece a este mundo. —Volvió la mirada hacia el enfermo, que la contemplaba enfurruñado—. Es extraño; jamás he sabido de nadie como tú, aunque imagino que todo depende de la intensidad con la que se ama.

—¿Qué queréis decir, vieja? —inquirió el rey cruzando los brazos sobre su poderoso pecho.

Él y Gard permanecían inmóviles, ocultos entre las sombras, esperando una respuesta satisfactoria del doctor o de la bruja. Una respuesta que no llegaba.

—Nada que vos queráis escuchar —afirmó la mujer mirando compasiva a Iolar—. Nada que no sepáis ya. En vuestra mano queda hacer lo correcto —sentenció inclinando la cabeza a modo de despedida—. Acompañadme, Meddyg. Tal vez nos dé tiempo de hablar sobre remedios milagrosos antes de ser expulsada del castillo por decir lo que nadie quiere oír.

—Majestad…

—Id con ella, galeno, y llevaos vuestros instrumentos de tortura —ordenó Iolar sin desviar la mirada del hombre tumbado en el lecho—. Has dormido durante todo el día, ¿te encuentras mejor?

Kier observó irritado al rey y a su perro faldero, Gard. Se incorporó en el lecho apoyándose en un codo y bajó la vista hacia las vendas que cubrían su abdomen. Las apartó con dedos temblorosos hasta que pudo ver la herida abierta, que todavía rezumaba sangre. Parecía tener apenas unas horas en vez de más de una semana. Habían vuelto a coserla y los bordes se veían enrojecidos, en carne viva, pero sin rastro de abscesos purulentos.

Cerró los ojos y se concentró en respirar, deseando no sentirse tan cansado, tan débil. Percibía que el aire que recorría su garganta era insuficiente, que sus pulmones se cerraban impidiéndolo entrar y como era devuelto a sus labios en enfermizos jadeos. Anhelaba sentir en su rostro el aire puro del bosque, saborear la esencia del roble y el serbal, beber la cristalina agua del río Verdugo y dormir sobre un lecho de ramas en la copa de dos robles gemelos. Pero sobre todo, añoraba a una salvaje dríade que en esos momentos le odiaría con todo su corazón.

Una dríade entristecida que tal vez se hubiera ocultado en el interior de su roble para olvidarle.

Abrió los ojos y se sentó de golpe en la cama. Tenía que regresar al bosque.

—Si vais a matarme, hacedlo ahora; si no, dejadme marchar —exigió sin pensar.

El rey arqueó una ceja, sorprendido por su atrevimiento. El capitán de la guardia se mostró más contundente.

—¿Te atreves a exigir a tu rey? —exclamó acercándose airado al lecho.

—No estás preso —profirió Iolar, interrumpiendo el arrebato furioso de su amigo y negando con la cabeza.

Durante las horas que Kier había permanecido inconsciente había tenido tiempo de meditar sobre lo ocurrido. Había calibrado las opciones que le quedaban y ninguna se le antojaba conveniente a sus planes. De hecho, era consciente de que ninguno de sus planes había dado el resultado previsto; muy al contrario, habían resultado ser en extremo calamitosos. Quizá fuera hora de dejar de lado sus deseos y centrarse en lo que verdaderamente le importaba: Aisling.

—Eres libre de abandonar Sacrificio del Verdugo. Lamento que nuestros caminos no se hubieran cruzado antes para así haberte conocido mejor y no haberme creado juicios equivocados —afirmó mirando al herido. Esa era la única disculpa que pensaba ofrecer.

Kier asintió con la cabeza e hizo amago de abandonar la cama, pero sus empobrecidas fuerzas le hicieron caer de nuevo sobre el lecho.

—La herida ha vuelto a abrirse, quizá sea preferible que esperes a curarte antes de partir —comentó Gard burlón.

—No es esta la herida que puede matarme —replicó Kier señalando su costado.

Atardecer, 27 de tinne (julio)

Con cada respiración que daba se sentía más fuerte, más ligero, más vivo.

Hacía tiempo que se había librado de las molestas botas y sus pies descalzos se deleitaban con la textura rugosa del suelo del bosque. Había extendido los brazos a ambos lados del cuerpo y acariciaba con las yemas de los dedos los troncos de los serbales que encontraba a su paso, a la vez que inspiraba profundamente la esencia intensa de los robles que pronto encontraría frente a él.

Quería reír y gritar. Correr y saltar. Se sentía capaz incluso de volar.

Todo a su alrededor le trasmitía serenidad y felicidad. Todo le recordaba a ella.

Pronto la vería de nuevo.

A pocos pasos de distancia, Gard e Iolar observaban asombrados el cambio que se había producido en Kier.

Al inicio de la jornada, habían sido testigos de la dolorosa debilidad que hacía mella en él, cuando tumbado sobre un montón de paja en la caja del carro se dirigieron hacia el bosque. Aunque ningún lamento había abandonado los exangües labios del joven, la palidez de su rostro, el temblor de sus manos y su respiración jadeante habían dado buena muestra de lo mucho que le había costado hacer ese viaje. Y, en ese preciso momento, con los rayos del sol de la tarde difuminándose entre las copas de los árboles, el amante de Aisling parecía dispuesto a echar a correr. De hecho, eso fue exactamente lo que hizo, para el absoluto asombro del rey y el capitán, que partieron tras él.

Kier había divisado por fin la primera hilera de robles que conformaba el círculo mágico e, impaciente por llegar hasta allí, aceleró el ritmo de sus pasos. Instantes después, se detuvo inestable, con las manos apoyadas sobre las rodillas y respirando despacio en un intento por recuperar el aliento y calmar el dolor que recorría su cuerpo, en extremo fatigado por la extraña enfermedad que le había asediado en la ciudad de piedra y que, desde que penetró en el bosque, parecía haberse, si no esfumado, sí atenuado.

—No tengas tanta prisa, hombre, que los robles no se van a ir a ningún lado —comentó divertido el capitán, palmeándole los hombros.

—Lo más probable es que ni siquiera te permitan pasar —apuntó Iolar con semblante adusto.

—Nada me impedirá entrar en el claro —rechazó Kier con imperturbable seguridad.

Los tres hombres se observaron desafiantes, manteniendo cada uno su posición.

Durante todo el viaje habían discutido sobre el modo en que conseguirían atravesar la barrera que daba acceso al claro. Y en contraposición a la certeza inquebrantable que Kier tenía de lograrlo, Iolar se mostraba más y más huraño conforme se iban acercando al lugar. Sabía por propia experiencia que los robles no permitían el paso a nadie. No se regían por las reglas humanas y no aceptaban órdenes de nadie, ni siquiera del amo y señor de aquellos parajes: él, el rey. Gard se mantenía ecuánime. Entendía la lógica de su amigo, pero también advertía en el hombre que los acompañaba una fortaleza de ánimo no exenta de seguridad.

El aullido de los lobos rompió el tenso momento en que estaban inmersos, haciéndoles conscientes de la proximidad de su meta. Continuaron caminando silentes, atentos a lo que les rodeaba. La canción del bosque fue aumentando conforme se acercaban a la hilera de robles, hasta que el monótono susurro de las hojas se convirtió en irritados crujidos que mostraban desaprobación ante la osadía de los tres hombres.

—Están enfadados —murmuró Kier—. No nos quieren aquí.

—¿Quién no nos quiere aquí? —preguntó Gard, mirando a su alrededor a la vez que posaba la mano derecha sobre la empuñadura de su espada.

—Los robles —explicó Kier acariciando inconsciente el tronco de un serbal, concentrado en las vibraciones que atravesaban el aire—. Me consideran un traidor. —Desvió la mirada hacia el capitán—. Apartad la mano de la espada. No sois ninguna amenaza para ellos, pero si los provocáis, atacarán. De hecho, lo están deseando.

—¿¡Por Dios, te has vuelto loco!? Son árboles, no puedes hablar con ellos —exclamó Gard, asombrado por la extraña mirada del hombre.

—No hablo con ellos, los siento —replicó Kier mirando extrañado a sus acompañantes. ¿Acaso ellos no sentían la furia del bosque, la indignación de los árboles?

Iolar posó una mano sobre el hombro de su amigo y lo instó a permanecer en silencio. No entendía qué le estaba ocurriendo al amante de su hija, pero fuera lo que fuese, lo conectaba al bosque de una manera que ni él ni Gard podían llegar siquiera a soñar.

A escasos pasos frente a ellos, los robles que custodiaban el claro mágico permanecían inmóviles, con las ramas alzadas al cielo y las raíces firmemente enterradas en el suelo.

Kier inspiró profundamente y continuó caminando. La arbórea barrera cayó frente a él, impenetrable y colérica. Alzó las manos, apoyó las palmas sobre las ramas que le impedían el paso y empujó. Estas no cedieron un ápice. Del suelo comenzaron a brotar gruesas raíces que se enroscaron en su cuerpo para a continuación lanzarle lejos.

—Te lo advertí —musitó Iolar acercándose y tendiéndole la mano—. Jamás han permitido la entrada a nadie si no es acompañado por una dríade.

—Entré una vez y volveré a hacerlo —afirmó Kier poniéndose en pie con la ayuda del rey.

—En esa ocasión te acompañaba mi hija, ahora estás solo. Quizá debieras intentar… llamarla —propuso el soberano entornando los ojos.

—Ni se te ocurra, Iolar. No traces nuevos planes —susurró Gard al oído de su amigo, intuyendo lo que le pasaba por la cabeza—. Has jurado mantenerte al margen.

—Si Aisling viene y les ordena subir las ramas…

—Nunca antes lo ha hecho; no por ti, en todo caso. No lo hará ahora.

—Tal vez. —Desvió la mirada hacia donde se hallaba el amante de su hija y lo que vio le sumió en la confusión—. ¿Qué hace?

—Apesto —murmuró Kier para sí mismo a la vez que se libraba de la túnica y la camisa—. No me extraña que no me dejen pasar, todo en mí huele a la ciudad de piedra, es repugnante —jadeó, haciendo una mueca de dolor cuando comenzó a quitarse las vendas que cubrían su herida.

—Kier, no es conveniente que te deshagas del vendaje. La herida continua abierta —dijo Gard tan asombrado como su rey.

—No. No puedo entrar en el claro con esto —gruñó desatando las calzas y dejándolas caer al suelo—. Toda la ropa está impregnada del hedor de la ciudad. No ven ni escuchan, solo sienten. No pueden saber que soy yo si no me muestro como soy —intentó explicarse.

Iolar y Gard se miraron y negaron con la cabeza. El hombre había perdido la razón.

Kier los ignoró y se dirigió de nuevo a la ramosa barrera. Se apoyó contra ella sin empujar, colocando las palmas de las manos junto a las piernas.

—Dejadme pasar —musitó cerrando los ojos y pensando con fuerza en Aisling, en el claro, en la cueva formada por las copas de Milis y Grá y en los lobos correteando alrededor de su amada dríade mientras ella cantaba para los robles. En él mismo, a su lado, sonriendo feliz en compañía de los árboles a los que había llegado a considerar su familia—. Estoy decidido a cumplir la promesa que hice, permitidme entrar.

Iolar y Gard contemplaron asombrados como las ramas comenzaron a moverse sobre el cuerpo desnudo del hombre: unas tiraban con fuerza de su cabello, otras le azotaban las nalgas y la espalda e incluso se enroscaban en su cuello y lo oprimían. Mientras tanto, él continuó inmóvil, sin emitir queja alguna por el daño que le estaban infligiendo.

Un momento después, Kier notó que las ramas concluían el castigo y comenzaban a envolverle el cuerpo. Las sintió ceñirle el torso sin oprimir en modo alguno el costado, luego se enroscaron en sus brazos y sus piernas y, por último, le cubrieron por completo la cabeza, aislándole de todo lo que le rodeaba. Escuchó a lo lejos las imprecaciones y maldiciones del rey, que poco a poco se convirtieron en desgarradas súplicas. Las ignoró, sumido en una verdosa oscuridad que avivaba sus sentidos. Podía sentir el pulso del bosque contra la piel, el veloz rumor de la savia recorriendo las nervaduras de las hojas y el firme roce de las ramas junto a la herida del costado, explorando su contorno, palpando las costras recientes que la cubrían, presionando sobre ella con un cuidado no exento de dolor. Comprobaban si la carne lacerada podía ser la causa de su retraso al acudir al claro, comprendió Kier de repente.

Cerró los ojos y centró todos sus pensamientos en la aciaga tarde de la jornada anterior, en el momento en que vio a Aisling en el patio de armas, en cómo se sintió, en la frustración que le recorrió al constatar que nada podía hacer por ayudarla. Se vio una y otra vez gritando sin voz, intentando advertirla del peligro sin conseguirlo. Se vio corriendo por el adarve, exhausto, impotente ante la debilidad de su cuerpo. Y luego pensó en Aisling, en cuánto la echaba de menos, en cómo la vida no tenía sentido sin ella a su lado.

Y Máthair Mor se apiadó de él.

Y Kier escuchó su poderosa voz y la muda respuesta de los robles.

Al otro lado, Iolar permanecía arrodillado en el suelo, con las palmas de las manos sobre la arbórea barrera, suplicando en silencio que le permitieran el paso, tal y como había hecho durante muchos años, sin resultado alguno.

—Déjalo, Iolar. No nos dejarán pasar. No pertenecemos al bosque —musitó Gard tras él, abrazándole.

Kier cayó de rodillas e inspiró profundamente al traspasar la ramosa muralla. Había olvidado respirar mientras la atravesaba, asustado y eufórico a la vez.

Se puso en pie y tocó con cautela la herida de su costado; el viaje, la caminata por el bosque y el roce firme a la vez que cuidadoso de las ramas la habían irritado, haciendo que la sutura se inflamase y le causara un agudo dolor. Presionó la palma de la mano contra la herida y, cuando al retirarla comprobó que sangraba de nuevo, bufó impaciente; no podía perder tiempo en menudencias. Ya pensaría qué hacer más tarde, cuando llegara al claro.

Alzó la cabeza y miró a su alrededor, el silencio de los robles lo envolvió. Habían obedecido a Gran Madre, pero eso no quería decir que estuvieran de acuerdo con el perdón y la confianza que esta le había otorgado. Gruñó irritado; le esperaba un largo camino hasta el claro, y una vez allí... No sabía qué ocurriría, pensó frunciendo el ceño. Le aterraba pensar que Aisling pudiera haberse ocultado en su roble, al igual que hizo su madre.

Fiàin había tardado años en volver a tomar forma humana, él no podía esperar tanto tiempo. Se consumía por ver a su dríade, por abrazarla, besarla y convencerla de que todo había sido un maldito malentendido. Pero para eso, antes tendría que encontrarla y persuadirla de que le dejara acercarse a ella. Y eso iba a ser bastante complicado, o tal vez no...

Una sonrisa ladina se dibujó en su rostro, bajó la mirada y contempló su mano manchada de sangre. Aisling siempre se quejaba de que no tenía cuidado y le regañaba por lastimarse una y otra vez para, a continuación, curarle enfurruñada.

Volvió a presionar la herida hasta que esta sangró con profusión y luego extendió la sangre por su abdomen, convirtiendo la lesión en una enorme mancha rojiza que ocupaba gran parte de su torso. Asintió complacido al comprobar que bajo las sombras reinantes daba la impresión de estar desangrándose. Aisling no podría resistirse a sermonearle y, tras esto, curarle. Su dríade era demasiado compasiva como para dejarle moribundo sobre la tierra del bosque. Y si ella se mostraba renuente, lo cual dudaba, se tumbaría a los pies de Milis y Grá, decidió malicioso. Ellas le apreciaban. Si Aisling no cedía, los robles gemelos la convencerían de que lo hiciera.

Elevó la vista y miró los árboles que le rodeaban; estos parecían observar con atención todos sus movimientos. Posó la mano sobre el tronco de uno de ellos y se llevó un dedo a los labios.

—Chis, no digáis nada —susurró.

El árbol respondió a su súplica dándole un tenue latigazo en las nalgas con una de sus ramas.

Una estentórea carcajada abandonó la garganta de Kier. Por fin estaba en casa.

El aire penetraba límpido en sus pulmones, llenándolos por completo; el aroma del bosque inundaba sus sentidos y el susurro de las hojas le incitaba a bailar sobre el maravilloso tapiz que conformaba la hojarasca. Solo faltaban unas cuantas bellotas cayéndole sobre la cabeza y alguna que otra raíz elevándose bajo sus pies y haciéndole tropezar para que todo fuera igual que siempre. Extendió los brazos y giró sobre sí mismo, dichoso. Y ese fue el momento elegido por su cuerpo para demostrarle lo magullado que estaba.

Las piernas le temblaron, las costillas crujieron resentidas y la herida lanzó dardos de dolor que le atravesaron desde el costado hasta la nuca. Apretó los dientes e irguió la espalda, aunque un instante después se dobló sobre el estómago, acuciado por fuertes arcadas que le hicieron vomitar la escasa comida que había ingerido en el castillo.

Quizá no le hiciera falta fingir debilidad para llamar la atención de su dríade. Su cuerpo se estaba encargando de demostrarle lo extenuado que en realidad se encontraba.

Capítulo 26

Érase una vez un hombre de férrea voluntad, inasequible
al desaliento aun teniéndolo todo en contra.

Cuando Kier llegó al claro los últimos rayos del sol se perdían
entre las copas de los robles. Estaba agotado, nunca antes le había
costado tanto llegar al hermoso lugar que se mostraba ante él.

El camino se le antojó en extremo dificultoso, aunque por mor
de la verdad debía reconocer que los robles no le habían importu-
nado, al menos no en exceso. Tal y como había previsto, algunas
bellotas cayeron sobre su cabeza y las raíces que a primera vista
parecían firmemente hundidas en el suelo a su paso se elevaban y
le hacían tropezar, al menos al principio. Sin embargo, no hicieron
falta argucias malintencionadas para que cayera. Su propio
cuerpo, agotado, se había ocupado de ello.

Había caído más veces de las que quería recordar, mas, en el
mismo instante en que sus rodillas tocaban el suelo, volvía a levantarse, ignorando el cansancio que le consumía, para continuar
avanzando hacia el claro. Había demostrado a los robles que nada
le haría cejar en su empeño. Y los robles habían acabado por res-
petar el espíritu indómito que le hacía seguir caminando. Incluso,
cuando todo su cuerpo temblaba tanto que apenas podía mantenerse en pie, compasivas ramas acudieron en su ayuda, otorgándole un lugar donde apoyarse para seguir caminando. Y ahora,
por fin había llegado.

Inspiró profundamente, se frotó las palmas de las manos contra los muslos y, recurriendo al último resquicio de fuerza que
poseía, se obligó a recorrer el escaso trecho hasta el delgado roble
al que estaba hermanada Aisling.

La oscuridad que se cernía sobre el claro no le permitía ver
con claridad el árbol. Cerró los ojos con fuerza y lanzó una súplica
a Máthair Mor, una última merced: no encontrar el rostro de su

amada grabado en la corteza. Y si así fuera… que le ayudara a encontrar una solución.

No permitiría a Aisling permanecer oculta en su roble. La obligaría a salir del tronco. No sabía cómo, pero lo haría.

Se detuvo ante el joven roble y observó con atención su tronco, buscando en su corteza el rostro grabado de su dríade, símbolo ineludible de que ella estaba decidida a olvidarle. Pero no, no había ninguna muesca en la suave corteza del árbol. Cerró los ojos y suspiró aliviado. Luego se volvió hacia el más anciano de todos los robles del claro e, inclinando la cabeza, centró su mente en un solo pensamiento: «Gracias, Gran Madre». Hecho esto, examinó con la mirada cada recoveco del claro, cada sombra. Pero no encontró a quien buscaba.

—¿Dónde te escondes? —musitó caminando hacia los robles gemelos—. ¿Está con vosotras, en nuestro nido? —preguntó a Milis y Grá. Ningún susurro respondió a su pregunta—. Estoy aquí, Aisling, y no me voy a marchar. No podrás deshacerte de mí, esperaré toda la eternidad si es necesario.

Esperó, paciente y expectante a la vez, a que ella contestara. El silencio fue su única respuesta.

Apretó los puños y aguardó, atento al más mínimo ruido, anhelando escuchar el aullido enfadado de los lobos, el quejido de las hojas o tal vez el crujido irritado de las ramas. Cualquier sonido que le indicara que no estaba solo en el claro. Mas el bosque se mantuvo en silencio. Perseveró en su empeño hasta que la vista se le tornó borrosa y los músculos le fallaron, y entonces, comprendiendo que estaba al borde de sus fuerzas, se sentó junto a los robles gemelos. Apoyó la espalda en el grueso tronco y fijando la mirada en la frondosa copa, se permitió pensar, por primera vez, qué ocurriría si ella no regresara a él. Si no volvía a escuchar su voz nunca más, ni a sentir su tacto… si no volvía a gozar del éxtasis de tenerla entre sus brazos ni de sonreír feliz mientras le miraba embelesada.

—No me voy a ir, Aisling, nunca —afirmó decidido a permanecer despierto hasta que ella se mostrara.

Pero el implacable cansancio se vengó de los excesos realizados durante la jornada y, poco a poco, Kier fue resbalando hasta acabar tendido en el suelo. Sus párpados se cerraron y su respiración se hizo profunda y regular.

El crujido de una rama le hizo abrir los ojos, sobresaltado. Miró a su alrededor, buscando el origen del sonido, pero nada pudo ver. La noche había caído por completo sobre el claro, su-miéndolo en una pesada oscuridad. A su alrededor todo era silen-cio… a excepción de un nuevo crujido.

Parpadeó un par de veces y luego aguardó impaciente hasta que sus pupilas se acostumbraron a la penumbra y pudo distin-guir formas y contornos. Escuchó con atención; sí, ahí estaba de nuevo ese crujido. Sobre su cabeza. Sonrió agradecido a Milis y Grá, seguro de que eran ellas quienes le estaban indicando la po-sición de Aisling. Su dríade jamás hacía ruido cuando caminaba sobre las ramas de los árboles.

Se llevó una mano a la herida del costado y presionó con fuerza, en parte para despejar con el dolor las brumas que aún aturdían su cerebro, y en parte para llamar la atención de Aisling sobre esa lesión que tantos disgustos les había dado. Si no fuera por la maldita herida no le habrían llevado a Sacrificio del Ver-dugo, y, por ende, no estarían ahora en esa incómoda situación.

Un gemido angustiado acompañó esta vez al crujido.

Kier enfocó la vista hacia la copa de los robles gemelos, inten-tando discernir, sin conseguirlo, el lugar exacto en que se encon-traba ella, aunque tampoco era necesario; lo único que necesitaba era que le escuchase.

—No me fui del bosque por mi propia voluntad, Aisling, y no me iré ahora —dijo con voz no exenta de ferocidad—. Me arreba-taron de este lugar aprovechando que estaba desfallecido. Sabes de sobra que si hubiera estado consciente, no lo habría permitido, aunque me hubiera costado la vida.

—¿Por qué tú no regresado antes? —escuchó su voz sobre él, serena e incisiva a la vez. En un tono que le advirtió que admiti-ría una única respuesta: la verdad.

En su mano estaba complacerla.

—No me lo permitieron y yo no encontré las fuerzas para es-capar —respondió él, para luego negar con la cabeza. Ella no se merecía una verdad a medias—. Tu padre me ofreció riquezas ili-mitadas como recompensa por haberte salvado y, cuando las re-chacé, me obsequió con las ropas y joyas que me viste llevar en el castillo. Pero no fue por eso por lo que continué allí, sino por miedo. Ya ves, soy un cobarde. Cuando el rey me ordenó demo-rar mi retorno al bosque no tuve valor para desobedecerlo. Temí despertar su ira si me negaba. Además, debo decir que la herida que me infligieron no se cura como debiera. No fue hasta ayer que por fin me encontré con fuerzas para caminar y, cuando te vi en el patio de armas, asediada por los soldados, me sentí el ser más rastrero y vil sobre la tierra. Mi cobardía te había llevado hasta el castillo. Solo yo tuve la culpa de que estuvieras allí.

—Padre te ordenó no regresar —declaró ella con voz rota.

—No culpes a tu padre. Yo en su lugar hubiera hecho lo mismo si me fuera negado el permiso para verte, para tocarte, para estar junto a ti —declaró Kier dándose cuenta de hasta qué punto sus palabras eran ciertas.

Sí, aborrecía lo que les había hecho el rey. Por su culpa estaban en esa situación, pero a la vez... estaba completamente seguro de que, en su lugar, él habría actuado igual.

—Te quiero —murmuró al ver que ella se mantenía silente, luego frunció el ceño al darse cuenta de que su dríade jamás había usado ese término para referirse a lo que sentía por él. Tenía que ser claro y conciso, utilizar palabras que no dieran lugar a ningún tipo de duda—. Mi mirada está en tus ojos, Aisling, y tu mirada está en los míos. Has entrado en mi corazón de la misma manera que yo me he apoderado del tuyo. No intentes siquiera negarlo. —Ella se mantuvo callada, pensativa—. No volveré a alejarme de ti, nunca. Ni siquiera muerto abandonaré este claro. Me perteneces y yo te pertenezco. No podrás deshacerte de mí.

—No quiero deshacerme de ti —aseveró ella mostrándose por fin ante él. Estaba erguida sobre una gruesa rama de Milis; la luz de la luna incidía sobre su piel, tornándola plateada—. Eres mío, mi mirada está en tus ojos y mi corazón ha entrado en el tuyo. Me perteneces. Nadie te arrebatará de mi lado. Y el día que mueras, te enterraré a los pies de mi roble. Dormirás tu sueño eterno abrazado por mis raíces y cubierto por mis ramas.

Compartieron la mirada durante un instante que duró una eternidad. A continuación, ella bajó de la copa del roble con tal gracilidad que pareció que el mismo aire la transportaba de rama en rama. Se arrodilló junto a él y bajó la cabeza para besarle, pero apenas se habían tocado sus labios cuando ella se apartó arrugando la nariz.

—Apestas a ciudad y sangre —declaró observándole atentamente para después fruncir el ceño, irritada—. ¡No sabes cuidar de ti! Siempre llegas a mí herido —se quejó palpándole con cuidado la herida y comprobando que, aunque grave, no era tanto como aparentaba por la sangre que la decoraba. Le miró con ojos entornados—. ¿Has extendido sangre sobre vientre? —Kier comenzó a negar con la cabeza, pero al ver su mirada acerada, asintió compungido. Ella dejó escapar su cristalina risa antes de decir—: ¡Eres como *Blaidd*! Si no hago caso, él gruñe y aúlla; si no hago caso a ti, tú finges más enfermo de lo que estás. ¿Quién peor, cachorro de lobo o tú? —preguntó fingiéndose enfadada.

—Yo… —respondió él, sonriendo al fin tras tanto tiempo de tristeza.

Aisling negó con la cabeza, divertida, y luego se acercó hasta quedar cara a cara con él.

—No muevas, yo vengo pronto —ordenó.

—Por nada del mundo, Aisling; por nada del mundo.

Cuando regresó, él estaba profundamente dormido. Le contempló hasta que sus ojos aprehendieron cada respiración del hombre, maravillada al verle de nuevo en el claro, junto a ella. Hacía tan solo un ocaso había pensado que no volvería a verle nunca más, y había estado a punto de enterrarse en su roble. No lo había hecho porque Gran Madre se lo prohibió. Desvió la mirada hacia el enorme roble y cantó agradecida para él. Luego se arrodilló junto a su amado y comenzó a asearle la herida. El resto del cuerpo, aunque apestara, podía aguantar hasta el día siguiente… o tal vez no.

Kier despertó ante el primer roce húmedo de la suave tela, entreabrió los párpados y sonrió, feliz de verla a su lado.

—Padre no curado bien tu herida —gruñó ella.

—No fue culpa suya. No sé por qué, pero mi cuerpo pareció dejar de funcionar mientras estuve en la ciudad de piedra; no podía respirar, la comida me daba arcadas, me sentía tan cansado… —comentó apenas consciente de lo que decía. El suave roce de las manos de la dríade, unido a su esencia única acariciándole los sentidos, le embriagaba de tal modo que se mecía en un letargo extasiado del que no podía, ni quería, salir.

—Padre debió cuidarte mejor.

—Tu padre me procuró el mejor médico del reino, no fue culpa suya que la herida se abriese y tuviera que volver a coserla —musitó cerrando los ojos. No le gustaban muchas de las cosas que había hecho Iolar, pero tenía que reconocer que se había preocupado por mantenerle sano.

—¿Por qué se abrió herida?

—No lo sé, no se curaba bien, imagino que al caminar por el adarve se volvió a abrir, no lo recuerdo —musitó adormecido—.

Iolar quiso que me quedara hasta recuperarme, pero yo no quería esperar más. Sabía que solo tu mirada podría curarme y hacer que mi corazón siguiera latiendo. Tu padre lo entendió y me acompañó hasta aquí. Es un buen hombre, a veces.

—No es mi mirada lo que cura a ti, sino mis manos y mis plantas —replicó enfurruñada, aunque secretamente conmovida por sus palabras—. Ahora, no muevas. —Cogió una escudilla tapada con un trozo de tela que había dejado apartada.

Kier arrugó la nariz cuando ella la destapó y le llegó el fuerte tufo de la consuelda mezclada con corteza de sauce y otras plantas de olor amargo. Sabía que le escocerían de forma desagradable en cuanto tocaran su piel lacerada.

—No gimotees como cachorro —le reprendió Aisling al ver su gesto—. Te hiciste herida por defenderme. Respétala.

Kier asintió y poco después una sonrisa se dibujó en su rostro. El emplasto escocía condenadamente; ella se lo aplicaba sin dejar de gruñir, y todo volvía a ser como siempre.

Sus manos acariciándole la piel, su canción susurrada, su cabello haciéndole cosquillas en el pecho.

Sí, todo había vuelto a la normalidad. Y con este pensamiento se quedó dormido.

Un roce frío y húmedo sobre su torso le hizo fruncir el ceño. Apartó la molesta caricia de un manotazo y continuó durmiendo.

Un nuevo roce, fastidioso e inesperado, en esta ocasión sobre su frente, le hizo gruñir.

—¿No me vas a dejar en paz siquiera una noche? —musitó, revolviéndose—. Estoy harto de inútiles curas, aleja ese trapo de mí y déjame dormir —gimió enfurruñado a la criada invisible que jornada tras jornada le aseaba. No le gustaba que le tocasen, ni que le alimentasen con esos caldos repugnantes; solo quería dormir y soñar. Soñar con un bosque encantado en el que una mágica dríade cantaba feliz a los robles mientras le miraba sonriente.

A la criada no le debió sentar bien su exabrupto, porque lo siguiente que Kier sintió fue una buena cantidad de agua gélida derramándose sobre él.

—¡Cristo! —jadeó sacudiendo la cabeza, esparciendo cientos de gotas a su alrededor al hacerlo—. ¿Qué puñetas haces? —la imprecó apoyándose en los codos y abriendo los ojos, furioso.

Y fue en ese instante, despierto por fin, cuando se percató de que ya no estaba en el castillo. Y que no era una criada quien le aseaba.

—Yo no hago puñetas —replicó Aisling de pie frente a él con la espalda muy recta y la mirada afilada—. Apestas. Quien lava a ti en ciudad de piedra no hace bien su trabajo, deja hedor en ti —afirmó enfadada olisqueándole.

Kier olfateó con fuerza su cuerpo. Era cierto que no olía precisamente a eucalipto, pero tampoco apestaba tanto, al menos ya no. Cuando Aisling le curó, también le había aseado, y ahora solo percibía en su persona un ligero tufo a humanidad encerrada, a humo y a afeites. Nada fuera de lo normal en un habitante de la ciudad de piedra. De hecho, había olido así toda su vida, al menos hasta que fue a caer en el bosque. Entonces todo había cambiado, incluso su olor.

¿Por qué no se había dado cuenta de eso antes?, pensó intrigado. Qué había cambiado en su interior para que lo que siempre había sido normal en esos momentos le hiciera arrugar la nariz, asqueado.

Levantó la mirada y observó a su enfurruñada dríade. Ella se mantenía erguida, con los labios apretados en una mueca de desdén y los brazos cruzados sobre el pecho. Aferraba en una de sus manos un recipiente vacío, que probablemente minutos antes contenía la gélida agua del río Verdugo.

Parpadeó rápidamente conteniendo un escalofrío cuando un soplo de aire acarició su pecho empapado. Era noche cerrada, apenas podía percibir el contorno de los robles y ella ¡le había tirado encima una escudilla de agua helada!

—¿Y no puedes, por todos los demonios, esperar a que amanezca? Entonces iremos al río y me bañaré, te lo prometo —protestó volviendo a tumbarse.

Puede que el costado ya no le doliera y que sus músculos no temblaran incontrolables, pero seguía sintiéndose exhausto y ahora por fin estaba en casa, cómodamente tumbado sobre la hojarasca, respirando el límpido aire del bosque y con su preciosa dríade junto a él, no se sentía con fuerzas para mantener los ojos abiertos. Solo necesitaba unos instantes más de reposo y volvería a sentirse él mismo.

—¡No! No espero a amanecer. Apestas ahora —gritó ella tirándole sobre la cara un lienzo mojado.

—¡Por los clavos de Cristo, Aisling! No huelo mucho peor

que tu padre cuando te visita y a él no le obligas a bañarse a media noche en agua helada —replicó quitándose de un golpe el trapo de la cara, furioso porque, aunque no pensara dar su brazo a torcer, sentía que ella tenía razón.

Ahora que estaba despierto y con los sentidos excitados, no soportaba el tufillo a ciudad que impregnaba su piel. Aunque hubiera olido así toda su vida.

Aisling arqueó una ceja, inclinó la cabeza y descruzó los brazos. Luego se arrodilló hasta que su rostro quedó a un suspiro del de Kier y susurró:

—A padre no quiero follarle.

Capítulo 27

Érase una vez… la rendición de un hombre.

Kier abrió los ojos como platos, su boca se secó y su polla, dormida durante el tiempo que había estado alejado de Aisling, despertó, provocándole una fulminante erección que palpitó con fuerza sobre su ingle.

Observó a la enfurruñada dríade que estaba de pie frente a él. Todo en su postura indicaba que estaba dispuesta a… arrancarle la cabeza de un puñetazo, no a follarle hasta que ambos perdieran el sentido.

—Ah… —fue lo único que se le ocurrió decir a él, con toda la sangre de su cuerpo acumulada en un solo lugar. Un lugar muy duro, muy grueso y muy, muy excitado—. Quieres hacer el amor… ¿aquí? ¿Ahora? Estoy agotado, no sé si podré —dijo con voz jadeante—, pero…

—No follar. Quiero que huelas a Kier y a Aisling. Solo a Kier y a Aisling —repitió colérica—. Luego, follar, si tú y tu polla no demasiado cansados —apuntó ella, recorriéndole el cuerpo con la mirada y arqueando una ceja al llegar a la impaciente erección que se elevaba insolente hacia el cielo nocturno.

Kier tragó saliva al escuchar el tono perentorio con que había pronunciado «follar», una palabra que hacía tiempo que no usaban, porque ellos hacían el amor… ¡O ya no? Y… ¿qué quería decir con «solo a Kier y a Aisling»? ¿A qué demonios se refería?

—¿Continúas enfadada? —preguntó tendiéndole la mano.

—¿Enfadada? No —replicó apartándole de un manotazo—. Estoy furiosa —gruñó mostrando los dientes a la vez que le aferraba la verga con dedos de hierro—. ¿Quién lava a ti en ciudad de piedra?

—¿Estás celosa? —Kier la observó asombrado.

—¿Celosa? —Aisling frunció el ceño, pensativa, y comenzó a mover la mano sobre la excitada polla de su amante, esa que le pertenecía solo a ella. Que solo ella podía lavar—. ¿Debo estar celosa? —le preguntó con inquietante suavidad.

—¡Por Dios, no! —jadeó él cerrando los ojos al sentir el placer que se instalaba en su interior cuando ella presionó su pulgar contra el glande—. No tienes motivos para estar celosa. Mi polla solo se empalma contigo. Solo me corro dentro de ti, de nadie más; lo juro —gimió con sinceridad alzando las manos para acariciarle los tentadores pechos.

—Entonces, no celosa.

Detuvo el avance del hombre, entrelazando sus dedos con los de él y obligándole a posar las manos nuevamente en el suelo, a la altura de su cabeza, a la vez que susurraba una corta tonada. Un instante después, fuertes raíces ataban los brazos de Kier al suelo.

—Ahora, solo furiosa —afirmó la dríade, sonriendo con malicia.

—¿Qué haces?

—No quiero cansar a ti. Tú dices no tienes fuerzas para complacer a mí —comentó con ironía, y luego, aferrando de nuevo el pene erecto entre sus manos, comenzó a torturarle.

Kier inspiró jadeante cuando los dedos de la joven recorrieron lentamente su potente erección, desde el glande hasta la base, dibujando con sutileza cada vena que se marcaba en el tronco, para luego volver a subir hasta la corona y comenzar a jugar con la sensible piel que formaba el frenillo. Alzó las caderas al sentir cómo frotaba con el pulgar las lágrimas de semen que emanaban de la abertura del glande, sin dejar de envolverle la polla con el resto de los dedos.

Su respiración se tornó agitada cuando la mano libre de Aisling se posó sobre la sensible piel del interior de uno de sus muslos, muy cerca de los testículos, mientras que la otra comenzaba a masturbarle con rapidez. Dobló las rodillas, separó más las piernas y elevó las caderas, en muda petición para que le tocara allí donde tanto necesitaba. Mas ella le ignoró, deteniendo por completo sus caricias.

Kier intentó liberarse de las raíces que le mantenían inmovilizado. Al no conseguirlo, elevó la cabeza y la observó jadeante; jamás la había visto tan hermosa. Deseaba tocarla, acariciarla, lamer toda su piel, saborear la esencia única que destilaba su sexo.

—Aisling, suéltame, por favor.

Ella le miró pensativa un instante. Luego, se inclinó sobre él hasta que su rostro estuvo casi pegado al abdomen masculino y le recorrió el torso sin tocarle, parándose en las axilas, en la clavícula, sobre la nuez que se marcaba en su cuello, inspirando profundamente sobre cada centímetro de su piel.

—Aún apestas —siseó impaciente cuando llegó a la altura de sus labios.

Volvió a bajar rápidamente la cabeza y le asestó un irritado aunque suave mordisco, en un pezón. Todo el cuerpo de Kier se estremeció ante la mezcla de placer y dolor.

Sonrió ladina y, sentándose sobre sus talones, comenzó a recorrer con pereza el pecho masculino, acariciando las costillas que volvían a marcarse en él, friccionando las tetillas con dedos traviesos y jugando con los rizos oscuros que descendían desde el pecho hasta el ombligo. Presionó con el índice allí, para luego recorrer con el mismo dedo la fina línea de vello que atravesaba su abdomen y se extendía al llegar al pubis. Y, entonces, volvió a detenerse para contemplar a su hombre.

La respiración de su amante era jadeante, superficial. Se removía inquieto sobre el lecho de hojarasca, sin dejar de elevar las caderas y tirar de las raíces que le mantenían preso. Observó con los ojos entornados sus movimientos y entonó una ligera tonada. Al instante una gruesa raíz envolvió el vientre del hombre, inmovilizándole sin tocar la herida del costado.

—Aisling, por favor… —susurró él.

Ella ignoró la súplica implícita en sus palabras y continuó escudriñándole. Inspiró con fuerza, estaba muy excitado, pero su olor aún no vencía al hedor de la ciudad. Se observó la polla erecta que lloraba lágrimas de semen buscando atención. Posó un dedo sobre ella y fue recompensada por el fuerte gemido de placer que escapó de la garganta de su amado.

Lo ignoró y continuó descendiendo hasta posar las manos en el interior de los muslos masculinos. Afirmó con cuidado las uñas en la tierna piel y ascendió, arañándole sutilmente, trazando un corazón que comenzaba cerca del escroto, recorría sus muslos, se ensanchaba sobre su abdomen y acababa en el ombligo. Sin separar las uñas de la piel, comenzó a bajar de nuevo, hasta que llegó al pubis y la palma de su mano topó contra la corona de la verga que se balanceaba impaciente en el aire. La presionó con la base de la mano y comenzó a friccionarla a la vez que inclinaba de nuevo la cabeza y le daba un pícaro mordisco en el muslo.

Kier exhaló un grito estrangulado, todo su cuerpo se tensó y de cada poro de su piel emanó el aroma, picante e intenso, que Aisling tanto adoraba.

Complacida, posó la mano libre sobre los tensos testículos, con los dedos de la otra rodeó la rígida polla y lo masturbó con fuerza, hasta que los gemidos masculinos reverberaron en el bosque y el pene se engrosó y palpitó contra su palma, anunciando el inminente orgasmo.

Entonces se detuvo de nuevo.

—¡Por Dios, Aisling! No te detengas —gruñó él con voz ronca y gesto dolorido.

—Ahora hueles a Kier. Pero no hueles a Aisling —aseveró ella, sentándose en el suelo frente a él y separando las piernas.

Kier contempló atónito como la joven dríade se llevaba la mano hasta la entrepierna y comenzaba a jugar con su sexo, dejándole al margen.

La observó acariciarse la vulva, brillante por la humedad, para luego separar con los dedos de una mano los pliegues vaginales mientras que con el índice de la otra comenzaba a trazar círculos sobre el clítoris. La escuchó jadear de placer, un placer que él no le proporcionaba. Gruñó furioso. Ella le sonrió perspicaz y, a continuación, penetró con dos dedos su vagina, impulsándolos dentro y fuera a la vez que se frotaba el clítoris con la base de la misma mano. La vio llevarse la otra, empapada con los deliciosos jugos que escapaban de su interior, hasta sus pechos para acariciarse los pezones y pellizcarlos con sus resbaladizos dedos.

La esencia íntima de Aisling llegó hasta él, perturbadora y delirante. Desvió la mirada al rostro de su amada y contempló su gesto extasiado bajo el cielo estrellado, excitándolo y enfureciéndolo por igual. Era él quien debería hacerla gozar, con sus manos, con su lengua, con su polla.

Solo él tenía el privilegio de saborearla, amarla y complacerla. Ni siquiera ella misma podía tocarse sin su permiso.

—¿Por qué me atormentas? —bufó furioso.

—¿Tienes sed? —le preguntó ella ignorando la pregunta.

—Estoy sediento.

Aisling cesó de masturbarse, sonrió y se puso en pie.

Una nube malvada aprovechó ese instante para ocultar el brillo de las estrellas y la luz plateada de la luna, dejando el bosque en la más completa oscuridad.

Kier gruñó, enfadado por su mala suerte. Intentó contener su agitada respiración para poder escuchar los sigilosos pasos de su dríade, y cuando por fin los percibió, un jadeo de felicidad escapó de sus labios.

Ella estaba tras él.

Escuchó sus ligeras pisadas cerca de su cabeza y, a continuación, la sintió arrodillarse a horcajadas sobre su cara.

Estaba sobre él, a un suspiro de su sedienta lengua.

Cada vez que inspiraba, el aroma único de su dríade se filtraba hasta sus pulmones, enardeciendo sus sentidos.

La escuchó cantar y las raíces abandonaron sus brazos para liberarle.

Alzó las manos, la aferró por las caderas y, tirando de ella, la obligó a posar su delicioso sexo contra sus ávidos labios. Aisling gritó extasiada cuando la vehemente lengua comenzó a lamerla, introduciéndose en su vagina para al instante siguiente abandonar la mojada entrada y comenzar a chupar impetuosa el clítoris.

Presa del placer, se inclinó sobre el torso de su amante y acarició con los labios la inhiesta polla. Disfrutó con sus labios de cada centímetro de deliciosa piel, mordisqueó el terso glande y saboreó las gotas de semen que lo coronaban y, cuando Kier comenzó a succionarle el clítoris a la vez que penetraba con dos dedos su vagina, comenzó a mecerse sobre él.

—Kier —susurró, acariciándole la verga con su aliento—, quiero más que lo que han tenido otras.

—Nunca nadie ha tenido de mí lo que tú tienes, Aisling —alegó él, confuso por la extraña petición.

—Quiero que beses cada agujero de mi cuerpo —exigió ella abriendo la boca y devorándole la polla.

Kier gimió al escucharla, asustado por la orden implícita en las palabras y a la vez excitado por el sonido de su voz y el tacto aterciopelado de su lengua recorriéndole el pene.

Sin retirar los dedos que ahondaban en la vagina, la aferró por las caderas con el brazo y la mano libres y dirigió su boca hacia el lugar que ella le había reclamado. Tanteó con inquietud el estrecho orificio, intentando no recordar las desagradables experiencias de su pasado, y al sentir sobre la lengua el sabor límpido y único de su dríade, un latigazo de gozo recorrió sus sentidos, embriagándolos.

Y mientras ella acogía la tensa verga por completo en el interior de su boca, él sedujo con inusitado vigor su ano. Lo lamió y humedeció hasta que lo sintió relajado bajo la lengua. Luego sacó los dedos que habían continuado excitando la vagina y penetró con el resbaladizo índice el fruncido orificio.

Aisling jadeó, con la imponente polla enterrada en su boca, y se meció contra la cara de él, incitándole a volver a adorar su clítoris mientras un astuto dedo continuaba presionándole el ano.

Kier aceptó. Rodeó con los labios el enaltecido botón, lo aferró con cuidado con los dientes y frotó la lengua contra él, sin dejar de penetrar con el índice el recto de la dríade. Movió la mano con que la sujetaba hasta la vulva hinchada y humedecida e invadió contundente la vagina con índice, corazón y anular.

Aisling jadeó, bañando con su aliento impregnado de placer la verga alojada en su boca. Apretó los labios sobre ella y frotó la lengua por toda su longitud, sin dejar de gemir por el intenso orgasmo que la recorría.

Kier sintió las vibraciones que sacudían los labios de su dríade e impulsó las caderas, enterrándose en el interior de su boca. Estalló en un sobrecogedor éxtasis al sentir el agitado aliento de su amada recorrer su polla, a la vez que la suavidad de su garganta presionaba sobre el punto más sensible del glande.

Aisling acogió la eyaculación en la boca y, cuando los temblores que recorrían el cuerpo de su amante comenzaron a desvanecerse, liberó el extenuado pene que aún aferraba entre los labios. Acarició con los pómulos el abdomen masculino y dejó escapar sobre este el semen que alojaba en el interior de sus mejillas. Lo extendió con los dedos sobre el vientre del hombre y luego se movió hasta quedar tumbada a su lado.

—Ahora hueles a Kier y a Aisling —declaró abrazándole—. Mañana, si tú descansado —apuntó con ironía—, haremos amor y follarás todas mis entradas.

Al despuntar el amanecer, 27 de tinne (julio)

Fiàin observó con atención al hombre dormido bajo las ramosas copas de Milis y Grá. Las muy traidoras le habían acogido en su seno; más aún, le adoraban. Le trataban como si fuera su bebé. Ellas habían convencido a Máthair Mor para que le dejara volver a entrar en el claro, y ahora, cuidaban de que los rayos del amanecer no se posaran sobre su rostro, no fuera a despertarse.

¡Ingratas traidoras!

¿No se daban cuenta de lo que le estaban haciendo? ¿Del dolor que le causaban acogiendo a ese macho humano en el claro? Ni siquiera Aisling se mostraba compasiva. Se entregaba a él, sin reservas, obligándola a recordar lo que tanto se había esforzado en olvidar.

Abandonó en silencio el tronco de su roble y caminó sigilosa hasta el lugar donde el macho dormía. Se paró frente a él e inspiró con fuerza, llevando a sus pulmones la esencia a ciudad que aún quedaba sobre su piel. Sí, estaba mezclada con el olor a sexo y dríade pero aún estaba ahí, casi inapreciable de no ser por el deseo que ella padecía de volver a tener esa esencia sobre su piel, rodeándola, entrando en ella.

Cerró los ojos y vio de nuevo a Iolar luchando feroz contra los hombres que habían intentado quemar su bosque y atacar a su hija. Vio su rostro afilado, sus iris negros, aún circundados por la línea malva que indicaba que no la había olvidado, igual que ella a él. Le vio desviar la mirada hacia el lugar en que ella se encontraba junto a Aisling. Y vio en sus ojos el reconocimiento.

Iolar la había visto, ella le había visto a él, y todos los recuerdos que durante tanto tiempo había retenido en lo más profundo de su mente regresaron abrumándola. Apenas tuvo tiempo de ordenar a los robles cerrar la barrera, cuando sintió el olor inconfundible de su otro macho, Gard. Escuchó su potente voz a la vez que su esencia flotaba en el bosque, mezclándose con la de Iolar, acariciando sus sentidos.

Y desde entonces, cada vez que se hermanaba con su roble, los recuerdos la asediaban, atenazando sus sentidos, haciéndola sentir lo que hacía años no sentía.

Y ahora el amante de Aisling había regresado. Se había entregado a su hija y el aroma de la pasión que solo una dríade dueña del corazón de un hombre puede sentir impregnaba de nuevo el bosque.

Una pasión que ella había sentido con Iolar y Gard hacía tanto, tanto tiempo.

Desechó la melancolía que la invadía cuando el humano comenzó a removerse sobre su lecho de hojas. El casi inapreciable olor a ciudad que aún mantenía en su cuerpo se elevó hasta ella, haciéndole fruncir el ceño.

Odiaba el lugar del que procedía ese aroma.

Adoraba a los dos hombres, dueños de su mirada, que llevaban impregnada esa esencia en sus fuertes y viriles cuerpos.

Aborrecía el recuerdo de sus cuerpos envolviéndola, haciéndola gritar de placer.

Y a la vez los añoraba con tanta intensidad que sentía sus entrañas arder de deseo.

Capítulo 28

Érase una vez un recuerdo olvidado.

Amanecer, 27 de tinne (julio)

*K*ier se removió sobre la hojarasca en la que había dormido, giró a un lado y a otro buscando a su juguetona dríade, y al no encontrarla parpadeó y abrió los ojos. El sol había salido e iluminaba con sus rayos el hermoso claro en que se encontraba. Los pájaros volaban sobre su cabeza; los lobos se perseguían sin dejar de gruñir, juguetones; las ardillas trepaban nerviosas por los troncos de los robles, y estos agitaban las hojas, desperezándose. Todo a su alrededor irradiaba vida. Y él, a su vez, se sentía vivo. Más que nunca.

Extendió los brazos, hundió las manos en la tierra cubierta de hojas y sonrió feliz. Estaba en casa. Y no pensaba marcharse nunca más.

Se incorporó hasta quedar sentado, con una pierna extendida y la otra doblada por la rodilla, y retiró con cuidado las hojas y el emplasto que le cubrían la herida del costado. Se sorprendió al verla casi curada; los bordes parecían haberse unido durante la noche y ya no estaba inflamada, sino que mostraba un saludable tono rosado. Y, cómo no, le picaba horrores. Todos los mejunjes de Aisling parecían adolecer de esa cualidad, pensó divertido a la vez que contenía la respiración y posaba los dedos sobre la laceración. Le dolió, pero no era un dolor atroz como el que había sentido hasta la noche anterior, sino un dolor molesto y fastidioso, pero totalmente soportable.

Inhaló una gran bocanada de aire y parpadeó sorprendido cuando los efluvios de la pasión desatada durante la noche abrasaron sus sentidos e hicieron que su pene se irguiera insolente. Se llevó la mano al vientre y encontró sobre él una pátina reseca y pegajosa. Recordó la furia de Aisling y su manera de librarse de ella. Sonrió feliz, mucho se temía que iba a enfurecer a su dríade a menudo. Muy a menudo, a tenor de la respuesta de su exaltada y endurecida verga. Aunque en ese momento, más que enfurecer a Aisling, lo que le apetecía era darse un buen chapuzón en el Verdugo y quitarse toda la mugre de la ciudad de piedra que aún mancillaba su cuerpo. Se movió hasta quedar arrodillado, apoyó las manos en el suelo y se impulsó para levantarse. No llegó a conseguirlo.

El claro se vio inundado con una suave tonada susurrada en un idioma que solo los robles conocían. Kier detuvo su impulso, cerró los ojos y escuchó con atención. No era la voz de Aisling. De repente unas fuertes raíces aprisionaron sus tobillos y manos, inmovilizándole.

—¿Qué demonios…?

Enmudeció al sentir unas manos recorriéndole la espalda. Giró la cabeza y jadeó sorprendido al ver a Fiàin tras él. Era tan hermosa como la recordaba, quizá más. Sus ojos de distintas tonalidades, grandes y rasgados, rezumaban ira. Una ira antigua y dolorosa que en esos momentos iba dirigida a él.

—Fiàin, qué…

La dríade le tapó la boca con la mano y, agarrándole un mechón de cabellos, tiró de ellos sin dejar de presionarle con los dedos los labios, hasta que el hombre acabó arrodillado, con las muñecas y los tobillos anclados al suelo por fuertes raíces y la cabeza echada hacía atrás en una dolorosa posición.

Cuando Fiàin alejó la mano de su boca, Kier permaneció silente. Ella no quería escuchar sus palabras, quería… ¿tocarle?

Sin soltar los mechones de pelo oscuro que tenía aferrados en el puño, Fiàin recorrió con la mano libre el cuerpo del amante de su hija. Le arañó con las uñas las tetillas, le dibujó con las yemas de los dedos las costillas y continuó su recorrido hasta la espalda, se entretuvo en jugar con sus nalgas para luego introducir un dedo en la unión entre estas. Bufó irritada al escuchar el gruñido del hombre y presionó sobre el ano, esperando ver su reacción.

Esta no se hizo esperar.

—¡Aleja tus manos de mi culo! —siseó Kier indignado, a la vez que luchaba contra las ataduras, intentando liberarse, a pesar de las laceraciones que con sus movimientos le causaban las raíces.

Fiàin sonrió al ver que podía llegar a ser tan fiero como Iolar y Gard. Tiró con más fuerza de los cabellos que aún aferraba y deslizó la mano desde las nalgas hasta la ingle del hombre. Ciñó con sus largos y finos dedos, tan parecidos a los de su hija, el laxo pene del hombre y comenzó a masturbarlo.

—Suéltame ahora mismo, zorra, o te juro que… —susurró colérico Kier sin dejar de revolverse.

Fiàin detuvo sus movimientos, complacida al comprobar que la flácida verga no se endurecía entre sus dedos y satisfecha por la ira hostil que destilaba la voz del hombre.

—Maldita sea, he dicho que me sueltes —le ordenó Kier, furioso porque, aunque ella había detenido sus movimientos, sus dedos seguían envolviéndole la verga.

Fiàin soltó aquello que no se inflamaba bajo sus caricias, y miró con aprobación al dueño del corazón de su hija. Él no había levantado la voz en ningún momento, no había gritado el nombre de Aisling ni buscado su ayuda. Asintió conforme, ese hombre libraría sus propias batallas sin ayuda. Era fuerte y decidido, o sería fuerte si alguna vez conseguía mantener su cuerpo sin heridas.

Aferró con más fuerza los cabellos del macho, llevó la mano que tenía libre hasta su cuello y le rodeó con los dedos la garganta, oprimiéndola. Él la miró con ojos afilados y continuó luchando contra las ataduras sin emitir ningún gemido de dolor.

Fiàin le ignoró y centró toda su atención en sus ojos. En ellos estaba la marca de Aisling. Sonrió complacida, le soltó el cabello y, colocándose ante él, cantó a los robles para que le liberaran.

En cuanto se vio libre de ataduras, Kier se incorporó feroz y se enfrentó a Fiàin. No le importaba en absoluto que fuera la madre de Aisling. Si volvía a tocarle de esa manera, la mataría.

—¡Qué puñetas estabas pensando! —siseó furioso. Cerró las manos en puños y las pegó a los muslos para no golpear a la zorra que tenía frente a él, algo que estaba muy tentado de hacer—. ¿Tienes idea de la tristeza que puede sentir Aisling si se entera de lo que has hecho? No vuelvas a tocarme.

—Madre no toca como tú crees, te está probando —le explicó Aisling subida a una rama de un roble, justo sobre ellos.

—¿Desde cuándo estás ahí? —Kier la miró sorprendido por sus palabras. Jamás entendería a las mujeres, menos todavía si eran dríades.

—Desde que tú abierto los ojos —comentó Aisling con indiferencia—. Fiàin muy contenta con tu reacción. —Entornó los párpados, escuchando algo que solo ella podía oír—. Ella dice que tú valiente y feroz, y que seré feliz contigo; ella dispuesta a intentar respetarte como a un roble —declaró a la vez que descendía del árbol—. Te quiero —susurró feliz—. ¿Es así como tú dices? ¿Te quiero? —Kier asintió, abrazándola—. Te quiero —volvió a musitar ella un instante antes de besarle.

Se enredaron en un beso salvaje, un beso en el que no solo participaban la lengua y los labios, sino también las manos y los cuerpos de ambos. Kier envolvió a la joven dríade entre sus brazos y ella le devoró con la mirada a la vez que se pegaba a él y hundía los dedos en su espeso cabello negro.

Un gruñido irritado, seguido de una lluvia de hojas y tierra, les hizo separarse.

Fiàin tenía la mirada clavada en ellos, mirándoles sin ver. Dio de nuevo una patada al suelo, levantando otra nube de tierra y, a continuación, se lanzó sobre Milis, trepó por su tronco y fue saltando de rama en rama hasta llegar a su roble e introducirse en él con gesto abatido y furioso a la vez. El rostro que se grabó en la corteza del grueso árbol se mostraba más perfilado que nunca. Se podían apreciar en él cada rasgo, cada gesto, incluso los ojos grabados en la corteza parecieron tornarse azul uno, negro el otro.

—¿Por qué se enfada ahora? —preguntó Kier atónito—. No decías que a tu familia, y eso incluye a tu madre, no le molestaba que… nos abrazáramos.

—Fiàin no está molesta por lo que hagamos nosotros. Madre enfadada porque ella no puede hacer el amor. Y lo desea. Con Iolar y Gard —sentenció Aisling.

—¿Se ha enfadado conmigo porque no puede follar con el rey y su perro faldero? —preguntó estupefacto.

—No. Madre enfadada con ella misma porque al vernos ha recordado lo que no quiere recordar. Porque tú aquí, y ellos no.

—Pero si es ella quien no les deja entrar en el claro —farfulló Kier confuso.

—Ella sabe, por eso más furiosa aún.

Kier observó entristecido el roble que guardaba el cuerpo de Fiàin, y tomó una decisión que nunca hubiera pensado que tomaría.

Caminó hasta el árbol y posó la mano sobre la gruesa corteza del tronco.

—Fiàin, dales una oportunidad.

La dríade abandonó abruptamente su roble, haciendo trastabillar a Kier, y comenzó a gruñir y emitir extraños chasquidos con la lengua a la vez que movía con rapidez los brazos.

Todos los árboles del claro agitaron las hojas e hicieron crujir las ramas, apoyando la furia de su hermana.

—Madre dice: ¿por qué debe darles oportunidad? Ellos encerraron en castillo de piedra. Robaron aire para respirar y quisieron apartarla de mí. Ella no dará oportunidad.

—Ellos están arrepentidos —aseveró Kier—. No volverán a cometer los mismos errores.

Madre e hija se miraron fijamente antes de que Aisling volviera a hablar.

—Madre dice que cometerán otros.

En ese momento un pensamiento penetró en la mente de los reunidos en el claro: Aisling en el castillo de piedra, Iolar gritando a sus soldados y el rastrillo que tapaba la entrada al recinto cayendo con un ruido atronador, impidiendo la fuga de la joven.

Kier se giró sobre sí mismo y comprobó que, tal y como había intuido, el impertinente lobo gris y su dócil compañera acababan de entrar en el claro.

Dorcha gruñó y mandó por primera vez un pensamiento: Aisling en el castillo, presa. Iolar y Gard esperando sobre la muralla la llegada de Fiàin, seguros de que esta iría a buscar a su hija. Iolar y Gard encerrando a Fiàin en el castillo.

La loba, al igual que las hembras del claro, tampoco se fiaba de los hombres del castillo. Apreciaba a Kier, sí, pero los otros dos eran extraños y no le gustaban.

Kier sacudió la cabeza y se friccionó la frente con los dedos. Ver los pensamientos de los lobos era una sensación muy extraña. Cuando volvió a concentrarse en lo que le rodeaba se encontró con el ceño fruncido de Aisling. Fiàin había vuelto a desaparecer en su roble, y en este, la cara grabada en la corteza mostraba una terrible desolación.

—No —musitó pasándose la mano por el pelo, pensativo—. No te hubieran vuelto a encerrar, Fiàin.

—*Blaidd* muy desconfiado… pero yo le creo —replicó Aisling acariciando la testa del enorme lobo.

—Tu padre había pensado mantenerte en el castillo, para instar a Fiàin a regresar. —El silencio cayó sobre el bosque cuando el hombre empezó a hablar—. Pero… no es como piensa *Blaidd*. No iba a encerraros a ninguna de las dos. Ellos… —Kier se calló, reflexionando sobre lo que iba a decir a continuación—. Ellos os quieren. Os echan muchísimo de menos y sufren porque no pueden teneros a su lado. —Se mordió los labios a la vez que volvía a retirarse por enésima vez el pelo de la cara—. Iolar intentó que me quedara en el castillo. Pensaba que si lo hacía, tú irías a buscarme y pasarías un tiempo allí, con ellos —susurró mirando a Aisling—. Pero no querían encerrarte, te hubieran dejado ir cuando lo hubieras pedido. Solo quieren pasar más tiempo contigo, y si con tus visitas lograban que tu madre se sintiera intrigada y acudiera al castillo… pues sí, era algo en lo que Iolar pensaba constantemente. Pero no la hubieran encerrado. Yo creo que más bien pretendían demostrar que han cambiado, quizá convencerla de que les permitiera entrar en el claro y… hacerle el amor —afirmó Kier mirando a Fiàin con un destello sagaz en la mirada.

No sabía bien por qué hablaba en favor del rey y su capitán, quizá por la desesperación que destilaba la pregunta que Iolar le había hecho sobre el adarve, antes de que se desatara el caos en el patio de armas del castillo.

Fiàin emergió del tronco en que se había ocultado, se dirigió hasta Kier y comenzó a empujarle con fuerza a la vez que gruñía desaprobadora.

—Madre dice…

—No es necesario que me lo digas, me hago una idea —comentó irónico sujetando a la enfurecida dríade por las muñecas y llevándoselas a la espalda—. ¿Qué harías si te separaran para siempre del hombre al que amas, del dueño de tu mirada y tu corazón? ¿Esperarías de brazos cruzados a que ocurriera un milagro o lucharías con todas las armas a tu alcance para recuperarle? —Le lanzó palabra por palabra la misma frase que había dicho Iolar en la muralla—. ¿Qué harías, Fiàin? Piensa bien tu respuesta, porque en ella está la clave de tu felicidad, y también de la de tu hija —sentenció soltándola—. ¿Volverás a encerrarte en tu roble o lucharás por lo que es tuyo?

Fiàin negó con la cabeza, pertinaz en su postura.

—¡Dios Santo, qué terca eres! —clamó Kier mirando al cielo.

—Padre obró mal. —Aisling salió en defensa de su madre.

—Iolar hizo lo que haría cualquier hombre que ama a su mujer y su hija, y al que obligan a mantenerse apartado de ellas. No disculpo a tu padre ni a Gard, pero entiendo sus motivos. Hace muchos años obraron mal, y todavía lo están pagando. ¿Te parece justo, Aisling?

El silencio de las dos dríades fue su única respuesta.

Kier bufó indignado, se frotó la nuca y centró su mirada en los lobos. Los ojos ambarinos del lobo gris se mostraban recelosos y también reflexivos.

—Tenemos que hablar —dijo Kier dirigiéndose hacia él.

Puede que *Blaidd* fuera un lobo gruñón, pero en ese momento necesitaba hablar con alguien de su mismo sexo, aunque no fuera de su misma especie. Seguro que entre ellos podrían entenderse mejor que con las dos cabezotas dríades del claro.

Se arrodilló frente al lobo y este emitió un quedo gruñido a la vez que aplanaba las orejas y estrechaba los ojos, suspicaz. Kier le aferró el morro con ambas manos.

—Deja de gruñir y escucha —le increpó. *Blaidd* se zafó de las manos del macho humano y enseñó con ferocidad los colmillos—. Los hombres que intentaron quemar los robles pueden regresar, tenemos que estar preparados.

Blaidd soltó un gruñido de aquiescencia, se sentó sobre sus cuartos traseros e irguió las orejas.

Kier asintió con la cabeza, se sentó sobre los talones y pasó un brazo sobre el lomo del lobo.

—No sé por qué nos atacaron, pero Iolar y Gard estaban seguros de que tenían un poderoso motivo para atreverse a entrar en el bosque e intentar incendiarlo —explicó Kier señalando a las dos dríades con la mirada—. Y puesto que nadie sabe que Fiàin está viva, solo se me ocurre que iban a por Aisling.

—Yo sé quién ordenó quemar robles —los interrumpió la joven dríade, y se puso de cuclillas frente a los dos machos.

—¿Lo sabes?

—Sí. Él dijo a mí.

—¿Te lo dijo? —inquirió Kier confuso. Que él supiera, ella no había hablado con nadie durante el ataque al bosque.

—Él me reconoció ayer en castillo de ciudad de piedra y me dijo que quemaría otra vez robles si yo no portaba bien.

—¿Él te reconoció? ¿Quién? —Antes de que le pudiera responder, Kier se golpeó los muslos con las manos y profirió un juramento—. ¿Fue el noble que te intentó besuquear en el patio de armas? —siseó apretando los dientes.

—Sí. Quería llevarme con él, pero yo no quería ir, así que le pegué.

—Lo mataré.

Kier se puso en pie y caminó decidido hacia la linde del claro. *Blaidd* le acompañó gruñendo aprobador.

—¿Adónde vas? —Aisling le aferró por el codo.

—A Sacrificio del Verdugo —contestó él con mirada firme.

—¡No! Tú prometes que no marchas nunca de claro. ¡Promesa no se puede romper! —gritó asustada al ver que él se zafaba de su mano y continuaba andando—. Ese hombre es hombre loco. No lucha limpio, hace trampa. No puedes ir por él.

—¿No puedo? ¿Crees que no soy capaz de defender lo que es mío? —gruñó Kier enfadado.

Aisling tomó aire para refutar su absurda pregunta, pero la voz de su madre en su mente la hizo callar. Parpadeó pensativa, y sonrió ladina.

—¿Cómo vas a matar hombre loco si no sabes quién es? —preguntó cruzándose de brazos.

Kier detuvo sus airados pasos y se giró para mirarla con la rabia tatuada en el rostro. ¡Tenía razón, maldita fuera! No había visto el rostro del hideputa, ni siquiera podría describirlo si le preguntaran. Los sucesos de la jornada anterior se sucedían confusos en su mente. Solo recordaba la sensación de impotencia que lo consumió al ver a su dríade intentando escapar del castillo, nada más.

Blaidd gruñó tras él, instándole a no dejarse convencer por las cobardes palabras de la hembra.

Dorcha resopló ufana a la vez que se pegaba a las piernas de Aisling.

—¿A qué hombre vas a matar, Kier, si no sabes quién es?

Kier abrió la boca para replicar, volvió a cerrarla, entornó los ojos, obstinado, y volvió a abrirla.

—Tú me lo dirás.

—¿Yo? —jadeó Aisling dando un paso atrás.

—Sí. Vendrás a Sacrificio con nosotros —aseveró cogiéndola de la mano y señalando a los lobos—. Me indicarás quién es y luego te marcharás con *Blaidd* y *Dorcha*.

—¡No! ¡No iré al castillo! ¡No me encerrarán en muros de piedra! —gritó horrorizada clavando los talones en el suelo y tirando de la cruel mano que la sujetaba.

—¡Maldita sea! —Kier soltó la muñeca de la joven al escuchar su voz aterrorizada y, antes de que ella pudiera reaccionar, posó las manos sobre sus mejillas—. Escúchame, Aisling —susurró acercando su rostro al de la joven—. Perdóname, nunca te obligaré a ir donde no quieras. —Ella asintió, todavía asustada—. Me ha cegado la rabia, no volverá a repetirse, lo juro —afirmó besándola.

—No iré al castillo —dijo ella con la respiración agitada, cuando por fin se separaron.

—No. No irás. Descríbeme al hombre y yo iré a por él.

—¡No! Tú tampoco vas al castillo. Tú juras a mí que no marchas de bosque. Si haces promesa y no cumples, yo no confío más en ti —le advirtió cruzándose de brazos de nuevo.

—¿Qué pretendes entonces que haga? ¿Me siento y espero a que el cabrón ataque de nuevo? —inquirió irónico arqueando una ceja.

—No. Esperamos a que padre venga a bosque en próxima luna nueva, y entonces contamos y él soluciona.

—Aisling —Kier la tomó de las manos, atrayéndola hacia él—, no podemos esperar hasta la luna nueva.

—Sí podemos, robles protegen claro, nadie entra si ellos no quieren.

—Tus robles nada pueden hacer contra el fuego y la locura, excepto perecer.

—No quiero que te vayas. —Aisling le abrazó y hundió el rostro en su cuello.

Kier cerró los ojos, afligido, cuando sintió las lágrimas de la dríade deslizándose por su piel.

El inesperado aullido de *Blaidd* los sobresaltó, la imagen que este lanzó a sus mentes les hizo mirarle, asombrados.

—¿Lo harías? —susurró Kier arrodillándose frente al lobo gris para quedar a su altura.

Blaidd elevó la cabeza y aulló con fuerza.

Dorcha se apresuró a unirse a su macho y aulló a su vez.

Capítulo 29

Érase una vez… una visita insospechada, un regreso anhelado,
un deseo incumplido.

De noche, 27 de tinne (julio)

Gard, tumbado sobre la cama, observaba el ir y venir de Iolar por la estancia. Desde su regreso del bosque el rey se mostraba más irritable e impaciente de lo normal.

—Deja de darle vueltas y ven a mi lado, Iolar. —El soberano negó con la cabeza y siguió paseando obsesivo de un lado a otro—. Sabes que has hecho lo correcto. Dale tiempo a Luch; él encontrará al culpable, y yo lo mataré —afirmó Gard con certera seguridad.

—¿Que le dé tiempo? Te recuerdo que he dejado marchar a todos los nobles que podrían estar implicados en el ataque al bosque. Ya no están bajo la vigilancia de mis soldados, pueden ir donde quieran y hacer lo que quieran —bufó Iolar irritado—. Aisling y Fiàin están en ese maldito lugar, con la única protección de un hombre herido que apenas puede moverse, y tú quieres que espere tranquilo —negó con la cabeza.

—De nada te servía tener a ese atajo de ratas en el castillo. Estaban atentos al más mínimo gesto de tus soldados. El culpable no iba a ser tan estúpido como para hacer o decir algo que le inculpara ante tus propias narices…

—Lo sé, pero aun así… —Iolar se calló al escuchar el aullido de un lobo—. ¿Qué demonios es eso?

Caminó hasta la ventana y se asomó. No vio nada. El cielo estaba encapotado y las densas nubes cubrían el resplandor de la luna.

—¿Eso era un lobo? —preguntó Gard tras él, mirando también hacia el exterior. Un nuevo aullido rompió el silencio.

—Eso parece.

Iolar se apartó con rapidez de la ventana, cubrió apenas su cuerpo desnudo con unas calzas y una camisa, y abandonó presuroso la estancia. Gard no se quedó atrás.

Antes del mediodía, 28 de tinne (julio)

—No deberíamos haber esperado a que amaneciera —gruñó Iolar.

—Claro que no, hubiera sido mucho mejor partirnos la crisma cabalgando a oscuras por la Cañada Real —ironizó su amigo.

—Gard, cállate.

El nerviosismo que ambos hombres sentían se reflejaba en sus rostros crispados y sus pasos rápidos, en la manera en que apartaban los arbustos que les impedían el paso y... en la incisiva ironía del rubio y los gruñidos del moreno.

Al salir del castillo en mitad de la noche, se habían encontrado con los animales y estos se habían mostrado impacientes e irritados. Los fieles amigos de Aisling habían mordido con aterradora insistencia su ropa, instándolos a que los acompañaran, algo en lo que estuvo inmediatamente de acuerdo Iolar. Solo la paciencia de Gard, y sus irrevocables y acertados razonamientos, habían conseguido que el rey, y por ende los lobos, esperaran hasta que despuntara el alba.

En el mismo momento en que los primeros rayos del sol tocaron el horizonte, los dos hombres montaron sus caballos de guerra y siguieron impetuosos a las fieras. Solos. Sin el apoyo de ningún soldado. Iolar se había negado. Estaba seguro de que Aisling estaba detrás de la visita de los lobos y no pensaba dejarse acompañar por nadie que pudiera asustarla. Gard, quizá por primera vez en su vida, estuvo de acuerdo en que su rey cabalgara sin escolta.

Y en esos momentos, apenas media jornada después, casi al final de su viaje, se detuvieron al llegar al mágico círculo de robles y contemplaron con el ceño fruncido la barrera de ramas que les impedía el paso.

—¿Y ahora qué?

—Ahora esperamos hasta que Aisling venga —dijo Iolar, decidido a mostrar una paciencia que no sentía.

—Dadme vuestra palabra de que no haréis nada de lo que me

pueda arrepentir, e intercederé por vosotros para que os dejen entrar en el claro.

Iolar y Gard elevaron la mirada al escuchar la voz de Kier sobre ellos, y jadearon asombrados al ver que estaba sentado sobre la gruesa rama de un roble, mirándoles con el ceño fruncido. La herida que les había hecho temer por su vida casi había desaparecido de su costado, apenas se vislumbraba una sombra rojiza sobre la cicatriz casi cerrada. Su respiración, agitada e insuficiente dos noches atrás, ahora era sólida y acompasada. El hombre que había estado a las puertas de la muerte; ahora se mostraba fuerte y seguro, ningún signo de debilidad tenía cabida en él.

—Dadme vuestra palabra o marchaos —exigió Kier de nuevo.

Iolar observó al joven con los ojos entornados. Este tenía motivos de sobra para odiarle pero, sin saber por qué, creyó en la sinceridad de su compromiso.

—Tienes nuestra palabra —aceptó.

Gard asintió con la cabeza, intuía, al igual que su rey, que el amante de Aisling mediaría en su favor.

—Entregad vuestras armas —les ordenó Kier señalando las ramas que conformaban la entrada al claro.

Rey y capitán arrojaron las espadas y dagas frente a la barrera y contemplaron atónitos cómo el suelo se abría bajo estas y las raíces que habían permanecido enterradas en él se abatían sobre las armas, sepultándolas en la tierra. Fuera de su alcance.

Kier asintió con la cabeza, complacido, y se deslizó con presteza por el tronco del árbol. Al tocar el suelo, se enfrentó desafiante a ambos hombres. Los lobos se colocaron junto a sus piernas, y él les rascó tras las orejas, sin importarle lo cerca que estaban sus manos de las poderosas fauces de las bestias.

—No hagáis nada que pueda molestar a las dríades o a los robles —les advirtió con voz acerada, antes de darse la vuelta hacia la barrera y posar las manos sobre ella—. Decidle a Aisling que han jurado portarse bien y que yo respondo por ellos —afirmó tras mirarles una última vez.

El susurro irritado de las hojas cayó sobre las palabras del hombre. Tras breves instantes, se escuchó la suave tonada de la joven dríade y las ramas se alzaron, permitiéndoles el paso.

—Acompañadme, pero manteneos a diez pasos por detrás de mí. Y si os digo que os detengáis, lo hacéis —exigió comenzando a andar.

No se molestó en mirar atrás para comprobar si el soberano y su perro faldero accedían.

En realidad, no tenían otra opción.

Gard apretó la mandíbula con fuerza, cerró las manos en puños y dio un paso hacia el estúpido que se atrevía a dar órdenes a su rey, dispuesto a demostrarle quién mandaba a quién. Iolar, intuyendo las intenciones de su amigo, se lo impidió posando una mano sobre su hombro y negando con la cabeza.

—A mí tampoco me gustan sus exigencias —susurró—, pero he de reconocer que es la primera vez que entro en el claro después de todos estos años. Además, le he dado mi palabra y tengo intención de honrarla.

Atravesaron el círculo de robles escoltados por los lobos, manteniendo la distancia exigida por el hombre. Cuando llegaron al claro y Kier levantó la mano, instándoles a detenerse, así lo hicieron. Se quedaron inmóviles, observando con detenimiento lo que había frente a ellos. Nada había cambiado desde la primera y única vez que habían entrado allí, hacía ya tantos años. Los robles agitaban sus hojas, enfadados; en el suelo, las raíces ondeaban furiosas bajo la tierra que las cubría, asemejándose a serpientes, y, frente a ellos, en el otro extremo del claro, estaba el roble en el que había entrado Fiàin dejando su rostro grabado en él, solo que, en esos momentos, no había ninguna cara grabada en la corteza del tronco. Tampoco Aisling parecía estar allí.

—¿Dónde están? —jadeó Iolar la pregunta que se atoraba en su garganta y en la de Gard.

—Fiàin ha salido de su roble —dijo Kier apiadándose de ellos—. Aisling… Aisling sabe quién ordenó el asalto al claro. Fue el mismo hideputa que la atacó en el patio de armas.

—¿Alguien atacó a Aisling en el castillo? —jadeó Iolar asombrado y enfurecido.

—Dime su nombre —exigió Gard con ferocidad.

—No lo sé, pero Aisling puede describíroslo.

—¿Dónde está mi hija? —preguntó Iolar mirando a su alrededor.

—¿Lo matarás, padre?

Iolar y Gard elevaron la mirada. La joven dríade estaba sobre sus cabezas, fuera de su alcance, de pie sobre una rama y vestida únicamente con una sencilla camisa de lino.

—Descríbemelo y será hombre muerto.

—Viste ropas caras, como vosotros. Es alto y delgado, su pelo es oscuro como el de Kier, hay una gran nariz en su cara y su mejilla está marcada por tres cicatrices.

—Sé quién es —jadeó Gard reconociendo al hombre.

—Morirá antes de que el sol toque tres veces el horizonte —aseveró Iolar.

—Os acompañaré —declaró Kier con gesto pétreo—, es mi derecho matarle.

—No —rechazó Aisling bajando del roble en el que estaba subida para enfrentarse a su amante—. Haces promesa, cumples promesa.

Kier apretó los labios, cerró las manos en puños y una vena palpitó en su cuello, pero no dijo nada. Fijó la mirada en la furiosa dríade que le observaba con los brazos cruzados y asintió con la cabeza.

—No es tu derecho matarle, Kier —explicó la joven colocándose junto a él y abrazándole—. Las marcas de su cara se las hizo madre. Su muerte es derecho de padre.

—¿Atacó a Fiàin? —inquirió furioso Gard.

—Antes de que yo naciera —confirmó la muchacha mirando a su padre.

—¿De cuántas maneras puede fallar un hombre a la mujer que ama? ¿Cuántas veces puede errar en una sola vida? —dijo Iolar, contrito, interrumpiendo la sarta de maldiciones que escapaba de los labios de Gard.

—Tantas como días tenga su vida —le respondió Aisling.

—¿Cómo puedo hacerme perdonar cuando no lo merezco? —musitó el rey observando a su hija.

—Kier dice que os dé oportunidad. —Aisling besó a su amante y luego se volvió hacia los dos hombres que la observaban, asombrados por su declaración—. Yo confío en Kier, él demuestra a mí por qué mi corazón siente que él es su dueño. Demostrad vosotros que lo merecéis y no será necesario perdón.

Iolar y Gard aceptaron pesarosos las palabras de Aisling con una inclinación de cabeza.

—Matad a hombre con la marca de Fiàin en cara, proteged mi bosque —exigió la joven dríade con voz fiera.

—Lo haremos, y después… volveremos —declaró Iolar.

—Seréis bien recibidos —aseveró Aisling antes de separarse de Kier y volver a trepar a la copa del roble en el que había estado esperándolos.

Kier esperó hasta que ella estuvo oculta entre las ramas.

Luego rodeó a los dos hombres que escudriñaban el claro en busca de una dríade que no quería mostrarse, y les instó con la mirada a seguirle. Había llegado el momento de abandonar el círculo de robles.

—¿Por qué no nos dijiste que había atacado a mi hija en el castillo? —le preguntó Iolar furioso, poniéndose a su altura e ignorando la orden de permanecer a diez pasos de distancia.

Blaidd gruñó, con el lomo erizado y las orejas aplastadas contra la testa, dispuesto a lanzarse contra quien osara utilizar un tono amenazante con el que se había convertido en su lobo alfa.

Kier posó la mano sobre el morro del macho y le acarició el hocico, calmándole.

—Apenas fui consciente de lo que sucedió ante mí esa tarde —musitó enfurecido—. La vi golpear a un noble, y pensé que este la habría confundido con una criada y trataba de seducirla. No lo relacioné con el ataque al bosque. Si lo hubiera hecho, habría encontrado las fuerzas para descender del adarve, enfrentarme a él y matarlo. Así ahora no me vería obligado a permanecer aquí mientras vosotros tenéis el privilegio de acabar con su vida —siseó Kier con los puños apretados.

Los hombres continuaron su camino en silencio. Kier inmerso en pensamientos de sangre y dolor para con el hombre que había atacado a su mujer. Iolar y Gard observando asombrados el cambio que se había producido en los robles que les rodeaban; estos ya no se mostraban amenazantes, más bien parecían… expectantes.

Al llegar a la barrera de ramas, la encontraron cerrada.

—Habría jurado que estarían impacientes porque abandonáramos el bosque —susurró Gard posando las manos sobre el enramado.

Iolar se acercó hasta donde estaba su amigo, asintiendo extrañado ante sus certeras palabras.

—¿También debemos pedir permiso para salir del claro? —preguntó indignado, dándose la vuelta para enfrentarse a Kier y dando la espalda al muro de ramas.

Kier ni siquiera se molestó en responderle, toda su atención parecía centrada en la frondosa copa de un roble. Tenía los ojos entornados y el ceño fruncido, y parecía igual de sorprendido que ellos.

—¿Kier? —preguntó Iolar, dándose la vuelta también al ver que este no respondía.

Y entonces, el bosque despertó.

Una furiosa tonada invadió el silencio.

Las ramas que conformaban la barrera se movieron al unísono, apresando los brazos y las gargantas de los dos hombres que les daban la espalda. Las raíces se alzaron, envolviéndoles los tobillos e inmovilizándolos por completo. Y entonces, una dríade furiosa abandonó su escondite en la copa de los robles y se enfrentó a ellos.

Iolar y Gard jadearon al ver a Fiàin.

Tan hermosa como la recordaban.

Tan salvaje como siempre había sido.

Tan enfadada como la última vez que estuvieron junto a ella, en ese mismo claro.

Fiàin observó a los que fueron dueños de su mirada, caminó hasta ellos con desconfianza y se detuvo cuando apenas les separaba la distancia que recorre un suspiro estremecido. Elevó una de las manos hasta el rostro atónito de Iolar y lo recorrió con dedos trémulos, saboreando con las yemas el tacto de su piel, acariciando una y otra vez las arrugas que surcaban su frente, la comisura de sus ojos y sus labios, para luego apoyar las palmas de las manos sobre su torso. Se inclinó despacio, hasta que su nariz quedó pegada a la clavícula del rey, e inspiró impulsiva, llenándose los pulmones con su esencia. Incapaz de resistir la tentación, hizo lo mismo con el capitán de la guardia. Y cuando hubo saturado sus sentidos con el aroma de ambos hombres, se apartó remisa de ellos.

Los devoró con la mirada durante unos instantes, sin dejar de acariciarse el vientre y los pechos con dedos nerviosos. Y, de repente, con rapidez inusitada, se abalanzó sobre Iolar, aferró con ambas manos el cuello de la casaca y lo desgarró, dejando al descubierto la fina camisa de seda que llevaba, la cual, un instante después, sufrió idéntico destino que la otra prenda.

Los párpados del rey se cerraron y su respiración se tornó agitada al sentir los dedos de la dríade recorrer insaciables su pecho, detenerse sobre sus pezones y jugar con el vello que los rodeaba. Luchó contra el plácido éxtasis que le dominaba y se obligó a abrir los ojos de nuevo, decidido a observar durante el tiempo que le fuera permitido el hermoso rostro de Fiàin. La dríade había dejado de acariciarle con los dedos, para en su lugar hacerlo con los labios. Le lamía arrobada la suave piel del vientre mientras sus manos descendían sobre la firme erección que se marcaba bajo las calzas.

Fiàin desató con rapidez los cordones que le impedían tocar lo que tanto deseaba y, hundiendo la nariz en el vello rizado que adornaba la ingle del rey, aferró la enorme verga con ambas manos y comenzó a frotarla a la vez que su lengua asomaba entre sus labios, ansiosa por probar el sabor de la gota de semen que brillaba sobre el glande.

El gemido que escapó en ese momento de la garganta de Iolar la hizo apartarse, sobresaltada, al ser consciente de hasta qué punto había abandonado la precaución en pos del deseo. Dio un paso atrás, observó de nuevo a los dos hombres que la miraban esperanzados y, negando enfurecida por su propia debilidad, se lanzó contra el tronco de un roble y trepó por él, hasta perderse en la frondosa espesura. Un instante después, su canción inundó el bosque y rey y soldado fueron liberados a la vez que la arbórea barrera desaparecía tras ellos.

Iolar y Gard se miraron el uno al otro y luego dirigieron la vista hacia el hombre que les había permitido entrar en el bosque y saborear el milagro de volver a ver a Fiàin.

Kier les daba la espalda, alejado de ellos unos cuantos pasos, simulando mirar ensimismado las copas de los árboles. Se volvió despacio hacia ellos y sonrió.

—Fiàin jamás será vuestra entre los muros del castillo, pero… tal vez un día no muy lejano vosotros seréis suyos bajo los robles del claro —advirtió enigmático, para luego darse la vuelta y desaparecer entre los robles.

Mediodía 29 de tinne (julio)

—¿Adónde vas, Luch? —gruñó Iolar al ver que el hombrecillo se levantaba con intención de abandonar la estancia privada en que estaban reunidos.

—A poner sobre aviso a mis hombres de que el rey pretende dar pábulo a una revuelta nobiliaria —refunfuñó el maestro de espías.

—Cierra la boca y siéntate, viejo. Sabéis de sobra que no pretendo iniciar ninguna revuelta.

—No es lo que pretendes, pero es lo que conseguirás —afirmó Gard separándose de la pared en la que llevaba apoyado desde el inicio de la reunión—. En el momento en que comience a correr el rumor de que vas a ejecutar al conde, los demás nobles se sentirán vulnerables y atacados y, en el mismo instante en que le separes la cabeza del cuerpo, tendrás una revuelta entre manos.

—Solo se hará justicia, no tienen por qué tomárselo como un ataque hacia ellos —refutó Iolar las palabras de su amigo.

—¿Justicia? Vas a descabezar a un noble sin ningún motivo —siseó Luch fijando su mirada en Iolar—. Eso no es justicia, muchacho; a eso se le llama locura.

—¿Sin ningún motivo? Ordenó quemar el bosque e intentó secuestrar a mi hija, ¿esos no son suficientes motivos? —exclamó Iolar furioso para a continuación levantarse del sitial y barrer todo lo que había sobre la mesa con los puños.

—No tienes pruebas de que él haya dado esas órdenes —comentó Luch con calmada serenidad.

—¡¿No tengo pruebas?! La palabra de Aisling es prueba suficiente.

—¿De verdad piensas que la palabra de una dríade salvaje, a la que nadie ha visto jamás, es motivo suficiente para matar a un noble? —preguntó Luch entornando los ojos—. Eres más estúpido de lo que creía.

—¡Maldito seas, viejo! Estás hablando de mi hija.

—No tienes ninguna hija, Iolar. Renunciaste a ella cuando le permitiste quedarse en el bosque, convirtiéndola en un simple rumor de tabernas —siseó el anciano espía enfrentándose al rey—. ¿Quieres resucitarla ahora? ¿Mostrarla ante los ávidos ojos de los nobles del reino? ¿Convertirla en la presa más codiciada para los que buscan fortuna rápida?

El rey abrió la boca para replicar a su antiguo mentor y volvió a cerrarla. Las apreciaciones de Luch no podían rebatirse. Se sentó de nuevo, apoyó los codos en la mesa y hundió los dedos en su oscura melena.

—No es difícil, ni extraño, que alguien sufra un accidente mientras cabalga o que una flecha perdida durante una cacería le atraviese el corazón —comentó Gard acariciando su daga—. Y traería menos complicaciones.

—Quiero mirarle a los ojos cuando lo mate —susurró Iolar sin dejar de mesarse los cabellos—. Y lo haré… —afirmó levantando bruscamente la cabeza. Sus ojos brillaban sagaces y en sus labios se dibujaba una astuta sonrisa—. Será una ofrenda…

—¿Una ofrenda? Iolar, por Dios, ¿qué estás planeando? —inquirió Gard, preocupado al ver la mirada del rey.

—Le daremos a Kier la recompensa que se merece, nos resarciremos y, de paso, demostraremos a Aisling y Fiàin que pueden confiar en nosotros.

Capítulo 30

Érase una vez… la recompensa de un hombre.

Amanecer, 1 de coll (agosto)

—¿*E*l bosque del Verdugo, soldado? —infirió el conde, remiso a desmontar de su caballo—. No me parece el sitio más adecuado para una reunión de estas características, espero que no te hayas equivocado.

—No, milord —contestó Coch apretando los puños sobre la brida de su montura en un intento por disimular su impaciencia—. El capitán me señaló este lugar en concreto, también me advirtió de que los guardias se mantendrían alejados de esta zona desde que el primer rayo de sol tocara el horizonte hasta el momento en que este se mostrara por completo. Apenas nos quedan unos instantes —indicó observando la dorada esfera que comenzaba a ascender en el cielo.

Coch suspiró para sus adentros cuando por fin el conde se dignó a desmontar de su caballo y seguirle. Estaba deseando dar por cumplida su misión y liberarse de ese pomposo. Cuando dos noches atrás se había entrevistado en privado con el capitán y este le había dado instrucciones, no imaginó que lo más complicado de todo no sería convencer al conde de la autenticidad del mensaje que portaba, sino aguantarle durante todo el viaje.

—El bosque no es lugar para una reunión de Estado, muchacho. Tienes que haber confundido tus instrucciones —reiteró de nuevo el noble caminando en pos del soldado.

—El capitán me indicó que solo aquí estaríais alejados de oídos indiscretos, milord —contestó Coch apresurando el paso; casi habían llegado al lugar en el que aguardaba el capitán.

Tras un trecho caminando en silencio, Coch se detuvo por fin, ató las riendas de su caballo a un serbal e hizo lo mismo con las de la montura del noble cuando este las soltó hastiado.

—Buen trabajo, soldado —le felicitó Iolar apareciendo de repente ante ellos, acompañado por Gard.

—Majestad, es un privilegio y un honor que hayáis confiado en mí para este trascendental asunto —se apresuró a decir el noble, inclinándose en una ligera reverencia—. Aunque he de confesar que apenas logro reconoceros vestido con esos andrajos —musitó observando al rey y a su capitán.

Ambos vestían prendas más propias de campesinos que de nobles: sandalias, calzas de lana gruesa, camisas viejas y ajadas en tonos tierra y un tosco cinturón de cuero de vaca en la cintura con el que sujetaban una rústica daga. Incluso los caballos, que estaban atados a pocos pasos de ellos, eran simples jamelgos que portaban sobre sus esqueléticos lomos sendas alforjas, en las que el conde imaginó que guardarían los ropajes dignos del rey y su capitán.

—Bien hecho, Coch. Ahora regresa a Sacrificio del Verdugo por el camino del páramo y asegúrate de que los soldados con los que te encuentres sepan que el rey y yo viajamos en secreto a Madriguera de la Víbora. Nos detendremos en las aldeas con la intención de mezclarnos con la plebe y comprobar si son ciertas las habladurías que corren sobre Neidr —concretó Gard haciendo un extraño gesto a Coch.

El joven soldado se cuadró de hombros, asintió una sola vez con la cabeza y partió a cumplir la orden.

—¿Majestad? —El conde miró asombrado al rey sodomita y a su capitán. ¿De verdad podían ser tan idiotas?—. Si el soldado advierte a otros de vuestro viaje, ya no será secreto.

—Por supuesto, Rousinol, y cuando la noticia llegue a oídos de Neidr, se pondrá nervioso y quizás haga algo que no deba hacer —susurró Iolar. Aunque no eran esos sus planes.

—Un brillante plan, majestad. Estoy a vuestro servicio para todo aquello que dispongáis.

—Con eso contamos, Rousinol —declaró Iolar internándose entre los serbales—. Contadme lo que sabéis.

Rousinol se apresuró a seguirle y Gard se colocó tras ambos, vigilante.

—Según discierno del mensaje que me mandasteis, os han llegado rumores de lo que sucede en las aldeas que están bajo la tutela de Neidr… —comenzó a decir Rousinol.

—Sabéis de sobra que no son esos rumores los que me interesan —rechazó airado Iolar.

—Pero, majestad, están intrínsecamente relacionados con el asunto que nos ocupa —musitó Rousinol con la satisfacción pintada en el rostro—. Según se dice, el tesoro del ducado está agotado, y por eso Neidr grava con desorbitados tributos a sus aldeas, aunque de nada le sirve. —Iolar arqueó una ceja, impaciente—. Según he podido averiguar, el duque, hombre crédulo donde los haya, confía ciegamente en que cierta leyenda sea real y pueda ayudarle a llenar de nuevo sus arcas...

—Continuad —le instó Iolar cuando el conde detuvo su cháchara.

—Se rumorea que este bosque está habitado por una hermosa y salvaje dríade...

—Eso he oído.

—Y hay quien asegura que esa criatura de leyenda no es otra que vuestra hija perdida, majestad —susurró Rousinol bajando la voz.

—¿Dais crédito a esos chismes de taberna, Rousinol? Os hacía más inteligente —afirmó Gard posando la mano sobre la empuñadura de la daga que llevaba sujeta al cinturón.

—Por supuesto que no, pero según parece, Neidr ha visto en esas habladurías la posible solución a su problema —se apresuró a decir el conde, que miró nervioso a su alrededor al percatarse de que se estaban internando más de lo esperado en la floresta—. ¿No creéis que nos estamos alejando demasiado de la Cañada Real, majestad? No es que dé por ciertas las leyendas sobre criaturas salvajes y robles asesinos que recorren este bosque —explicó inquieto, desviando la mirada de un árbol a otro—, pero no deberíamos obviar que aquí también habitan lobos y otros animales peligrosos. Quizá deberíamos regresar.

—Dejad de parlotear e id al grano, Rousinol; mi paciencia es escasa.

—Oh, desde luego, perdonad mi divagación. Había olvidado que nos acompaña el aguerrido capitán de la guardia. Junto a él no tenemos nada que temer —ironizó en voz baja. Un carraspeo procedente de su espalda le hizo darse cuenta de la insolencia de sus palabras—. Disculpad mi atrevimiento, capitán; solo pretendía ensalzaros.

—Rousinol, volvamos a la solución al problema de Neidr —le recordó el rey.

—Neidr cree ciegamente en la leyenda que afirma que la dríade que vive en este bosque es vuestra hija. Según se rumorea, el duque tiene la convicción de que, si consigue desposarse con ella, vos le colmaréis de regalos. Piensa que le estaréis eternamente agradecido por convertir a vuestra salvaje hija en una dama, duquesa para más señas, de la que podréis vanagloriaros ante todos, en lugar de veros obligado a mantenerla oculta en este agreste paraje, alejada de la nobleza de la que ella misma forma parte —explicó agitado el conde.

Hacía unos instantes habían pasado sobre lo que parecía ser un montón de lujosas prendas desgarradas por los animales salvajes. Unas prendas que había comprado para su amada ese mismo verano. ¿Acaso ella se había atrevido a rechazarlas? Pensó furioso apretando los labios.

—Leyendas… Rumores… Princesas inexistentes convertidas en dríades… —enumeró Iolar irritado—. Que Neidr sea un idiota contumaz, capaz de dar crédito a leyendas y patrañas, para luego imaginar cuentos de hadas sobre princesas encantadas, no indica que sea el instigador del ataque, Rousinol. Solo revela que es imbécil.

—Aún no habéis escuchado el resto, majestad. Esperad y veréis hasta qué grado llega su estupidez. —El conde esbozó una sonrisa ladina al intuir que sus próximas palabras determinarían el destino del duque—. Para deshacerse de la única traba que le impedía llevar a cabo su plan, Neidr dispuso el accidente que costó la vida a su duquesa. Y, en el mismo instante en que se vio libre de cargas, pagó a unos bandidos para que secuestraran a la ilusoria dríade, con la que pretendía desposarse esa misma noche —finalizó mirando a su alrededor, consciente de que estaban cerca del mismísimo centro del bosque.

—Se me antoja un plan muy complicado para la escasa inteligencia de Neidr —objetó Iolar deteniéndose ante lo que parecía ser una hilera de robles, cuyas ramas en vez de elevarse hacia el cielo, formaban una tupida barrera.

—A veces la estupidez da paso a peregrinas ideas que se convierten en obsesiones, majestad, y no cabe duda de que, en ocasiones, las leyendas tienen ciertos posos de realidad que hacen viables los planes más inverosímiles. No obstante, no es Neidr el único motivo por el que me habéis traído hasta aquí —comentó el conde observando con atención la arbórea muralla.

—En efecto.

—Quizá la imaginaria dríade de Neidr exista, quizá vos deseéis recuperar a vuestra inexistente hija y verla convertida en la dama que tendría que haber sido. Quizá lo único que falló en el estúpido plan del duque fue el hombre con el que ella debía matrimoniar —se aventuró a decir el conde, que se había dado la vuelta hasta quedar cara a cara con el rey. Una sonrisa calculadora se dibujó en sus labios cuando el soberano le miró satisfecho y asintió levemente.

—Podría ser.

—Estoy totalmente de acuerdo con vos, majestad. La hija de Fiàin jamás podrá ser domada por la débil mano de Neidr. Quizá habéis pensado en otro candidato.

—Tal vez… —Iolar dirigió su mirada a las copas de los robles y sonrió—. Ah, Kier, aquí estáis. Decid a los robles que nos permitan el paso. Traigo un presente para mi hija.

Rousinol levantó la cabeza y jadeó sorprendido cuando vio al puto que el rey había liberado hacía menos de una semana. El hombre, que había estado a las puertas de la muerte, se encontraba de pie sobre una fina rama mientras apoyaba con descuidada firmeza una mano en el tronco del roble. Estaba desnudo y despeinado, y en la intensa mirada que les dirigía, brillaba un salvajismo no exento de odio.

—¡¿Qué hace él aquí?! —exclamó el conde, perplejo.

—Como bien sabéis, peleó junto a mí durante el desafortunado ataque en el bosque. De hecho, me salvó la vida, en más de un sentido. Por tanto, cuando reclamó su recompensa, no vi impedimento en concedérsela —dijo Iolar asintiendo con la cabeza sin dejar de mirar a Kier, y este, a su vez, sonrió.

—¿Qué recompensa? —inquirió Rousinol con voz aflautada, dirigiendo la mano a la espada que reposaba en el cinturón de su cadera.

—Permitidme que os libere de este inútil peso —comentó Gard cogiendo la espada del conde para a continuación lanzarla a los pies de la barrera, la cual se apresuró a envolverla entre sus ramas.

Kier sonrió y descendió con agilidad hasta el suelo, frente al tupido enramado. Posó la mano en este y susurró algo que ninguno de los otros hombres pudo oír. Un instante después portaba en su mano la espada del conde.

—¡No permitiré que ese puto me insulte llevando mi espada! Exijo que me sea devuelta —ordenó el conde, receloso. Comenzaba a intuir que ni el rey sodomita ni su capitán eran tan estúpidos como había pensado.

—Callaos, Rousinol. Quiero escuchar la voz de mi hija —siseó Iolar dirigiendo su atención a la tonada que en ese momento inundaba el claro.

El puto seguía frente a la arbórea barrera, susurrando, y una suave voz femenina parecía contestarle, hasta que, de improviso, se elevó en un hermoso *crescendo* y las ramas ascendieron a su posición habitual, dejando el paso libre a la extraña comitiva.

—El presente es aceptado —indicó Kier tras dedicar una despectiva mirada al noble—. Acompañadme.

Gard se situó tras el noble y, sin ninguna cortesía, lo empujó para que comenzara a andar. Atónito, Rousinol caminó tras Kier. Un instante después, la arbórea barrera volvió a caer, cercándole.

—¿El presente? ¿Qué presente? —graznó asustado por los extraños hechos que acontecían ante sus ojos.

—Oh, vamos, erguid la espalda y cuadrad los hombros, Rousinol. Vos sois el regalo para mi hija, no vayáis a hacerme quedar mal.

—¿Su regalo?

—En efecto.

—Os ruego que os expliquéis mejor, majestad; no creo que yo pueda ser considerado un regalo —siseó Rousinol deteniéndose enfadado.

Gard volvió a empujarle para que siguiera caminando.

—Por supuesto —aceptó Iolar—. Merecéis una explicación.

Rousinol avanzó en silencio, esperando irritado la explicación aludida por el monarca, pero esta no llegó.

—¿Os importaría, majestad, dadme esa explicación que tanto merezco? —exigió tras un tiempo que se le antojó extremadamente largo.

—No hay mejor presente para una dríade salvaje y furiosa que el hombre que ordenó quemar su bosque —declaró Iolar pasando su fuerte brazo sobre el hombro del conde, instándole a apresurar sus pasos.

—¡Yo no hice tal cosa!

—¿Estáis seguro?

El conde se detuvo en seco y observó a sus captores. El capitán de la guardia se mantenía a su lado, con la mano derecha sobre la empuñadura de la vulgar daga y la izquierda descansando sobre la cadera, tan cerca de él que sus hombros casi se tocaban. El rey permanecía frente a ellos, escudriñando con atención las ramas que cubrían el cielo del bosque. El puto se encontraba situado a pocos pasos por delante del grupo, mirándole con frialdad mientras sujetaba la espada alejada de su cuerpo, como si no supiera qué hacer con ella.

Rousinol se irguió en su pose más majestuosa, alzó la barbilla y dirigió una sagaz mirada al soberano.

—Os advierto, majestad, que no soy tan estúpido como parecéis creer —siseó con una sonrisa torcida en su rostro—. ¿De verdad habéis pensado que me arriesgaría a una reunión con vos y vuestro capitán sodomita en un lugar desconocido, sin dejar constancia de ello a nadie?

Iolar arqueó una de sus regias cejas, pero se mantuvo silente.

—Aun en contra de las exigencias en vuestro mensaje —continuó iracundo el conde ante el silencio del monarca—, no he mantenido en secreto nuestra entrevista. Un hombre de mi confianza me espera en cierto lugar y, si no me encuentro con él a la hora convenida, mandará una partida de mis soldados, montados en veloces corceles, para que recorran el reino con la noticia de que el rey y su fiel capitán de la guardia, recelosos del poder y las riquezas que he acumulado, me han tendido una emboscada. No creo que os convenga que esas noticias vuelen por el reino, podrían dar qué pensar a los demás nobles —dijo con un tono engreído que no ocultaba su nerviosismo.

—Grefftus no aguarda tu llegada en Olla del Verdugo, y tampoco podrá mandar mensajeros. Me he ocupado personalmente de silenciarle… para siempre —comentó Gard sonriendo—. Nadie te espera, Rousinol, ni te echará en falta, al menos hasta mañana. Coch se está ocupando en estos mismos instantes de decir a todo aquel con quien se encuentre que ha visto como te adentrabas solo en el bosque, transgrediendo la ley. Cuando encuentren tu cadáver, nadie se extrañará.

Los rasgos habitualmente engreídos del conde se vieron de pronto desprovistos de cualquier rastro de color a la vez que sus firmes y severos labios comenzaban a temblar. Dio un paso atrás y, antes de que pudiera dar otro más, Gard le sujetó por el codo y le obligó a continuar caminando.

—Oh, vamos, Rousinol, ¿a qué viene esa cara de espanto? —criticó Iolar aumentando el ritmo de sus pasos—. Dejad la cobardía a un lado y comportaos con la arrogancia de la que siempre habéis hecho gala.

—No debéis prestar oídos a las falacias vertidas por el puto que se folla a vuestra hija —le espetó Rousinol, recuperando su aplomo y atacando al que consideraba culpable de su indigna situación—. Cometeréis un asesinato si lo hacéis. No tenéis pruebas que demuestren que yo ordené quemar el bosque y secuestrar a la dríade.

—No, en eso estáis en lo cierto, no tengo pruebas, pero mi hija nos sacará de dudas.

—Kier, no dejes a Cara Marcada entrar en el claro. No quiero que lo apeste con su hedor —dijo Aisling descendiendo de improviso de entre las copas de los robles para situarse junto a su amante.

Un instante después sus dos lobos se agazapaban junto a ella, con los lomos erizados y las fauces descubiertas.

Gard sujetó con fuerza al conde, obligándole a mantenerse inmóvil.

La sonrisa ladina de Iolar se desdibujó cuando un movimiento tras su hija le indicó que alguien más había acudido a recibir el presente.

—Fiàin —jadeó el conde con la mirada centrada en la mujer desnuda que se encontraba tras la pareja de amantes—. Estás viva… tan hermosa, tan salvaje… —gimió intentando avanzar hacia ella.

La dríade no se lo pensó un instante, se colocó protectora frente a su hija y gruñó enseñando los dientes a la vez que curvaba sus manos en garras, dispuesta a atacar.

Iolar observó la reacción de su dama y, en un arranque de furia que fue incapaz de contener, desenvainó la daga y la enterró profundamente en el abdomen del conde. Luego giró la mano con que sujetaba el arma y ascendió, atravesando piel, carne y tripas, hasta tocar el esternón. Satisfecho, soltó la daga, se dio media vuelta y dirigió la vista al amante de su hija, ignorando por completo al hombre que se derrumbaba a sus pies, gimiendo de dolor.

—Disculpadme por haberos arrebatado la primera sangre del conde, no he podido resistirme. —Iolar restregó la mano manchada de sangre contra su camisa y se apartó a un lado cuando el moribundo extendió un brazo hacia él—. No obstante aún sigue vivo, aunque no por mucho tiempo. Disponed de esta escoria como deseéis.

Kier observó asqueado al hombre que sollozaba de dolor en el suelo, con las entrañas desparramadas sobre la hojarasca tiñendo de rojo lo que antes era verde. Se sentía extrañamente remiso a matarle. Ahora que todo se había resuelto, no necesitaba más sangre en sus manos para sentirse satisfecho. Giró la cabeza y contempló a las dos dríades que lo acompañaban. Aisling permanecía a su lado; le abrazaba la cintura con la cabeza hundida en su cuello, sin querer mirar la escena. Fiàin, al contrario que su hija, parecía disfrutar de la masacre. Se había acercado hasta el hombre agonizante y le bufaba despectiva a la vez que daba patadas al suelo, lanzando hojas, polvo y tierra sobre la cara congestionada del conde.

—¿Deseas que lo mate? —susurró Kier soltando la espada y envolviendo entre sus brazos a su dulce dríade.

—No me gusta ver sangre en tus manos —murmuró ella sin levantar la cabeza.

—Capitán, ¿podríais hacer callar los irritantes gemidos de ese desecho? —solicitó Kier.

Gard sonrió, empujó con una bota el pecho del conde hasta que este quedó tumbado bocarriba y con un certero cuchillazo, le cercenó la garganta.

Fiàin esperó hasta que los gimoteos gorgoteantes del hombre cesaron y luego, sin mirar atrás, trepó por el grueso tronco de un roble y se perdió entre las ramas que cubrían el cielo del bosque.

—*Blaidd, Dorcha* —llamó Kier a los lobos—, llevaos esto de aquí —les ordenó señalando el cadáver.

Los animales se apresuraron a aullar su aquiescencia antes de lanzarse a cumplir la orden.

—Kier, diles a tus lobos que no le destrocen la cara al conde, necesitamos que sea reconocible… Aunque les estaría agradecido si consintieran en devorarlo. Nos ahorraría problemas —comentó Gard.

Blaidd gruñó indignado al capitán de la guardia, a la vez que una carcajada divertida escapaba de los labios de Kier. El lobo había mandado un pensamiento al capitán.

—¿Qué te resulta tan gracioso? —inquirió este.

—*Blaidd* piensa que si tiene que tragar un solo pedazo de la carne apestosa de ese hombre, vomitará hasta la primera liebre que devoró en su vida —explicó divertido, inconsciente de las miradas asombradas que le dirigieron Iolar y Gard.

—¿Podéis hablar con los lobos? —preguntó Iolar, atónito.

—No hablo con ellos, entiendo sus pensamientos —murmuró distraído—. *Dorcha* llevará el cadáver a un lugar donde los animales darán cumplida cuenta de él. Se asegurará de que ningún mordisco decore su rostro —afirmó Kier acariciando la cabeza del lobo negro.

—El bosque ha entrado en él —musitó Iolar, pensativo—, tal vez nosotros…

—Ni lo pienses, cada cual ocupa su lugar en el mundo, y el nuestro no es pertenecer a este bosque —le frenó Gard con severidad. Luego se dirigió hacia la pareja de amantes y se despidió con una inclinación de cabeza—. Apresurémonos, Iolar. Debemos llegar a Madriguera de la Víbora antes de que caiga la noche. Neidr esperará nervioso nuestra «inesperada» llegada, imagino que con un banquete de bienvenida y un blando lecho con el que complacernos. Al fin y al cabo, llevamos toda la jornada viajando en secreto de aldea en aldea —comentó irónico.

Saltando de rama en rama como una ardilla, Fiàin siguió a sus hombres. Recelosa al verlos caminar libremente por el bosque, sin que Kier ni los lobos les vigilaran. Era extraño. Hacía apenas unas pocas noches que él había regresado y, desde entonces, tanto *Blaidd* como *Dorcha* parecían haber asumido que Kier era el jefe de la manada. Incluso ella misma comenzaba a confiar un poco en él; no demasiado, pero sí lo suficiente. El humano amaba demasiado a su hija como para hacerla sufrir… aunque lo haría. Moriría y Aisling dejaría que la sangre que ahora corría por sus venas se convirtiera en savia. Al igual que ella misma había hecho, o había intentado hacer, hasta el instante en que los dos hombres que recorrían el bosque, ignorantes de su presencia, habían vuelto a entrar en su vida.

Trastornándola por completo.

Tentándola con aquello que no quería volver a sentir.

Volviendo su cuerpo loco de deseo y añoranza.

Saltó sigilosa a una nueva rama para no perderles de vista. Estaban llegando al límite del anillo de robles. Pronto saldrían de su tramo del bosque. Estaba deseando que lo hicieran.

Ojalá se apresuraran.

Ojalá no volvieran nunca.

No quería volver a verlos, ni a oler la esencia arrogante y lasciva que emanaba de ellos.

No quería recordar cómo se sentía cuando sus poderosos

músculos se ondulaban contra su piel mientras sus arrogantes vergas penetraban con fuerza cada entrada de su cuerpo.

Saltó de nuevo, se agazapó sobre la rama y esperó silente a que los hombres pasaran por debajo de ella. No respiraría tranquila hasta que los viera abandonar su bosque.

Eran peligrosos.

Habían tenido el atrevimiento de llevar al claro al humano que había intentado quemar a su familia. Que había intentado forzarla en contra de su voluntad.

Habían llevado hasta ella al único hombre que había deseado matar en toda su vida.

Y lo habían matado para honrarla.

Las manos de los que fueran los dueños de su corazón estaban manchadas por la sangre del infame. Iolar lo había destripado sin dudar un instante. Con la fiereza imperturbable de los valientes. Gard lo había degollado, otorgándole un fin rápido e indoloro. Una muerte piadosa tras el justo castigo. Y lo habían hecho ante ella. Le habían concedido el placer de deleitarse con la muerte de aquel a quien más odiaba. No habían mostrado el menor deseo de ocultarle la sangrienta naturaleza de su acción. De su regalo.

La conocían más de lo que pensaba. La respetaban más de lo que esperaba. La aceptaban.

Faltaban apenas unos pasos para llegar al lugar que normalmente ocupaba la barrera, solo que en esa ocasión los robles mantenían sus ramas alzadas. Iolar frunció el ceño y siguió caminando junto a Gard. Ninguna rama descendió ante ellos, ni descendería. Estaba seguro de que nada les impediría abandonar el claro.

Se detuvo bruscamente y comenzó a deshacer las lazadas de la burda camisa que vestía. Gard le observó confundido; un instante después, una sonrisa sagaz se dibujó en su rostro mientras imitaba a su amigo.

—Mejor deshacernos del olor a sangre impregnado en la camisa —comentó el rey arrugando la prenda entre sus manos para luego dejarla caer al suelo—, no es conveniente si vamos a atravesar el bosque. Podría atraer a los animales salvajes.

—Es un buen plan, Iolar, pero no va a funcionar. Todavía es pronto para tentarla, primero debemos recuperar su confianza y eso requiere tiempo —murmuró con pesar el capitán mirando a su alrededor.

—Tenía que intentarlo.

—Lo sé.

Ambos hombres se miraron y avanzaron al unísono, dispuestos a abandonar el mágico paraje.

Escucharon pisadas tras ellos… Y el bosque estalló.

Las hojas se agitaron exaltadas y las ramas entrechocaron ensordecedoras al caer. La barrera se desplegó ante ellos más tupida e indómita que nunca.

Giraron con vertiginosa rapidez sobre sus talones, con la lucha entre el desaliento y la esperanza dibujada en sus rostros.

La esperanza se proclamó vencedora.

Fiàin estaba de pie ante ellos, con las manos apoyadas en las caderas, mirándolos furiosa. Plenamente consciente de la argucia que habían intentado realizar. Argucia que había tenido éxito.

Iolar miró a su dríade y dio un paso atrás, pegando el cuerpo a la barrera.

—Me pongo a tu merced, Fiàin —musitó alzando los brazos en línea con sus hombros.

La dríade entornó los ojos y un quedo susurro escapó de sus labios. Dos delgadas y flexibles ramas envolvieron las muñecas del monarca.

Iolar tragó saliva y esperó a sentir las raíces aferrando sus tobillos y el rugoso tacto de los robles envolviendo su cuello, como la última vez, pero esto no sucedió.

Contempló asombrado cómo su salvaje dama señalaba a Gard, indicándole que pegara su espalda a la muralla de ramas, y este obedecía con docilidad. Pero no le ató. Ninguna rama se enredó en las extremidades de su fiel compañero. Algo que no era extraño. Al fin y al cabo, Gard siempre se había mostrado respetuoso con Fiàin; siempre había aceptado sus deseos, mostrándose conciliador e intentando hacerles razonar cuando sus caracteres chocaban. Siempre había protegido a Fiàin, incluso del control enfermizo del propio rey. De él mismo. Y ahora ella otorgaba su confianza al capitán. No era extraño, no.

Fiàin se lamió los labios, recreándose en los torsos desnudos de sus dos antiguos amantes. Habían cambiado. Sus cuerpos todavía eran firmes y angulosos, pero no con la misma intensidad que antaño. Los músculos esculpidos que en otra época adornaban sus vientres, esos que a ella tanto le gustaba acariciar, se habían convertido en suaves elevaciones no exentas de dureza. El vello oscuro que ocupaba el pecho del moreno comenzaba a tornarse gris y, alrededor de los ojos azules del rubio, delgadas arrugas demostraban que el tiempo pasaba más deprisa para ellos que para ella. Pero aun así, seguía sintiéndose irremediablemente atraída hacia ellos. Seguía deseando tocarlos, luchar contra ellos y someterlos… o ser sometida.

Caminó felina hasta quedar frente al moreno; él era el más dominante de los dos hombres. El más arrogante y decidido. El que más la había hecho sufrir con sus acciones. Le acarició los antebrazos y desplazó los dedos por sus muñecas atadas, percibiendo en las yemas el tacto de la sangre del infame. Le había provocado un terrible sufrimiento al desgarrarle las entrañas y regar con su sangre el suelo del bosque, vengándolas a ella y a su hija. Lo admiraba por ello.

Deslizó las manos hasta su abultada entrepierna y rozó con los nudillos la firme erección que se marcaba bajo la estúpida tela que todavía le cubría el cuerpo. Continuó tocándole hasta que le escuchó gemir y, entonces, aferró la daga que él llevaba sujeta al cinturón, la desenvainó y recorrió con ella la cinturilla de las calzas, hasta detener la punta, por encima de la tela, sobre la enardecida polla.

Iolar dejó de respirar al ver, y sentir, que ella le acariciaba la verga con la hoja plana de la daga.

—¿Qué pretendes? —jadeó aterrado y excitado a la vez.

Fiàin no contestó. Al menos, no con palabras.

Desvió la mirada hacia Gard. Este tenía todo el cuerpo en tensión, las venas del cuello se le marcaban bajo la piel, su respiración agitada hacía oscilar el poderoso tórax y sus manos, cerradas en puños y pegadas a los muslos, daban buena cuenta de lo mucho que le estaba costando contenerse, confiar en que ella no heriría a su rey. Pero aun así, se contenía. Confiaba.

La dríade inclinó la cabeza y le sonrió ladina, y en ese mismo instante el capitán comprendió que ni la vida ni la virilidad de su rey corrían peligro alguno.

Fiàin posó una mano en el hombro del moreno, se elevó sobre las puntas de sus pies y, acercándose con extrema lentitud, le besó. Le recorrió con la lengua los labios, atrapó el inferior entre los dientes y tiró de él, haciendo jadear de placer al hombre, obligándole a responder con idéntico frenesí. Abrió los labios para él, le permitió la entrada a su boca y, mientas las lenguas se enfrentaban violentas, deslizó el filo de la daga bajo los cordones de las calzas.

Iolar sintió el frío metal al cortar la tela que cubría su erección, lo sintió posándose plano sobre su polla, peligroso, amenazador… Y continuó besando a la dríade. Solo un pesar ocupaba su mente. No podía abrazarla. Seguía atado. Su dríade no confiaba en él.

Fiàin se apartó y examinó al hombre que tenía a su merced. Su verga se mantenía erguida sobre el nido de rizos de su ingle. No se había desinflado al sentir la daga. Asintió satisfecha. Era un hombre valiente.

Giró sobre sus talones y caminó hacia el rubio, que había permanecido silente e inmóvil, observándolos resignado. Se detuvo ante él y lo contempló sonriendo.

Gard era el más estoico de los dos. El más paciente, el más razonable. El que calmaba al rey con sus palabras y le hacía recapacitar cuando erraba. Extendió una mano y entrelazó sus dedos con los del rubio. Aún estaban manchados por la sangre del infame. Tras el justo castigo infligido por Iolar, Gard le había otorgado una muerte rápida, mostrando la templanza compasiva de su íntegro carácter. Y lo admiraba por ello.

Soltó la daga que aún mantenía sujeta y llevó ambas manos a los cordones que cerraban las calzas. Los desató con premura para poder satisfacer el anhelo que le recorría el vientre. La prenda resbaló por las fornidas piernas del capitán, y ella se apresuró a albergar en las palmas la recia polla, gozando con la tersa dureza que deseaba sentir en su interior.

Se elevó sobre las puntas de sus pies sin dejar de acariciar la endurecida erección y lo besó. Un beso sutil, diferente al que había otorgado al rey. Porque ambos hombres eran distintos, e iguales. La amaban con idéntica intensidad, pero se comportaban de diferente manera. Con ímpetu arrollador el moreno, con paciencia infinita el rubio. Con audaz insolencia el rey, con tímida delicadeza el capitán.

Le recorrió mimosa los labios y abrió los suyos para él cuando su lengua los lamió, acurrucándose entre los brazos que la envolvían con infinita ternura. Se deleitó con el tacto de su paladar y los envites de su lengua hasta que el sexo comenzó a palpitarle, derramando fuego líquido entre sus muslos.

Se apartó de la boca que la dejaba sin aliento y descendió despacio por el tenso cuerpo de su amante, mordisqueó con suavidad las tetillas, lamió los duros contornos de su abdomen, jugueteó con la lengua en el ombligo y, por fin, llegó hasta el lugar del que provenía el picante aroma que tanto deseaba saborear. Chupó la solitaria gota de semen que emanaba del glande y, acogiendo los pesados testículos con una mano, lo introdujo en su boca y succionó con fuerza.

Un jadeo escapó de los labios cerrados de Gard. Bajó la mirada y observó hechizado como su pene desaparecía en la húmeda profundidad de la boca de la única mujer a la que había amado. Contempló sus mejillas hundirse, comprimiéndole la verga, para luego abandonarla lentamente, dejándola a merced de su astuta lengua. Recorrió con esta toda la longitud de su tallo, con pasadas tan lentas y sinuosas que le hicieron gruñir de frustración. Y cuando creyó que iba a volverse loco, ella volvió a acogerle en la boca. Primero el glande, absorbiéndolo despacio; luego, con brusquedad no exenta de delicadeza, la polla en su totalidad, llevándole al delirio.

Gard cerró los ojos, buscando recuperar el control que se le escapaba por momentos. Asió con trémulos dedos el cabello de su dama y tiró con suavidad, obligándola a dejar de lado su falo rígido y dolorido.

—Fiàin, soy uno con él. Libérale —suplicó mirándola a los ojos.

La dríade sonrió sagaz, irguió la espalda y pasó las manos por el poderoso cuello del soldado, abrazándose a él y besándole. Se elevó sobre las puntas de los pies cuando él echó hacia atrás la cabeza, intentando alejarse de sus labios y retomar el dominio de sí mismo para repetir su súplica. Volvió a besarle y, cuando sus lenguas se juntaron de nuevo, lanzó un pensamiento a los robles que les rodeaban.

Gard gimió extasiado cuando sintió las conocidas manos del rey anclándose en sus nalgas y el dúctil cuerpo de la dríade apretándose con fuerza contra el suyo. Abrió los ojos, asombrado. Iolar estaba con ellos, tras Fiàin, pegado a ella, frotándose contra ella, gozando junto a él del placer de tenerla de nuevo entre ambos. Sonrió cuando ella echó hacia atrás la cabeza, en un gesto que había repetido cientos de veces en el pasado. Se inclinó y mordisqueó con suavidad los labios de la dríade mientras Iolar lamía con la lengua las bocas unidas.

Continuaron besándose y besándola hasta que sus cuerpos enardecidos exigieron más.

Gard aferró la cintura femenina y con un movimiento brusco la obligó a girarse contra Iolar. Y mientras este se recreaba con los pechos, él deslizó las manos por los muslos de la dríade. Ella recostó la espalda contra su pecho, complaciéndole, y él se apresuró a asirle con sus fuertes manos el envés de las rodillas y alzarla en vilo con las piernas muy abiertas.

Iolar se arrodilló ante el sexo expuesto e hinchado y hundió la lengua en la vagina de la dríade, deleitándose con su sabor. Fiàin se tensó, arqueó la espalda y pasó las manos por la nuca de Gard, confiada. Y mientras este frotaba su exaltada erección contra el tentador trasero femenino, Iolar devoraba con fruición el delicioso rocío que bañaba el terso clítoris.

Lo aprisionó entre los labios, lo azotó con la lengua y lo succionó con fuerza a la vez que penetraba con dos dedos la húmeda y acogedora vagina. Y cuando sintió las contracciones de esta, comprimiéndoselos, indicándole que estaba cerca del orgasmo, los sacó de su interior y se puso en pie para besar a Gard e impregnar el sabor de la dríade en la lengua de su amante.

Fiàin se revolvió, frustrada, embargada por un deseo que no quería ni podía contener.

Iolar pasó las manos por el trasero de la mujer y la pegó a él, arrancándola de las manos de su amigo. Se tendió lentamente en el suelo, hasta yacer de espaldas sobre la hojarasca, con Fiàin cabalgando sobre sus caderas, y su vulva friccionándole frenéticamente la erección. La aferró por las nalgas, abriéndolas y a la vez obligándola a detenerse.

Gard se arrodilló entre las piernas abiertas del rey, inclinándose hasta que sus labios tocaron el ano femenino que tan tentadoramente le mostraba Iolar. Lo rodeó con la lengua, tentándolo, humedeciéndolo, y, cuando Fiàin jadeó elevando el trasero, presionó contra el estrecho anillo de músculos a la vez que introducía la mano entre los cuerpos sudorosos y aferraba la polla endurecida de Iolar.

Situó el pene contra la vulva excitada y lo masturbó con la palma de la mano mientras lamía embriagado el ano de la dríade y el glande del rey. Los llevó a un paroxismo sexual que exaltó hasta el límite cuando acopló con sus propios dedos el resbaladizo falo de Iolar en la vagina de Fiàin para, a continuación, penetrar el estrecho recto femenino con su propio pene.

Se movieron al unísono, alojados en ella, envolviéndola con sus caricias. Las manos del rey capturaban los pechos, torturando los pezones entre sus dedos. Las potentes arremetidas de Gard movían sus cuerpos, aumentando la rapidez y profundidad de las penetraciones, hasta que los tres estallaron en un arrebatador orgasmo que les dejó sin respiración.

Apenas unos instantes después, Gard se dejó caer a un lado, liberando de su peso a la dríade.

Fiàin jadeó, sorprendida por las emociones que desbordaban su ser y, sacudiendo la cabeza con fuerza, se incorporó con renuencia, hasta quedar de pie frente a ellos. Los miró aturdida, recorrió los cuerpos que había querido olvidar y negó con la cabeza.

Tantos años intentando olvidar, cuando lo que realmente necesitaba para volver a estar viva era recordar.

Se inclinó sobre ellos, con una mirada cargada de desconfianza. Desconfianza y algo más: esperanza. Posó las manos en el pecho de ambos hombres, sobre sus corazones y sonrió.

Una sonrisa plena, satisfecha… y renuente.

Luego volvió a erguirse, les dirigió una última mirada, arqueó una ceja y, al instante siguiente, trepó por el tronco de un roble y se perdió entre el tupido ramaje que cubría el cielo del bosque.

Ambos hombres se miraron y a continuación cerraron los ojos, a la vez que una sonrisa iluminaba sus rasgos.

Tras disfrutar de la dicha durante un momento, Gard se incorporó y miró tras él. Las ramas que conformaban la barrera habían vuelto a ocupar su lugar en las copas de los robles. Eran libres de marcharse… ¿Lo serían también de regresar?

—Yo diría que a Fiàin le ha complacido el presente que le hemos traído —comentó Iolar aún con los ojos cerrados.

Gard observó a su compañero con los ojos entornados, alerta ante el tono de voz que este había empleado.

—De nada sirvieron nunca las joyas y los vestidos que le regalamos —continuó diciendo Iolar inmerso en sus pensamientos—. No le interesan el lujo ni el poder, pero… ah, la venganza, el valor y la furia logran excitarla sobremanera —musitó pensativo.

—Iolar… —Gard se colocó en idéntica posición que su amigo y observó el cielo—, nadie más la ha herido ni amenazado. No te servirá de nada traer a todos los pomposos nobles del reino al bosque y masacrarlos en su presencia —le advirtió, aun considerándolo innecesario. No se fiaba de las ideas que a veces surgían de la cabeza del monarca.

—No. Por supuesto que no serviría de nada —refrendó Iolar

pasando las manos bajo su cabeza y apoyándose en ellas—. Pero… ¿qué me dices de las justas? Los combates en la liza pueden ser en extremo fieros, ¿crees que se mostraría receptiva si convocamos un torneo y combatimos en él?

—El rey sanguinario y el temerario capitán de la guardia… Incluso podrían usarlo los juglares para alguna de sus trovas —bromeó Gard. Miró divertido a su rey. La sonrisa se paralizó en su rostro—. ¡Iolar, ni se te ocurra! —exclamó incorporándose de golpe.

La carcajada del rey rompió el silencio del claro.

Mediodía, 4 de coll (agosto)

—¿Decís que lo habéis encontrado en la linde del bosque del Verdugo? —preguntó Gard al nervioso campesino que miraba aterrorizado sus sandalias.

—Así es, capitán. Lo vimos cuando recorríamos la cañada Real en dirección a Olla, mi señor. Regresábamos a casa tras vender nuestras mercancías en Sacrificio —farfulló el hombre mirando horrorizado a su alrededor.

Estaba en el salón de audiencias, en presencia del rey Verdugo. Observó a su hijo y vio grabado el miedo en su inocente rostro.

—Yo encontré al muerto. Mi chaval se quedó en el carro. Es un chico obediente y me obedeció, majestad —balbució asustado mirando al rey—. Lo subí al carro, lo tapé con algunas hojas y lo traje de vuelta a Sacrificio. Mi crío ni siquiera lo miró, majestad…

—Tranquilizaos, amigo —interrumpió Gard el parloteo interminable del hombre—. Nadie os acusa de haber hecho algo inadecuado.

—¿Por qué estamos retenidos? —murmuró el campesino con el último hálito de valor que guardaba en su interior—. Mi muchacho… ¿Dejaréis marchar a mi muchacho? Él es un buen chico, majestad; nos ayuda mucho. Su madre moriría de pena si algo le pasara, majestad…

—Nadie lo pone en duda, buen hombre —dijo Iolar sonriendo apacible—. Enseguida podréis marcharos, pero, antes, describidme lo que visteis cuando encontrasteis al conde de Rousinol.

—Apenas quedaba carne sobre sus huesos, majestad. Solo su cara estaba intacta, aunque bastante hinchada, y apestaba. —Unos cuantos gritos femeninos y algún desvanecimiento siguieron a las palabras del campesino, haciéndole callar, atemorizado.

—Continuad —le instó Gard—, no tenéis nada que temer si la sinceridad es la que mueve vuestra lengua.

—Su… supimos que era un noble por el cordón de oro que colgaba de su cuello, mi señor. —Más chillidos femeninos inundaron el salón. El campesino centró la mirada en el compasivo rostro del capitán de la guardia y continuó, ansioso por escapar de allí—. Por eso recogimos sus restos y nos apresuramos a subirlo al carro, para que las bestias no siguieran devorándole. No nos atrevimos a enterrarle, majestad, pero no fue por pereza o crueldad, mi señor. Mi hijo y yo pensamos que era mejor entregarlo al capitán de la guardia, y que él sabría de quién se trataba.

—Hicisteis bien —aprobó Gard, lanzando al hombre un saquito que tintineó al caer sobre el suelo cuando las curtidas manos temblaron, incapaces de sostenerla—. Tomad este pequeño obsequio como pago a vuestra acción, buen hombre, nos habéis servido bien. Podéis marcharos.

—Fear. —Iolar se dirigió al aguerrido y viejo soldado que observaba la escena desde un rincón del salón—. ¿Qué opináis?

—El joven Coch nos avisó de que había visto al conde internándose en el bosque. Solo. Imagino que con la intención de cazar donde tenía prohibido hacerlo. Rousinol siempre ha destacado por su arrogancia, majestad. El Señor lo ha castigado por su insolencia —sentenció.

—Gard, redoblad el cuerpo de guardia que vigila el bosque. No consentiré que estos hechos vuelvan a repetirse. Nadie debe internarse en el bosque del Verdugo.

Capítulo 31

*Érase una vez… un pasado olvidado, un presente dichoso,
un futuro alentador…*

Otoño, tres años después

Aisling puso los ojos en blanco al ver que, por enésima vez, Kier daba vertiginosas vueltas sobre sí mismo, sujetando a Gaire por las muñecas, mientras los lobos corrían a su alrededor. Oh, sí, era muy divertido… mientras daban vueltas. Luego su pequeña hija y su aguerrido macho caerían al suelo, mareados, y se negarían a levantarse en mucho rato.

Observó al dueño de su mirada detenerse poco a poco sin dejar de mirar arrobado a la niña de ojos verdes y cabellos oscuros, para acabar dando un traspié que lo llevó directo al suelo, con Gaire todavía en brazos. Los contempló reírse mareados mientras Milis y Grá dejaban caer una lluvia de hojas sobre sus cabezas.

Kier cerró los ojos, feliz, y extendió la mano para tocar el joven tejo que había brotado tres primaveras atrás en el claro, junto al roble de Aisling. Era tan delgado que ni siquiera se le podía llamar árbol, pero Kier se sentía en paz cuando sus dedos lo tocaban.

Aisling y Fiàin pensaban que la semilla había sido transportada por el viento hasta ese lugar, y que por eso había brotado allí, tan lejos de sus congéneres, que habitaban las montañas. Kier estaba de acuerdo con ellas, pero también se sentía extrañamente agradecido de contar con la presencia del pequeño tejo, porque, aunque nada lo indicara, sabía sin lugar a dudas que el árbol tenía alma masculina. Rodeado siempre de dríades y robles hermanados con ellas, había encontrado en el arbolito a un amigo… aunque Aisling se riera de él cuando afirmaba que *Blaidd*, el tejo y él eran los únicos machos en un claro habitado por hembras, y que por eso debían cuidarse unos a otros.

Sí, Kier cuidaba del arbolito, vigilaba sus hojas y ramitas, quitando de ellas orugas, hormigas y cualquier insecto que a él le parecía que pudiera hacerle daño.

Aisling sonrió al verle acariciar mimoso el tejo. Parecía que entre ellos había nacido una fuerte amistad. Se acercó a ellos, decidida a tumbarse a su lado y disfrutar de las risas de Gaire.

Él era el dueño de su mirada, el dueño de su corazón, y siempre lo sería, incluso cuando su risa dejara de sonar en el claro y durmiera el sueño eterno arropado por sus raíces. Suspiró y alejó con el dorso de la mano las lágrimas que se asomaban a sus ojos. Aun cuando más feliz se sentía, el recuerdo de la humanidad efímera de Kier la llenaba de tristeza.

Él se percató de su gesto y, dando un beso a su hija, se giró hacia Aisling y la abrazó preocupado.

—¿Estás bien? —Ella asintió, sonriendo, orgullosa de tener a ese hombre a su lado—. ¿Segura? No me gusta que las lágrimas adornen tus mejillas —afirmó muy serio—. No estarás pensando en qué vas a hacer conmigo cuando sea un viejo decrépito, ¿verdad? —susurró Kier en su oído intentando hacerla sonreír—. No me gusta que pienses en eso. Voy a estar a tu lado, siempre. Te lo juro. Y nunca he faltado a mis promesas, ya lo sabes —declaró tajante antes de besarla.

—Tú siempre cumples promesas. Yo confío —contestó ella con sinceridad.

Kier había cumplido todas y cada una de las promesas que había hecho.

No había abandonado el claro, ni lo abandonaría jamás.

No había intentando cambiarla; muy al contrario, había cambiado él. Había conseguido entender el ritmo del bosque, sentir sus susurros, comprender sus sentimientos.

Había cumplido incluso la única promesa que Aisling pensó que jamás cumpliría.

Cerró los ojos, dejándose llevar por los recuerdos que jamás olvidaría.

El calor del verano había dado paso a las templadas temperaturas del otoño. Estaban tumbados en la cueva formada por las ramas de Milis y Grá, acababan de hacer el amor y se contemplaban arrobados el uno al otro. Kier le acariciaba el vientre, trazando círculos sobre el ombligo para luego subir a los suaves pechos que tanto le gustaba saborear. Pero su mirada no era lujuriosa sino reflexiva. Algo le rondaba por la cabeza.

—¿Qué piensas? —le preguntó ella acariciándole los labios.

—¿Crees que Iolar y Gard lograrán algún día recuperar la confianza de Fiàin? —inquirió mirándola taciturno.

Habían transcurrido dos lunas desde la muerte del perverso hombre de la cara marcada, aquel que atacó al bosque, y con el paso del tiempo había llegado a apreciar sinceramente al rey y a su capitán. Habían compartido confidencias y deseos y sabía que, aunque ellos intentaran ocultarlo, cada vez que abandonaban la floresta, lo hacían apesadumbrados. Fiàin les entregaba su cuerpo, pero mantenía su alma a buen recaudo. Se mostraba ante ellos, los poseía y les permitía poseerla. Pero cuando Iolar o Gard intentaban abrazarla o besarla solo por el simple placer de sentirla a su lado, sin que la lujuria o la pasión mediaran en sus acciones, ella se alejaba veloz. Rara vez les sonreía. Y en el momento en que abandonaban el claro, ella, sin esperar a que se perdieran en la distancia y no pudieran verla, se fundía con su roble.

—¿Cuándo volverá a confiar en ellos, Aisling? ¿Cuánto tiempo deberán continuar pagando por los errores de su pasado?

—Fiàin ya confía —aseveró Aisling.

—Entonces, ¿por qué se oculta en su roble cuando se van, dándoles a entender que sigue empeñada en olvidarles? ¿Por qué no les sonríe, por qué no deja que le muestren su cariño?

—Tiene miedo. Prefiere vivir a medias que sufrir para siempre si vuelven a alejarse.

—No lo harán, Aisling. Iolar y Gard siempre regresarán, solo la muerte les impedirá hacerlo.

—Yo sé. Tú sabes. Fiàin desea creerlo, pero tiene miedo de entregar por completo su corazón.

—Es una cobarde.

—No. Es cauta, necesita una prueba que le haga creer. Muchas dríades han sido abandonadas y despreciadas por hombres a los que entregaron su corazón —aseveró ella. Se tumbó de lado y le miró fijamente antes de continuar en un quedo susurro—. Muchas dríades pierden a sus hombres cuando tienen bebés y los hermanan con los robles. Hombres se asustan. Gritan «bruja». Y huyen. Otros, como padre, quieren cambiar dríades, convertirlas en mujeres, en esposas. Dríades no mujeres, no esposas. Dríades solo dríades.

—Yo no haré eso, Aisling. El día que sostenga en mis brazos

a nuestra hija me emborracharé de felicidad, no de miedo. Cuando te conocí, uní mi vida a ti. No a una mujer, no a una esposa. A ti, Aisling, a la dríade salvaje y cariñosa a la que adoro. Nada podrá hacer que me separe de ti. No abandonaré nunca el bosque, ni desearé que seas distinta a como eres —declaró Kier con rotunda sinceridad.

—Recuerda promesa, Kier; cuando llegue primavera tendrás que hacer honor a ella.

Kier jadeó asombrado al comprender lo que ella le anunciaba. Tragó saliva, sin saber qué decir, estupefacto. Y luego, lentamente, una sonrisa satisfecha y orgullosa se dibujó en su rostro. Posó su fuerte mano sobre el suave vientre de la dríade.

—El día que nazca nuestra hija, yo mismo la depositaré junto a su joven roble. Y cuando se hermane con él, derramaré lágrimas de felicidad.

La primavera llegó y con ella los dolores del parto.

Kier ayudó a nacer a su hija y, en el momento en que la niña se durmió satisfecha en brazos de su madre tras tomar su primer alimento, él la tomó con cuidado entre sus fuertes manos y caminó hasta un diminuto roble que había brotado el verano anterior. Se arrodilló ante el delgado tallo que apenas levantaba un palmo del suelo y tendió al bebé junto a él. La pequeña se removió, una de sus piernecitas tocó el árbol y este pareció erguirse orgulloso hacía el cielo. Desde entonces no había dejado de crecer, y lo hizo mucho más rápido que cualquier otro árbol del bosque.

El verano que Gaire cumplió dos estaciones de vida, su padre volvió a llevarla junto al arbolito y contempló, abrazado a su mujer, con las mejillas empapadas en lágrimas de felicidad, como su hija se hermanaba por primera vez con su roble.

—Ya llegan Iolar y Gard —le susurró Kier en el oído, alejándola de sus recuerdos—. ¡Gaire! —llamó a su hija—. ¿A que no sabes quién está a punto de llegar? —exclamó divertido.

La niña abrió mucho los ojos, balbuceó algo parecido a «*dey saguinadio* y *temedadio caitán*», y salió corriendo hacia la linde del claro.

—No cabe duda de que adora a sus abuelos —musitó el orgulloso padre.

Iolar y Gard entraban en el claro en ese momento. Desnudos. Kier sonrió divertido; tras mucho refunfuñar, al final los dos hombres no solo habían aceptado que su mujer, su hija y él mismo se pasearan por el bosque como Adán y Eva, sino que habían adoptado esa costumbre de la que tanto despotricaban. Que los robles, instigados por Fiàin, se divirtieran enredando sus ramas en las costosas y regias prendas que portaban, rasgándolas, solo había acelerado un poco su decisión.

Iolar se arrodilló con los brazos abiertos para acoger entre ellos a la niña que corría hacia él. La levantó en vilo y comenzó a girar con ella en brazos.

Aisling suspiró, parecía que su padre y el dueño de su corazón habían adoptado la misma costumbre de hacer volar a la pequeña. Aunque la prefería la de Gard, que en esos momentos estaba entregando una diminuta espada de madera a Gaire.

—¡*Lutta, caitán temedadio*! —exclamó la niña golpeando el juguete contra la entrepierna desnuda del hombre.

—Aaaay —jadearon al unisonó Iolar y Kier.

Gard no jadeó. El aguerrido y temerario capitán de la guardia dejó escapar un ahogado gemido y cayó al suelo, encogido sobre sí mismo, con las manos firmemente aposentadas sobre sus partes golpeadas.

Gaire emitió un chillido satisfecho y, al grito de «*muede bellaco*», se lanzó contra el hombre y comenzó a golpearlo con la espada.

Aisling se apresuró a coger a su hija en brazos y alejarla de su rubio abuelo, a la vez que lanzaba a los hombres una mirada que decía: os lo advertí.

Una risa musical inundó en ese momento el claro. Fiàin caminaba hacia ellos sin dejar de reírse, mirando complacida a los dos dueños de su corazón. Cogió a la pequeña de manos de su madre y se sentó con ella en el regazo, esperando. Los demás se apresuraron a imitarla.

Cuando Gard recuperó por fin el aliento, se sentó junto al resto de los presentes, y comenzó a narrar las extraordinarias aventuras del rey sanguinario y su fiel compañero, el capitán temerario.

Tiempo después, con las historias contadas y las risas que de estas derivaron grabadas en el corazón, Iolar dirigió la vista hacia la pequeña dríade que jugaba feliz bajo la atenta mirada de sus padres. Sus risas inundaban de dicha el claro. El cascabeleo risueño de las hojas y ramas de los robles acompañaban las sonoras carcajadas de Kier cada vez que lanzaba a su hija al aire, mientras Aisling sonreía entre asustada y divertida ante las acrobacias.

El rey suspiró y miró a la dríade sentada entre él y Gard. Admiraba embelesada la empuñadura de hueso de la nueva daga que el capitán había tallado para ella. Su fiel compañero estaba sentado, con las manos apoyadas en el suelo boscoso y las piernas extendidas, relajado, con el rostro girado hacia donde la pequeña jugaba con sus padres. Le escuchó suspirar.

Y supo que Gard deseaba lo mismo que él.

—Fiàin… —Iolar retiró con los dedos un oscuro mechón de pelo que ocultaba el rostro de su amada, y esta levantó la vista, sonriéndole—. Nada deseo más en esta vida que disfrutar de la compañía de una pequeña dríade de cabello rubio y ojos azules —musitó.

—¡Iolar! —jadeó Gard, asombrado—. Ni lo pienses. No tengo derecho a engendrar vida en el vientre de tu reina.

Fiàin levantó la cabeza y observó a ambos hombres con los ojos entornados, suspicaces. Un instante después, su mirada se iluminó de felicidad. Susurró una suave tonada.

El alborozo que tenía lugar en el claro se detuvo en seco cuando Aisling escuchó la tonada, e instó a Kier y a Gaire para que se internaran en el bosque. Kier asintió y obedeció divertido, consciente de que Iolar y Gard se sentirían mucho más cómodos sin su presencia.

Un instante después, una sonrisa complacida iluminó los hermosos rasgos de Fiàin cuando se dirigió hacia el capitán. Antes de que este pudiera evitarlo, se colocó a horcajadas sobre su regazo, con la espalda pegada a su torso y las piernas abiertas a ambos lados de sus fornidos muslos. Frotó su sexo contra el pene semierecto del hombre y, cuando este se tornó grueso y rígido contra su vulva, alzó las caderas, aferró la imponente verga con una mano y la situó en la entrada de su vagina.

—Fiàin, no. No me hagas esto… —suplicó Gard, aferrando la estrecha cintura femenina.

El capitán era consciente de que si alguna vez llegaba a penetrar la vagina de la dríade, de la que siempre se había mantenido alejado por propia decisión, no podría contenerse; inundaría con su simiente lo que solo al rey pertenecía anegar.

Fiàin giró la cabeza, le miró sonriente y se dejó caer sobre la polla anhelante.

Gard cerró los ojos, extasiado al sentirla ceñirse sobre su pene. Apretó los dientes y se mantuvo inmóvil, decidido a hacer lo correcto, por mucho que su cuerpo, su piel y cada gota de sangre que corría por sus venas clamaran para que la embistiera hasta correrse y llenarla con su semen.

—Abre los ojos, Gard —escuchó decir a Iolar.

Obedeció a su rey.

Estaba arrodillado entre sus piernas y se inclinaba lentamente, con la mirada puesta en el sexo colmado de la dríade.

Los párpados del capitán cayeron cuando sintió los dedos de su amigo acariciarle los testículos. En ese momento, Fiàin empezó a moverse sobre él y obligó a su indisciplinado pene a entrar más y más profundamente en ella, palpitante y agradecido, excitado y más que dispuesto a derramar en su interior lo que no debía ser derramado.

Volvió a apoyar las palmas de las manos en el suelo, aferrándose a las hojas que lo cubrían, cerrando los puños sobre estas, resuelto a no rendirse ante el placer que los movimientos de su reina y la visión de su rey le proporcionaban.

Iolar se acercó hasta tocar con la nariz el pubis de la dríade y, a continuación, lamió y succionó con irrefrenable pasión el clítoris. Y cuando Fiàin comenzó a respirar errática, deslizó la lengua hasta su vagina y saboreó con deleite la verga que la penetraba, sin dejar en ningún momento de acariciar la tensa y pesada bolsa escrotal de su amante.

—Iolar, detente, por favor, detente, no puedo... —jadeó Gard cerrando los ojos con fuerza a la vez que, sin poder resistirse al deseo, elevaba las caderas, acercándose más a su rey.

Iolar le ignoró. Rodeó con los labios los cargados testículos y jugó con la lengua sobre ellos, torturando con sus caricias al hombre que intentaba por todos los medios mantener el control. Y mientras se dedicaba en cuerpo y alma a romper la contención de su amigo, observó cómo su amada se tocaba a sí misma, cómo se acariciaba la vulva con determinación.

Posó sus propios dedos sobre los de Fiàin, y comenzó a masajear la suave piel de los pliegues vaginales con el pulgar, dilatándola. Cuando la miró a los ojos, leyó en ellos lo que anhelaba.

Se irguió frente a ella, aferró con dedos trémulos su polla enardecida y la colocó junto a la del capitán. Gard se quedó inmóvil, conteniendo la respiración.

—¿Es esto lo que quieres, Fiàin? —le preguntó Iolar penetrándola lentamente, con la verga íntimamente unida a la de su amigo.

Como única respuesta, Fiàin rodeó con un brazo la nuca del

capitán y con el otro la del rey y comenzó a mecerse sobre ellos hasta que fue penetrada por ambos a la vez.

Iolar colocó sus manos en el suelo, junto a las de Gard, y, sin dejar de mirar a los ojos a su amigo y a su dríade, comenzó a bombear. Despacio al principio, más rápido después, cuando los gemidos arrobados de Fiàin y los jadeos incoherentes del capitán le advirtieron de que se acercaba el final.

Gard se mordió los labios hasta hacerlos sangrar, en un vano intento por recuperar la cordura. Sentir la polla de su rey acariciando la suya, penetrando junto a él a la mujer que ambos amaban más que a sus vidas, le sumergía en un placer tan inmenso que apenas podía respirar. Notar el ardiente roce de sus vergas, ceñidas por el resbaladizo interior de Fiàin era tocar el paraíso, para luego caer en el infierno, al comprobar cómo sus testículos pugnaban contra su voluntad para vaciarse donde no tenían derecho a hacerlo.

Iolar observó a su amigo. Los músculos de sus pómulos palpitaban, las venas se le marcaban en el cuello y el sudor le perlaba la frente.

—No te contengas, Gard. Déjate ir —musitó Iolar. El capitán negó con la cabeza—. ¿Vas a desobedecer las órdenes de tu rey? —le preguntó aumentando el ritmo de sus penetraciones—. ¿Vas a contravenir los deseos de tu reina? —insistió a la vez que embestía con ferocidad.

—Contigo, Iolar; siempre a tu lado —susurró con los dientes apretados, exigiendo al rey lo mismo que este le pedía.

—No, Gard. Es tu derecho, sé egoísta por una vez en tu vida, nadie lo merece más que tú —jadeó Iolar, recurriendo a toda su fuerza de voluntad.

—*Juntos* —siseó la voz de Fiàin en sus cabezas, mostrándoles una hermosa imagen: los tres amantes con los rostros contraídos en una mueca de extraordinario placer.

Y con un rugido de éxtasis abandonando indómito sus labios, Gard vio realizado el único sueño que jamás se había permitido tener. Un demoledor orgasmo inundó su cuerpo cuando la vagina de su reina apretó con fuerza los penes que la invadían y sintió la verga de su rey palpitando contra la suya.

Sus simientes se derramaron y mezclaron en el interior de la única mujer a la que habían amado. A la única que amarían eternamente.

Capítulo 32

Érase una vez… un regalo inesperado, un honor merecido,
la confianza otorgada.

Ocho años después

𝒰n tirón en la espalda, a la altura de los riñones, le indicó a Iolar que a su cuerpo ya no le agradaban las largas cabalgatas. Ató el semental al tronco de un delgado eucalipto y comenzó a desnudarse, no sin antes friccionar disimuladamente la zona dolorida. El bufido que escapó de labios de Gard le hizo sonreír. Sí, su fiel amigo tampoco se sentía tan joven como antaño.

Caminaron a través del bosque, atravesaron los serbales y, al llegar a la linde del círculo de robles, encontraron la barrera levantada y a Kier tumbado bocabajo sobre una rama.

—Hace mucho tiempo que os he olido —dijo mirándoles pensativo. Cada vez tardaban más en atravesar el bosque y llegar al claro.

—Nos lo hemos tomado con calma —contestó Gard a la pregunta implícita del hombre—. No podemos saltar de rama en rama como las ardillas.

Kier se rio por las palabras del capitán y, acto seguido, se dejó caer cabeza abajo para agarrarse en el último momento a una delgada rama, darse impulso y aterrizar frente a ellos. De pie.

—No. No sois ardillas. Las ardillas no tienen tripa —comentó el joven, divertido.

—No tenemos tripa —afirmó Iolar tocándose su poco abultada barriga—, esto son reservas acumuladas para cuando llegue el invierno.

—Ya se ocupará Fiàin de menguar esas reservas —dijo Kier estallando en carcajadas a la vez que les instaba a seguirle.

—¿Dónde está Fiàin? —le preguntó Gard extrañado.

—Os espera en el claro.

Gard e Iolar se miraron confundidos, Fiàin siempre acudía a ellos en el mismo momento en que se percataba de que entraban en el bosque. Que no lo hubiera hecho…

—¿Ha ocurrido algo, Kier?

—No es mi derecho decíroslo, pero no temáis; nada malo sucede —fue la críptica respuesta del hombre.

Se encogieron de hombros y se apresuraron a seguirle.

Apenas habían andado un corto trecho cuando un movimiento frente ellos les hizo levantar la mirada.

Gaire, que con los ojos verdes y el cabello oscuro era la viva imagen de Kier, vio a su abuelo, abrió mucho los ojos y echó a correr, sujetando entre sus manos lo que parecían ser flores de mil colores.

La niña que la acompañaba levantó la cabeza al oír gritar a su amiga. Sus cabellos dorados se alborotaron alrededor de su cara y sus enormes ojos azules se iluminaron felices al ver a los hombres. Pero no se movió de donde estaba; muy al contrario, acarició la cabecita de la cría de corzo que estaba sobre su regazo y sonrió al capitán.

—Está herida, le he dicho que tú la curarías.

Gard llegó hasta la niña, se arrodilló y observó con atención al corzo herido.

—Ya la ha curado Aisling —comentó señalando el emplasto que cubría la oreja rasgada del animal.

—Sí, pero solo ha curado su oreja, no su miedo. Le he dicho a Roe que tú eres el Capitán Temerario, el más valiente de todos los hombres, y que le enseñarías a no tener miedo, como a mí. Desde que *Blaidd* la atacó sin querer, no quiere acercarse a los lobos —explicó mirándole con adoración—. Pero ahora estás tú aquí y le enseñarás a ser valiente.

—¿*Blaidd* la atacó sin querer?

—Sí —asintió la niña, muy seria.

Gard tosió para ocultar la carcajada que pugnaba por escapar de sus labios. Desde que las niñas comenzaron a sostenerse sobre los pies y caminar por el bosque, los lobos de Aisling habían visto reducido su terreno de caza… a cualquier lugar al que no pudieran acceder las pequeñas.

—Papá…

—Le enseñaré a no tener miedo —afirmó tomando a la temblorosa cría de corzo entre sus brazos.

Si su hija le pedía que convirtiera a un tierno corzo en un lobo feroz, por Dios que lo haría.

Fiàin esperaba en el centro del claro a que los dueños de su corazón llegaran hasta ella. Se mantenía tan altiva y erguida como una reina. Sus ojos brillaban de orgullo y satisfacción.

Iolar y Gard se detuvieron confundidos cuando estuvieron frente a ella. Pero Fiàin no hizo ningún movimiento, ni siquiera les miró. Se limitó a erguirse más todavía.

—Tienes que arrodillarte —susurró una vocecita infantil a Iolar.

El rey miró aturdido al capitán. Ella jamás le había exigido nada igual, al menos no sin antes mediar algunas caricias, besos y... otras cosas, y en todo caso, no solo a él, sino a los dos.

Un carraspeo infantil le sacó de su aturdimiento, haciéndole arrodillarse presuroso.

El resto de su familia, Gard, Kier, Aisling, las pequeñas Gaire y Súile, y los lobos, se reunieron a su alrededor en un silencio reverente.

—Madre dice... —El dueño de la voz carraspeó de nuevo, hinchó el pecho, cuadró los hombros y miró al hombre arrodillado ante él y su madre—. Madre dice que ya soy un hombre y debo acompañarte al castillo de ciudad de piedra. —Gard e Iolar jadearon estupefactos por las palabras del niño de ojos y cabellos negros—. Madre dice que me entrega libremente, pero, antes, debes jurarle que me respetarás, me protegerás y me enseñarás a ser un hombre valiente y feroz. Ya soy valiente y feroz, madre —dijo el niño en voz queda mirando furioso a Fiàin. Esta se limitó a arquear una ceja—. También me tienes que dar una espada de verdad, un caballo grande que corra mucho y un arco con flechas —susurró el niño con rapidez antes de que su madre, con los ojos muy abiertos y los labios muy apretados, le diera un buen coscorrón en la cabeza—. Madre dice que eso no es necesario —musitó el niño enfurruñado—. ¡Pero yo lo quiero! —gritó saltando sobre su padre y escondiéndose tras su espalda—. Lo tendré, ¿verdad? Un rey no puede ser rey si no tiene una gran espada y un enorme caballo que pise las cabezas de sus enemigos.

—Lo tendrás, Brenin; lo juro —murmuró Iolar abrazando a su hijo a la vez que cerraba los ojos para que las lágrimas que los anegaban no se derramaran por sus mejillas.

Un carraspeo airado le hizo volver a abrirlos. Fiàin le miraba con una ceja arqueada y las manos apoyadas en las caderas.

—Juro protegerle, enseñarle y respetarle. Jamás podré decir con palabras lo orgulloso que estoy del hijo que me has dado, Fiàin. Ni lo honrado que me siento al saber que con su custodia me otorgas también tu confianza. Prometo hacerme merecedor de ella.

—Madre dice que hace años que la tienes —susurró el niño en su oído.

Fiàin se mordió los labios, dio un paso trémulo hasta el hombre y cayó de rodillas ante él. Permanecieron unos segundos mirándose y luego tendió la mano hacia Gard, llamándole. Este se apresuró a arrodillarse junto a ellos, y, entonces, Fiàin los abrazó y besó a ambos, demostrando el amor incondicional que la unía a ellos.

—Ya están otra vez besándose, ¡qué aburridos! Cuándo yo sea rey, no tendré nunca una mujer; ¡solo piensan en hacer el amor! ¡Con lo divertido que es hacer la guerra! —exclamó el niño alejándose de sus padres y su madre—. Gaire, Súile, os reto a un duelo —desafió a las niñas.

La hija de Kier y Aisling se apresuró a correr a por su espada, pero la niña rubia de ojos azules negó con la cabeza y continuó acariciando la testa del corzo.

Gard e Iolar sonrieron al escuchar el bufido airado del niño.

Los hermanos no podían ser más distintos, a pesar de haber nacido del mismo vientre y en el mismo momento.

Súile era una niña pensativa, silenciosa, más dada a jugar con sus animales que a pelear con su hermano y su tía. Era el perfecto contrapunto al carácter irascible y osado de su hermano.

Brenin siempre estaba presto a embarcarse en alguna empresa peligrosa, solo por el placer de conseguir aquello que se le había metido entre ceja y ceja, sin pensar ni calcular los riesgos. Era una suerte que Súile supiera calmarle y hacerle reflexionar.

Ambos eran la viva imagen de sus padres.

La leyenda del Verdugo - La forja de un rey

*U*na noche de luna nueva, muchos años y reyes después del primer Verdugo, el rey Sanguinario y el capitán de la guardia, aquel al que llamaban el Temerario, regresaron a Sacrificio del Verdugo acompañados de un niño de ojos y cabellos negros, idéntico al rey y al que este presentó como su hijo.

Nadie supo jamás quién fue su madre o dónde había permanecido oculto durante los años de su primera infancia.

Los rumores volaron de boca a oreja por todas las aldeas del reino: el niño era hijo de una hermosa mujer que habitaba en el bosque prohibido. No, era hijo de una dríade salvaje que había hechizado al rey y a su fiel capitán. No, era fruto de la unión prohibida del rey y la Dama del Bosque…

El niño se convirtió en hombre bajo la atenta mirada de su padre y del capitán.

Aprendió a cabalgar tan veloz como el viento y a empuñar la espada con tanta pericia que, según se rumoreaba, podía desnudar a una mujer rasgando sus vestidos con esta, sin tocarle la piel.

Muchos años después, una noche sin luna, el príncipe acompañó al rey y al capitán al bosque del Verdugo. A la mañana siguiente regresó a la ciudad, solo, convertido en el nuevo rey Verdugo.

Hay quien piensa que dio muerte a su padre y a su fiel compañero para hacerse con el reino. Otros aseveran que rey y capitán, ya ancianos, solo tenían un deseo, pasar sus últimos días en el bosque prohibido, junto a aquella que amaban, y que el joven príncipe los acompañó para cerciorarse de que sus deseos se cumplían. Incluso hay quienes se atreven a asegurar que ambos hombres, rey y capitán, duermen su sueño eterno abrazados por las raíces de un roble en un claro mágico en el centro del bosque.

Morag Dair (An finscéal)

Epílogo

El comienzo de una leyenda

Trescientos años más tarde

—*M*iradle, se cree un príncipe... El príncipe bastardo del bosque —dijo socarrona una voz infantil.

—Iobairt, señor del polvo y dueño de mil robles... —se burló otra voz—. ¿Cuál será la primera orden que darás a tus súbditos?

—Yo sé cuál será: que le digan cuál de los cientos de borrachos que se follaron a su madre es su verdadero padre —aseveró con malicia otra voz, esta vez la de un adolescente.

El niño al que iban dirigidos tan procaces comentarios se giró despacio, encarándose a la pandilla de jovenzuelos desarrapados que le seguían. Los miró durante unos instantes, con los labios apretados, la barbilla alzada y los puños cerrados a ambos lados de las piernas. Sus rasgados ojos negros quedaron fijos en el muchacho que dirigía a los otros niños, aquel que le había hecho la vida imposible desde el mismo instante en que había nacido. Respiró profundamente y volvió a girarse despacio, de nada serviría pelearse. Sabía que antes de que pudiera siquiera acercarse para golpear al cabecilla, el resto de la pandilla se lanzaría sobre él.

Una piedra pasó rozándole; otra impactó contra su espalda, haciéndole tambalear. Irguió sus esqueléticos hombros y giró la cabeza, el largo y alborotado cabello negro ocultó por un instante sus afiladas facciones.

—¿Por qué no demuestras lo valiente que eres entrando conmigo en el bosque, Alfred? Los dos solos —retó al líder del grupo, aquel que el destino había querido que fuera su hermanastro.

—¿Para qué? No necesito encontrar tumbas perdidas ni hablar con fantasmas para averiguar quién es mi padre.

—¿Tienes miedo, Alfred? ¿Temes que los robles mágicos te desmiembren? —preguntó sagaz el pequeño.

—Son simples árboles, Iobairt —replicó el muchacho sin moverse del lugar en el que estaba.

—Tienes miedo —afirmó el niño de ojos negros, caminando de nuevo hacia la linde del bosque—. Todos creen que eres valiente, pero eres es un cobarde.

El adolescente lanzó una maldición, corrió hasta Iobairt, le empujó con fuerza y se internó en la fronda salvaje. Los demás miembros de la pandilla le siguieron temerosos, manteniéndose alejados del niño de ojos negros.

Alfred caminó con seguridad entre los eucaliptos que marcaban la entrada al bosque, pero al llegar a los nudosos serbales de frutos rojos como la sangre, sus pasos comenzaron a volverse inseguros. Los árboles parecían cernirse sobre él y sus amigos. Entre los cantos de jilgueros y verderones, el golpetear inquieto de los pájaros carpinteros y el rumor nervioso de las ardillas, las hojas parecían susurrar con fuerza una advertencia: nadie podía adentrarse en el bosque prohibido y regresar con vida.

El adolescente se detuvo acobardado, apenas distaban unos metros para llegar al denso anillo de robles que custodiaban la entrada a lo más profundo del bosque.

Los niños que le seguían le imitaron.

Solo el pequeño de ojos negros continuó caminando impertérrito.

Llegó hasta la infranqueable muralla de ramas bajas y enmarañadas y posó la palma de la mano sobre ella.

El murmullo del bosque cesó. Los pájaros dejaron de cantar y las hojas interrumpieron expectantes su susurro.

—No se puede pasar —dijo Alfred con voz trémula.

—Yo sí puedo, mis antepasados están enterrados ahí dentro —afirmó Iobairt empujando con ambas manos la barrera.

Esta no cedió.

Alfred estalló en una carcajada histérica, satisfecho al ver que el bastardo que tanto había hecho sufrir con su nacimiento a su padre y a él mismo se ponía en ridículo ante todos los niños de la aldea.

—Estás tan loco como tu madre —dijo agachándose para coger una piedra.

—Mi madre no estaba loca —siseó el pequeño dándose la vuelta y mirando con altanería a aquel que más le odiaba.

—No. Tu madre era una zorra que se follaba a todo aquel que encontraba a su paso… poniéndonos en ridículo a mi padre y a mí. Y no contenta con eso, fue diciendo en su locura que tú eras hijo del último descendiente del rey Verdugo.

—Mi madre no era una zorra —siseó Iobairt feroz—. Y tampoco estaba loca.

—Pues entonces… atraviesa la muralla y demuestra que estoy equivocado —gruñó el adolescente, arrojando una piedra contra el pequeño de ojos negros.

—Sí, entra de una maldita vez —gritó otro niño lanzando una nueva piedra—. Quizás con un poco de suerte, los lobos te devoran y te vas al infierno a hacer compañía a la puta de tu madre.

Iobairt pegó la espalda a la maraña de ramas y se cubrió la cara con los brazos, intentando protegerse de las piedras que caían sobre él. No era la primera vez que Alfred y sus amigos le atacaban, pero nunca lo habían hecho con tanta saña y puntería. Parecía que el miedo que les había dominado al penetrar en el bosque se había vuelto fría rabia al comprobar que este no estaba por la labor de atacarles, por mucho que eso fuera lo que aseguraba la leyenda.

Sintió los fuertes golpes sobre su escuálido pecho, en el cóncavo estómago, sobre las delgadas piernas… pero no hincó las rodillas en el suelo. Su madre le había dicho una y mil veces que era el último descendiente del Verdugo y debía hacer honor a su sangre. Pero ahora que ella no estaba, se le antojaba difícil alzar la cabeza y continuar desoyendo los injuriosos insultos de Alfred. Compartían la misma madre, no así el mismo padre, y ese estigma les había separado y enfrentado hasta convertirles en los más implacables enemigos.

Un golpe contra una de sus esqueléticas rodillas le hizo caer. Se agarró a una de las ramas que conformaban la barrera y se impulsó sobre ella, dispuesto a levantarse de nuevo, haciendo caso omiso de las protestas de su consumido y magullado cuerpo. Una nueva pedrada, esta vez sobre la frente, le rasgó la piel y cubrió de sangre sus ojos y las ramas de la arbórea barrera en las que se apoyaba.

El silencio sobrecogedor que los rodeaba, solo roto por los insultos de los niños, se tornó de improviso denso, peligroso. Y, de repente, el bosque despertó. Los robles se inclinaron amenazadores sobre la pandilla de críos, el viento aulló entre las hojas furiosas y las ramas entrechocaron y crujieron con rabia, logrando que los atacantes se detuvieran para, al instante siguiente, salir corriendo en cualquier dirección contraria a la barrera.

Iobairt se giró tambaleante sobre los talones, observó sereno cómo las ramas se desenredaban permitiéndole el paso y, tras limpiarse la cara con el dorso de la mano, se adentró con pisadas inestables en el círculo de perversos árboles.

Caminó sin mirar a su alrededor, haciendo caso omiso de los sonidos amenazadores que seguían sus pasos, hasta llegar a un pequeño claro cercado por enormes robles. Lo recorrió despacio, atento a todo lo que le rodeaba. Escudriñó el lugar con su mirada de niño demasiado sabio, en busca de aquello que su madre le había descrito antes de morir.

«Tienes que buscar un imponente tejo que parece abrazar con sus ramas a un delgado roble y, junto a estos dos árboles, encontrarás un tercero, con una cara grabada en su tronco. Y debajo de este, hallarás la tumba de tus antepasados.»

Los halló en un extremo del claro. Y tal y como había dicho su madre, bajo la frondosa copa del erguido roble con el rostro grabado en el tronco, se ocultaban dos túmulos envueltos por raíces.

Se acercó cojeando, se arrodilló con cuidado y acarició con reverencia la tumba del antiguo rey y su leal capitán. Permaneció en esa posición hasta que las piernas se le entumecieron y todo su cuerpo tembló de dolor, de hambre, de pena, de rabia.

Había llegado hasta allí tal y como juró a su madre, y ahora, con la promesa cumplida, no le quedaba nada por hacer, excepto esperar. Esperar a que nada ocurriera, porque siempre había sabido, en lo más profundo de su ser, que su madre había sido engañada, que las leyendas solo eran leyendas y que él solo era el hijo bastardo de un borracho con mucha labia.

—¿Quién eres? —preguntó tras él una vocecita infantil.

Iobairt se giró lentamente y observó aturdido a la niña más hermosa que jamás había visto. Una niña de oscuros cabellos, ojos verdes como la hierba y piel tostada por el sol.

—Iobairt —contestó él—. ¿Y tú?

—Iníon Da Faorise —dijo ella observándole con atención—. ¿Cómo has entrado en el claro?

—Los robles me dejaron pasar. ¿Por qué estás desnuda?

—No me gusta la ropa, es incómoda. ¿Por qué te dejaron pasar? Tienen orden de no dejar entrar a extraños.

—No soy un extraño, por mis venas corre la sangre de los antiguos reyes de este bosque.

Iobairt alzó la cabeza con orgullo, esperando y a la vez temiendo que la niña comenzara a reírse de él tal y como hacían todos aquellos a quienes había conocido desde su nacimiento maldito.

Iníon inclinó la cabeza a un lado y estudió con atención los ojos negros del niño. Luego miró el enorme roble bajo el que estaban enterrados Iolar y Gard, escuchó los susurros de sus hojas y sonrió afable.

—Iobairt, descendiente del último Verdugo —murmuró acercándose aún más a él y dándole un beso en la mejilla—. Te harás hombre bajo estos robles y yo seré la dueña de tu mirada.

—¡Iníon! —El claro se inundó con la voz enfadada de un hombre—. Eres demasiado joven para pensar en eso.

Iobairt apartó los ojos de la preciosa niña que estaba junto a él y los desvió al único tejo que había en el claro de los robles. La voz masculina había salido de él. Parpadeó asustado cuando del imponente árbol emergió un hombre moreno de ojos verdes, desnudo, y se dirigió hacia ellos.

Sin pensarlo un segundo, Iobairt se colocó ante la niña que tan generosamente le había brindado su amistad, dispuesto a protegerla de aquel que, según decía la leyenda, era el único hombre que había vencido al tiempo y la muerte. Aquel al que la leyenda daba un nombre. El Rey del Bosque.

—Kier, no gruñas. Lo estás asustando —le regañó una hermosa joven, que estaba recostada sobre las ramas del roble al que abrazaba el tejo.

—La Dama del Bosque —musitó con reverencia el pequeño mirándola aturdido.

—No gruño —rezongó Kier—, solo regaño a esta desvergonzada que tengo por hija. Iníon, vuelve a tu roble ahora mismo.

—¡No! ¡Es mío! —exclamó la pequeña dríade abrazando a Iobairt. En ese mismo instante, las ramas del roble bajo el que se encontraban descendieron, envolviéndolos en un capullo protector.

—¡Oh, por todos los demonios, Fiàin! Aleja tus hojas, no pienso hacerle nada, sé de sobra de dónde viene su sangre. Puedo oler en él al último descendiente de Iolar.

Las ramas del roble volvieron a su posición inicial, revelando ante Kier el rostro asustado y a la vez sereno del pequeño.

—Iníon, ve con tus hermanas; eres demasiado joven para andar buscando un hombre. Además, Iobairt es solo un niño. —La cría negó fieramente con la cabeza. Kier suspiró ante la cabezonería de su hija más pequeña—. Está bien, quédate si quieres. —Se encogió de hombros y miró a Aisling, que les observaba divertida—. Así que tú eres el hijo de Caillte —dijo sentándose junto al niño.

—No sé el nombre de mi padre, señor —musitó Iobairt, avergonzado. La niña le abrazó, conmovida por la tristeza grabada en su voz.

—Tu padre se llamaba Caillte —afirmó Kier mirándole con atención, demorándose en la brecha de su frente, la delgadez de su cuerpo y la terquedad orgullosa de su gesto para a continuación detenerse y clavar sus ojos en los del niño—. Hace tiempo que te esperábamos.

—¿Me esperabais? —preguntó Iobairt sorprendido.

—Desde el mismo momento en que Caillte vino al bosque y reveló ante los robles que había engendrado en el vientre de tu madre al que sería el próximo rey Verdugo.

—Ya no existe un reino del que ser rey Verdugo —dijo con amargura el pequeño.

—Cierto, existió hace casi un siglo, antes de que le fuera arrebatado a tus antepasados. Tu padre soñaba con recuperarlo —aseveró Kier mirando al niño.

—Sueños de borracho —replicó Iobairt en voz baja.

—Caillte, al igual que su padre y el padre de su padre antes que él, era un hombre que se había dejado vencer por la amargura, un hombre perdido; no te lo niego. —Kier asintió con la cabeza—. Tal y como yo lo veo, puedes sucumbir a la rabia y convertirte en la sombra de tu padre. O bien hacer frente a la adversidad y convertirte en el digno heredero del mejor rey que jamás pisó esta tierra —declaró señalando la tumba sobre la que estaban sentados—. Es tu decisión —le indicó para luego levantarse y caminar hasta su hermosa mujer.

—¿Quién eres? —preguntó Iobairt, retándole a contestar con la mirada.

—Soy Kier, ya lo sabes.

—La leyenda dice que eres el Rey del Bosque.

—El Rey del Bosque es solo un mito. Yo soy real.

—La leyenda dice que llevas viviendo miles de años —afirmó el niño sin dejarse amilanar por las palabras del hombre.

—La leyenda exagera —replicó con sorna—, solo son trescientos años.

—¿Cómo es posible?

—Hice una promesa —dijo Kier sonriendo a la dueña de su mirada—. Juré a una dríade que jamás la abandonaría —comentó posando la mano sobre el tejo que se había convertido en su hermano con el paso de los años—. Del resto, se ocupó el bosque —afirmó comenzando a fundirse con el imponente árbol—. Piensa en lo que te he dicho, muchacho, y cuando tengas tu respuesta, házmela saber. Iníon, permite a tu joven amigo que recapacite en soledad —ordenó a su hija.

La pequeña asintió con la cabeza, depositó un casto beso sobre la mejilla del niño y trepó con agilidad hasta la copa del árbol en el que se había fundido su padre. Un instante después un murmullo de voces femeninas se coló por entre las ramas del grueso tejo.

—Piénsatelo, Iobairt. Los descendientes de mi padre son siempre bienvenidos en este claro —declaró Aisling entrando en su roble.

Agradecimientos

*H*ay tantas personas a las que quiero agradecer su cariño, su aliento, su buen rollo que me resulta muy complicado nombrarlas una por una.

Gracias a tod@s mis chic@s de Internet (autor@s, lector@s, forer@s, facebooker@s, bloguer@s) por vuestro apoyo y, especialmente, por sacarme de la monotonía en la que a veces me sumerjo, haciéndome reír como una loca con vuestras ocurrencias.

Gracias a Pilar Aldegunde, Nuria Casas y Loli Díaz por escuchar sin parpadear mis aburridos monólogos y luego decirme exactamente lo que pensáis de mis estupideces. Sinceramente, no sé qué sería de mí sin vosotras.

Gracias a Isabel Morcillo Ruiz por crear el mapa más bonito que nadie jamás podrá hacer del Reino del Verdugo, ¡eres una grandísima dibujante! Y gracias también a Ana R. Vivo y Chus Nevado por ser unas conspiradoras natas y hacer del mapa una realidad.

Y, por último, gracias sobre todo a una persona que se ha convertido en un pilar para mí.

A veces, la pereza me vence, me dejo llevar por la desidia y digo: «Ya escribiré mañana». Es en esos momentos cuando por arte de magia, o tal vez por lo mucho que mi amiga me conoce, suena el teléfono. Y al otro lado del auricular escucho su voz, una voz que muchas veces ni siquiera me saluda, que simplemente me dice en tono imperioso: «¿Estás escribiendo?».

Y si se me ocurre contestar «No», esa persona del otro lado de la línea exclama: «¡Escribe!».

Y eso es lo que hago, enciendo el ordenador y comienzo a escribir.

Gracias, Merche Diolch. Por tus ánimos, por tus «órdenes», por tu ímpetu imparable. Por todo.

Noelia Amarillo

Noelia Amarillo nació en Madrid el 31 de octubre de 1972. Creció en Alcorcón (Madrid) y cuando tuvo la oportunidad se mudó a su propia casa, en la que convive en democracia con su marido e hijas y unas cuantas mascotas. En la actualidad trabaja como secretaria en la empresa familiar, disfruta cada segundo del día de su familia y de sus amigas y, aunque parezca mentira, encuentra tiempo libre para continuar haciendo lo que más le gusta: escribir novela romántica.